VERSI
ORIGI

Méthode de français | Livre de l'élève

VERSION ORIGINALE 4

Méthode de français | Livre de l'élève

Fabrice Barthélémy
Christine Kleszewski
Émilie Perrichon
Sylvie Wuattier

Conseil pédagogique et révision : **Christian Puren**

Editions Maison des Langues, Paris

La méthode *Version Originale* a été conçue en fonction des toutes dernières évolutions de la didactique des langues-cultures.

Elle met résolument en œuvre la perspective actionnelle impulsée par le *Cadre européen commun de référence pour les langues* de 2001, qui « considère avant tout l'usager et l'apprenant d'une langue comme des acteurs sociaux ayant à accomplir des tâches (qui ne sont pas seulement langagières) dans des circonstances et un environnement donné, à l'intérieur d'un domaine d'action particulier ». Les actions proposées pour le niveau B2 dans *Version Originale 4* sont précisément celles que tout citoyen est appelé à réaliser dans la société soit collectivement, soit personnellement vis-à-vis de la collectivité : il s'agit de s'informer mais aussi d'informer, de gérer son image, de créer du lien social, de vivre ensemble, de s'engager, de créer…

Version Originale 4 continue à s'inspirer des réflexions et propositions didactiques de ces dernières années concernant les implications pratiques du passage de la perspective de l'agir communicationnel à la nouvelle perspective de l'agir social, tout en mettant pleinement à profit l'expérience accumulée dans les trois niveaux précédents. Ces implications peuvent être résumées par les cinq évolutions suivantes.

1. De l'unité de communication à l'unité d'action

Dans l'approche communicative, la cohérence de l'unité didactique reposait sur l'unité de communication ; celle-ci était donnée soit par le dialogue unique de base – où les mêmes personnages parlaient dans le même lieu d'un même thème de conversation pendant un temps déterminé –, soit par l'objectif communicatif, défini en termes de notions et actes de parole. Dans la perspective actionnelle, la cohérence de l'unité didactique repose sur l'unité d'action.

Version Originale 4 reprend l'une des nouveautés de *Version Originale 3*, qui était de proposer, dans chaque unité didactique, deux variantes de la même action sous forme de deux tâches cohérentes entre elles et avec l'ensemble de l'unité.

• L'une de ces tâches est « réaliste » dans le sens où elle correspond à de véritables enjeux de société – que ce soit dans la société-classe et/ou dans la société extérieure –, et qu'elle pourra par conséquent donner lieu à un projet réel si les conditions le permettent ; dans le cas contraire, elle pourra se faire en simulation, celle-ci étant conçue comme un entraînement à une future action possible, comme c'est le cas pour un apprenti-pilote dans un simulateur de vol.

• L'autre tâche est « fictive » dans le sens où elle fait appel à l'expression artistique, à la poésie, à l'affectivité, à l'émotion, au ludique, ou encore à la créativité voire à la fantaisie. Les apprenants choisiront avec leur enseignant de faire l'une ou l'autre, ou les deux, en fonction de leurs motivations, de leurs capacités d'expression ou de leur environnement ; ou encore de se les partager par groupes, ce qui fournira tout naturellement des occasions de différenciation pédagogique. Dans l'unité 1, par exemple, la première tâche consiste à réaliser une revue de presse (qui pourrait être mise en ligne ou imprimée et distribuée en dehors de la classe), la seconde à créer la une d'un journal du premier avril. Dans l'unité 2, les apprenants sont invités à dresser le profil numérique de leur classe ou à rédiger une nouvelle de science-fiction.

Parce qu'elles ont été conçues comme des variantes de la même action, les deux tâches de chaque unité permettent de réutiliser des ressources langagières et culturelles communes.

Celles annoncées dans le tableau des contenus des pages 10 11). Nous avons appelé les rubriques correspondantes du manuel « Outils langagiers » et « Outils culturels » pour bien marquer la fonction de ces contenus, qui est d'aider les apprenants à acquérir la compétence nécessaire à l'une et/ou l'autre des deux tâches proposées, cette compétence pouvant être définie comme « un savoir-agir complexe prenant appui sur la mobilisation et la combinaison efficaces d'une variété de ressources internes et externes à l'intérieur d'une famille de situations.» (Jacques Tardif, *L'Évaluation des compétences*, Québec, Chenelière Éducation, 2006, p. 22).

Parmi ces ressources, les ressources méthodologiques ont assurément leur place, en particulier pour les apprenants qui se proposent de passer les épreuves du DELF ou de suivre des études dans une université de langue française et c'est pourquoi *Version Originale 4* propose dans chaque unité de travailler un point de méthodologie (la synthèse, le résumé, l'exposé, l'introduction, la conclusion…) en lien avec le précis méthodologique qui se trouve en fin de manuel.

2. De la centration sur l'apprenant à la centration sur le groupe

Le « nous » n'est pas utilisé par hasard dans la présentation des tâches en première page de chaque unité didactique de Version Originale (par exemple, pour l'unité 1 : « À la fin de cette unité, nous allons élaborer une revue de presse et/ou créer la une d'un journal du premier avril »). À la centration sur l'individu que privilégiait l'approche communicative (le groupe de référence y est le groupe de deux, celui de la communication interindividuelle), la perspective actionnelle ajoute la centration sur le groupe-classe parce que son objectif principal est la formation d'acteurs sociaux. C'est pourquoi dans Version Originale sont organisées, à côté des activités individuelles ou interindividuelles, des activités en sous-groupes et des activités en grand groupe, la classe entière étant amenée en outre à prendre des décisions concernant les tâches à réaliser ou réalisées. Dans l'unité 7, par exemple, la classe entière choisit, parmi les pétitions en ligne ou les lettres ouvertes rédigées en sous-groupes, celle qui sera finalement publiée au nom de tous, au besoin après des modifications négociées et effectuées collectivement. Dans l'unité 10, tous les apprenants de la classe participent à la rédaction du « carnet de route » de leur apprentissage collectif.

3. De la simulation à la convention

L'une des évolutions didactiques les plus importantes apparues dans le *Cadre européen* est le fait que les apprenants en classe sont désormais considérés comme des acteurs sociaux à part entière dans l'espace même de la classe et pour leur projet commun d'apprentissage (cf. citation plus haut). Dans *Version Originale*, aussi bien pour les tâches qu'ils vont réaliser à la fin de chaque unité que pour les exercices centrés sur la langue de la rubrique « Outils langagiers », l'enseignant va demander aux apprenants d'utiliser le français ; mais ceux-ci vont le faire non pas en faisant comme s'ils étaient des francophones ou comme s'ils parlaient à des francophones – comme on le leur demandait dans les simulations de l'approche communicative – mais en tant qu'apprenants d'une autre langue maternelle qui ont convenu entre eux et avec leur enseignant de parler français en classe ; et ils se mis d'accord sur ce point non seulement parce que l'usage du français en classe est nécessaire pour leur apprentissage du français, mais aussi parce qu'à l'avenir ils pourront être amenés de plus en plus à vivre et travailler en permanence en français ou dans une autre langue étrangère. Cette *convention* fait partie de ce que l'on appelle en pédagogie le contrat didactique, qui est passé implicitement ou explicitement entre les apprenants et l'enseignant.

Dans le cadre de ce contrat didactique, le recours à la langue maternelle des apprenants pourra être décidé d'un commun accord, lorsqu'elle sera nécessaire à la réalisation de l'action dans la société-classe ou dans la société extérieure : c'est ce qui correspond à l'activité langagière de médiation, dont la place dans le *Cadre européen* est à la mesure de son importance dans des environnements multilingues comme l'est naturellement la classe de langue étrangère en interne (avec la présence au moins d'une L1 et d'une L2) et en externe (dans le cas d'un enseignement exolingue). On pourra envisager que la documentation proposée dans les pages « À la recherche de l'information » soit complétée par un ou deux documents dans la langue maternelle des apprenants, ou encore qu'ils traduisent leurs productions finales dans leur langue pour donner à leur action (par exemple la publication de leur rapport d'enquête de l'unité 4, le sketch de l'unité 5, la pétition de l'unité 7…) un prolongement dans leur environnement social : leur établissement, leur quartier, leur ville…

4. De la compétence communicative à la compétence informationnelle

La compétence informationnelle est l'ensemble des capacités à agir sur et par l'information en tant qu'acteur social. Cette compétence exige, comme l'explique J.R. Forest Woody Horton dans un document intitulé *Introduction à la maîtrise de l'information* publié en 2008 par l'UNESCO, des activités aussi bien en amont de la communication (prendre conscience d'un besoin d'information, identifier et évaluer la fiabilité de l'information disponible, sélectionner l'information pertinente, créer l'information manquante…) qu'en aval (savoir évaluer l'efficacité de l'information

transmise, préserver l'information éventuellement nécessaire à d'autres plus tard en la mettant constamment à jour…).

C'est dans l'optique de l'entraînement à cette compétence informationnelle qu'ont été sélectionnés les documents de la rubrique « À la recherche de l'information ». Ils pourront donner lieu à une exploitation classique en tant que documents intéressants à analyser et à commenter en eux-mêmes, ou à une exploitation ciblée sur les seules données susceptibles d'alimenter les tâches finales.

5. De l'interculturel au co-culturel

L'accent était mis, dans l'approche communicative, en ce qui concerne la culture, sur les phénomènes de contact, chez chacun des apprenants, entre sa culture et la culture cible, c'est-à-dire sur les *représentations* qu'il se faisait de cette culture étrangère. Si l'on veut préparer les apprenants à être de véritables acteurs sociaux dans la société extérieure, il faut leur proposer d'agir déjà en tant que tels dans leur société-classe et pour cela leur en donner les moyens ; ce qui implique de les faire travailler sur les *conceptions* culturelles de l'action avant même de réaliser la ou les tâches finales. D'où, dans *Version Originale 4* comme dans *Version Originale 3*, une rubrique « Outils culturels » située avant celle de « Passage à l'action », avec des contenus susceptibles d'aider les apprenants dans la réalisation de leur action. Cette rubrique concerne à la fois les tâches finales qui leur sont proposées – il s'agit alors de « culture d'action sociale » – et la « culture d'apprentissage » telle qu'on peut la rencontrer en particulier dans les systèmes scolaires des différents pays. Dans l'unité 2, par exemple, intitulée « Tous journalistes ? » et où la tâche réaliste consiste à élaborer une revue de presse, les apprenants sont invités préalablement à réfléchir sur la question de l'indépendance de la presse et celle de l'objectivité des faits, ainsi que sur l'utilisation du Web 2.0 en classe de langue.

La nouveauté de *Version Originale 4* est que les apprenants pourront aborder un troisième type de culture, la « culture professionnelle » : toutes les deux unités, en effet, est proposée sur deux pages une « tâche professionnelle » avec des documents d'apports spécifiques, mais croisant les thématiques des deux unités antérieures de manière à ce que leurs contenus langagiers et culturels puissent aussi y être exploités. À la suite des unités 1 et 2, qui traitaient respectivement de la gestion de son image sociale et du traitement de l'information publique, on propose ainsi aux apprenants, après l'étude d'un document sur les réseaux sociaux à usage professionnel et d'un autre sur le CVBlog, de rédiger leur propre CV en ligne ou sur un diaporama.

Comme les niveaux précédents de la même collection, *Version originale 4* est donc un cours de langue… *original*, parce qu'il est le premier à proposer, pour un niveau B2, des mises en œuvre cohérentes de la perspective actionnelle telle qu'elle est en train de s'élaborer concrètement sur le terrain. Je ne doute pas qu'il soit de ce fait un instrument efficace et agréable pour les apprenants et les enseignants.

Christian Puren
Professeur émérite de l'université Jean Monnet
(Saint-Étienne, France)

VERSION ORIGINALE : L'ACTIONNEL POUR TOUS !

Version Originale s'adresse à des apprenants de Français Langue Étrangère, grands adolescents et adultes.

Dix unités pour que les apprenants progressent en français avec un professeur qui les aide à prendre en main leur apprentissage et à devenir autonomes pour agir en français.

Chaque unité de *Version Originale* présente la structure et les atouts suivants :

1. PREMIER CONTACT

▶ Les **documents proposés** invitent les apprenants à un **premier contact** avec la thématique de l'unité.

▶ Les **mots du nuage** les invitent à exprimer immédiatement leurs premières idées sur cette thématique.

▶ Leurs productions fourniront à l'enseignant une évaluation diagnostique de leurs connaissances et représentations sur la thématique de l'unité.

2. À LA RECHERCHE DE L'INFORMATION

▶ À partir de **documents oraux, écrits et iconographiques,** les apprenants sont amenés à réagir et à échanger avec leurs camarades.

▶ Ces documents leur permettent de travailler plus spécifiquement les **stratégies** de compréhension orale et de compréhension écrite.

▶ Grâce à ces documents, ils se familiarisent avec une série **d'outils linguistiques** (lexicaux, grammaticaux, textuels…) **et culturels** qui seront nécessaires à la réalisation des **tâches finales** de l'unité.

3. OUTILS LANGAGIERS

▶ Les activités de cette double page ne sont pas numérotées : elles ont été conçues pour que les apprenants puissent y circuler de manière autonome en fonction de leurs besoins.

▶ Les apprenants élargissent et approfondissent leurs connaissances. **Ce travail se fait en coopération** avec d'autres apprenants ou/et avec le professeur.

▶ De **nombreux renvois** au **précis de grammaire** et au **précis méthodologique** aident les apprenants à construire leur propre parcours d'apprentissage.

4. OUTILS CULTURELS

▶ Afin de préparer les apprenants à être de véritables acteurs sociaux, *Version Originale* leur propose d'agir en tant que tels. L'objectif de cette section est de les faire réfléchir sur les différentes conceptions de l'action…

▶ Ces documents apportent en outre un regard actuel sur le monde de la francophonie et aident à mieux comprendre la réalité culturelle et sociale des pays francophones.

5. PASSAGE À L'ACTION

▶ Chaque unité propose deux variantes de tâches cohérentes entre elles et avec l'ensemble de l'unité, de manière à permettre le réemploi de ses contenus langagiers et culturels. La première tâche, « réaliste », est orientée vers de véritables enjeux de société. La seconde, « fictive », fait appel à la créativité, à l'imagination, au ludique, à l'expression artistique… Dans les deux types de tâches sont mises en œuvre les **activités langagières** de compréhension, production et interaction. Elles exigent un travail de coopération et ont pour résultat une production finale.

TÂCHES PROFESSIONNELLES

Toutes les deux unités, une double page orientée vers le français sur objectifs spécifiques permet aux apprenants d'interagir autour d'activités et d'une tâche dans un contexte professionnel.

PRÉPARATION AU DELF

À la fin du manuel, quatre doubles pages sont consacrées à la présentation et à la préparation des différentes épreuves du DELF B2, avec des conseils utiles aux candidats.

PRÉCIS DE GRAMMAIRE ET PRÉCIS MÉTHODOLOGIQUE

▶ À la fin du manuel, un précis de grammaire reprend tous les contenus linguistiques du niveau B2 auxquels les apprenants pourront se référer quand ils le souhaiteront.

▶ Dans le précis méthodologique, l'apprenant retrouvera les points de méthodologie travaillés dans le manuel. Il regroupe les différentes ressources indispensables pour tout apprenant souhaitant passer les épreuves du DELF ou souhaitant suivre des études universitaires en France.

STRUCTURE DU LIVRE DE L'ÉLÈVE

- 10 unités de 10 pages chacune
- 5 doubles pages de tâches professionnelles
- 4 doubles pages de préparation au DELF
- Un précis grammatical
- Un précis méthodologique

- Des tableaux de conjugaison
- Les transcriptions des enregistrements
- Des cartes de la francophonie et de différents pays francophones
- Un index analytique

PREMIERS CONTACT
J'observe et je note.

Le thème

Les tâches

À LA RECHERCHE DE L'INFORMATION
Je repère, je réagis et j'échange avec mes camarades.

Ce pictogramme indique un renvoi au précis méthodologique à la fin du manuel.

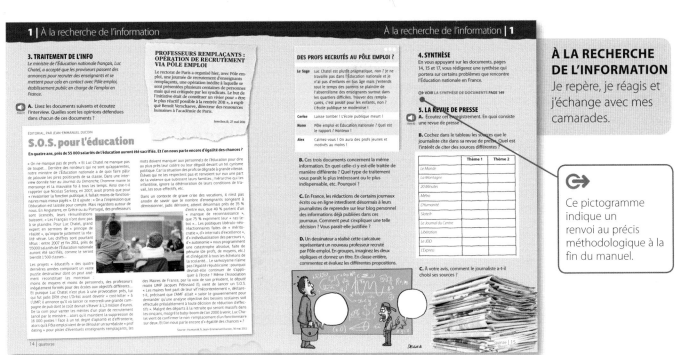

OUTILS LANGAGIERS
Je lis, je réféchis, j'approfondis mes connaissances.

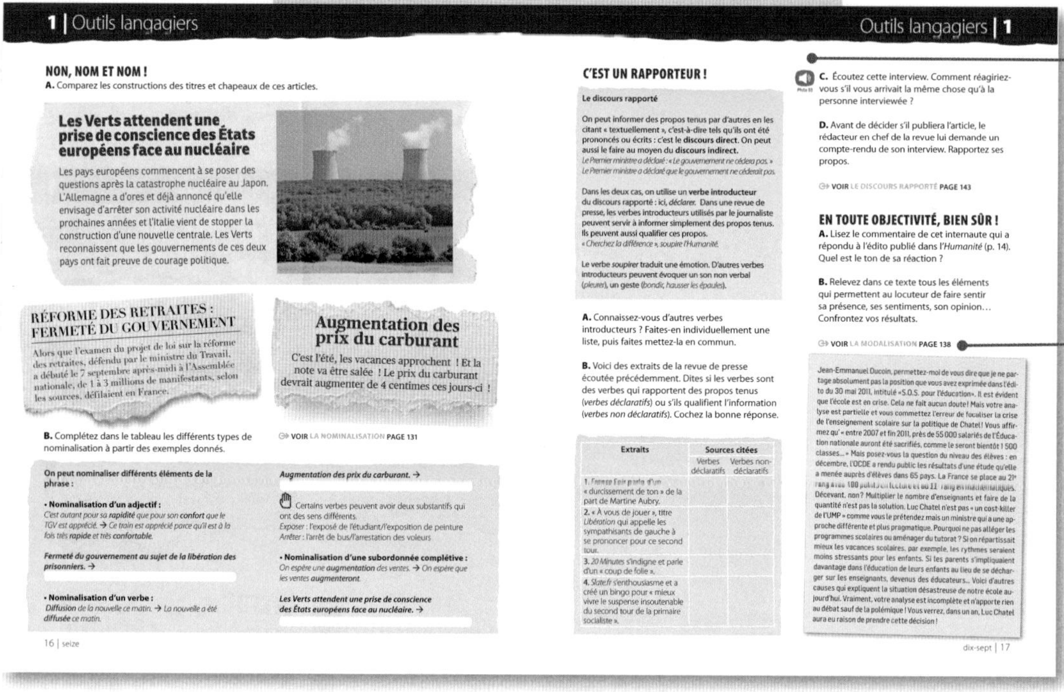

1 | Outils langagiers

NON, NOM ET NOM !

A. Comparez les constructions des titres et chapeaux de ces articles.

Les Verts attendent une prise de conscience des États européens face au nucléaire

Les pays européens commencent à se poser des questions après la catastrophe nucléaire au Japon. L'Allemagne a d'ores et déjà annoncé qu'elle envisage d'arrêter son activité nucléaire dans les prochaines années et l'Italie vient de stopper la construction d'une nouvelle centrale. Les Verts reconnaissent que les gouvernements de ces deux pays ont fait preuve de courage politique.

RÉFORME DES RETRAITES : FERMETÉ DU GOUVERNEMENT

Alors que l'examen du projet de loi sur la réforme des retraites, défendu par le ministre du Travail, a débuté le 7 septembre après-midi à l'Assemblée nationale, de 1 à 3 millions de manifestants, selon les sources, défilaient en France.

Augmentation des prix du carburant

C'est l'été, les vacances approchent ! Et la note va être salée ! Le prix du carburant devrait augmenter de 4 centimes ces jours-ci !

B. Complétez dans le tableau les différents types de nominalisation à partir des exemples donnés.

➔ VOIR LA NOMINALISATION PAGE 131

On peut nominaliser différents éléments de la phrase :

- **Nominalisation d'un adjectif :**
  C'est autant pour sa rapidité que pour son confort que le TGV est apprécié. → *Ce train est apprécié pour qu'il est à la fois très rapide et très confortable.*

- **Nominalisation du gouvernement au sujet de la libération des prisonniers.**

- **Nominalisation d'un verbe :**
  Diffusion de la nouvelle ce matin. → *La nouvelle a été diffusée ce matin.*

Augmentation des prix du carburant. →

Certains verbes peuvent avoir deux substantifs qui ont des sens différents.
Exposer : l'exposé de l'étudiant/l'exposition de peinture
Arrêter : l'arrêt de bus/l'arrestation des voleurs

- **Nominalisation d'une subordonnée complétive :**
  On espère une augmentation des ventes. → *On espère que les ventes augmenteront.*

Les Verts attendent une prise de conscience des États européens face au nucléaire.

Outils langagiers | 1

C'EST UN RAPPORTEUR !

Le discours rapporté

On peut informer des propos tenus par d'autres en les citant « textuellement », c'est-à-dire tels qu'ils ont été prononcés ou écrits : c'est le **discours direct**. On peut aussi le faire au moyen du **discours indirect**.
Le Premier ministre a déclaré : « Le gouvernement ne cédera pas. »
Le Premier ministre a déclaré que le gouvernement ne céderait pas.

Dans les deux cas, on utilise un verbe introducteur du discours rapporté : ici, *déclarer*. Dans une revue de presse, les verbes introducteurs utilisés par le journaliste peuvent servir à informer simplement des propos tenus. Ils peuvent aussi qualifier ces propos.
« Cherchez la différence », soupire l'Humanité.

Le verbe *soupirer* traduit une émotion. D'autres verbes introducteurs peuvent évoquer un son non verbal (*pleurer*), un geste (*bondir, hausser les épaules*).

A. Connaissez-vous d'autres verbes introducteurs ? Faites-en individuellement une liste, puis faites mettez-la en commun.

B. Voici des extraits de la revue de presse écoutée précédemment. Dites si les verbes sont des verbes qui rapportent des propos tenus (*verbes déclaratifs*) ou s'ils qualifient l'information (*verbes non déclaratifs*). Cochez la bonne réponse.

Extraits	Sources citées	
	Verbes déclaratifs	Verbes non-déclaratifs
1. *France Soir parle d'un « durcissement de ton » de la part de Martine Aubry.*		
2. *« À vous de jouer », titre Libération qui appelle les sympathisants de gauche à se prononcer pour ce second tour.*		
3. *20 Minutes s'indigne et parle d'un « coup de folie ».*		
4. *Slate.fr s'enthousiasme et a créé un bingo pour « mieux vivre le suspense insoutenable du second tour de la primaire socialiste ».*		

C. Écoutez cette interview. Comment réagiriez-vous s'il vous arrivait la même chose qu'à la personne interviewée ?

 Piste 00

D. Avant de décider s'il publiera l'article, le rédacteur en chef de la revue lui demande un compte-rendu de son interview. Rapportez ses propos.

➔ VOIR LE DISCOURS RAPPORTÉ PAGE 143

EN TOUTE OBJECTIVITÉ, BIEN SÛR !

A. Lisez le commentaire de cet internaute qui a répondu à l'édito publié dans l'*Humanité* (p. 14). Quel est le ton de sa réaction ?

B. Relevez dans le texte tous les éléments qui permettent au locuteur de faire sentir sa présence, ses sentiments, son opinion… Confrontez vos résultats.

➔ VOIR LA MODALISATION PAGE 138

Jean-Emmanuel Ducoin, permettez-moi de vous dire que je ne partage absolument pas la position que vous avez exprimée dans l'édito du 30 mai 2011, intitulé « S.O.S. pour l'éducation ». Il est évident que l'école est en crise. Cela ne fait aucun doute ! Mais votre analyse est partielle et vous condamnez l'erreur de focaliser la crise de l'enseignement scolaire sur la politique de Chatel ! Vous affirmez qu' « entre 2007 et fin 2011, près de 55 000 salariés de l'Éducation nationale auront été sacrifiés, comme le seront bientôt 1 500 classes… » Mais posez-vous la question du niveau des élèves : en décembre, l'OCDE a rendu les résultats d'une étude qu'elle a menée auprès d'élèves dans 65 pays. La France se place au 21e rang à cause du nombre élevé d'élèves de milieux défavorisés. Décevant, non ? Multiplier le nombre d'enseignants n'est pas la quantité n'est pas la solution. Luc Chatel n'est pas « un cost-killer de l'UMP » comme vous le prétendez mais un ministre qui a une approche différente et plus pragmatique. Pourquoi ne pas alléger les programmes scolaires ou aménager du tutorat ? On répartissait mieux les vacances scolaires, par exemple, les rythmes seraient moins stressants pour les enfants. Si les parents s'impliquaient davantage dans l'éducation de leurs enfants au lieu de se décharger sur les enseignants, devenus des éducateurs… Voici d'autres causes qui expliquent la situation désastreuse de notre école aujourd'hui. Vraiment, votre analyse est incomplète et n'apporte rien au débat sauf de la polémique ! Vous verrez, dans un an, Luc Chatel aura eu raison de prendre cette décision !

APPROCHES CULTURELLES
Je lis, je regarde, j'observe et je compare avec mon pays.

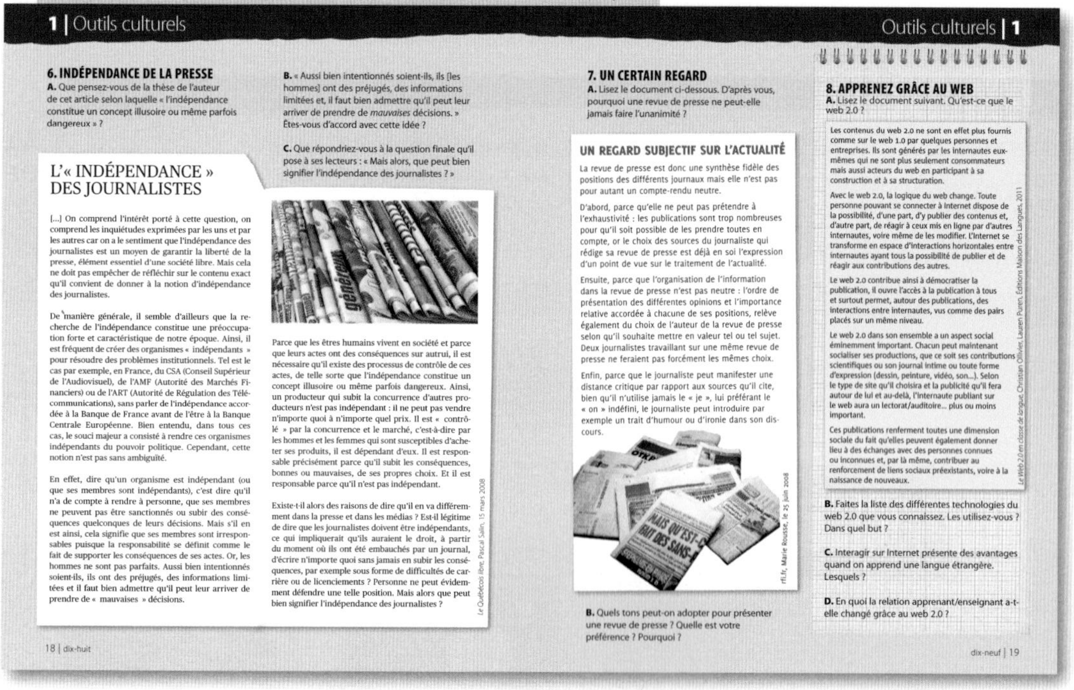

1 | Outils culturels

6. INDÉPENDANCE DE LA PRESSE

A. Que pensez-vous de la thèse de l'auteur de cet article selon laquelle « l'indépendance constitue un concept illusoire ou même parfois dangereux » ?

L'« INDÉPENDANCE » DES JOURNALISTES

[…] On comprend l'intérêt porté à cette question, on comprend les inquiétudes exprimées par les uns et les autres car on le sentiment que l'indépendance des journalistes est un moyen de garantir la liberté de la presse, élément essentiel d'une société libre. Mais cela ne doit pas empêcher de réfléchir sur le contenu exact qu'il convient de donner à la notion d'indépendance des journalistes.

De manière générale, il semble d'ailleurs que la recherche de l'indépendance constitue une préoccupation forte et caractéristique de notre époque. Ainsi, il est fréquent de créer des organismes « indépendants » pour résoudre des problèmes institutionnels. Tel est le cas par exemple, en France, du CSA (Conseil Supérieur de l'Audiovisuel), de l'AMF (Autorité de Régulation des Télécommunications), sans parler de l'indépendance accordée à la Banque de France avant de l'être à la Banque Centrale Européenne. Bien entendu, dans tous les cas, le souci majeur a consisté à rendre ces organismes indépendants du pouvoir politique. Cependant, cette notion n'est pas sans ambiguïté.

En effet, dire qu'un organisme est indépendant, c'est dire qu'il n'a de compte à rendre à personne, que ses membres ne peuvent pas être sanctionnés ou subir des conséquences quelconques de leurs décisions. Mais s'il en est ainsi, cela signifie que ses membres sont irresponsables puisque la responsabilité se définit comme le fait de supporter les conséquences de ses actes. Or, les hommes ne sont pas parfaits. Aussi bien intentionnés soient-ils, ils ont des préjugés, des informations limitées et il faut bien admettre qu'il peut leur arriver de prendre de « mauvaises » décisions.

Parce que les êtres humains vivent en société et parce que leurs actes ont des conséquences sur autrui, il est nécessaire qu'il existe des processus de contrôle de ces actes, de telle sorte que l'indépendance constitue un concept illusoire ou même parfois dangereux. Ainsi, un producteur qui subit la concurrence d'autres producteurs n'est pas indépendant : il ne peut pas vendre n'importe quoi à n'importe quel prix. Il est « contrôlé » par la concurrence et le marché, c'est-à-dire par les hommes et les femmes qui sont susceptibles d'acheter ses produits, il est dépendant d'eux. Il est responsable devant parce qu'il subit les conséquences, bonnes ou mauvaises, de ses propres choix. Et il est responsable parce qu'il n'est pas indépendant.

Existe-t-il alors des raisons de dire qu'il en va différemment dans la presse et dans les médias ? Est-il légitime de dire que les journalistes doivent être indépendants, ce qui impliquerait qu'ils auraient le droit, à partir du moment où ils ont été embauchés par un journal, d'écrire n'importe quoi sans jamais en subir les conséquences, par exemple sous forme de difficultés de carrière ou de licenciement ? Personne ne peut évidemment défendre une telle position. Mais alors que peut bien signifier l'indépendance des journalistes ?

Le Québécois libre/ Pascal Salin, 15 mars 2008

B. « Aussi bien intentionnés soient-ils, ils [les hommes] ont des préjugés, des informations limitées, et il faut bien admettre qu'il peut leur arriver de prendre de *mauvaises* décisions. » Êtes-vous d'accord avec cette idée ?

C. Que répondriez-vous à la question finale qu'il pose à ses lecteurs : « Mais alors, que peut bien signifier l'indépendance des journalistes ? »

Outils culturels | 1

7. UN CERTAIN REGARD

A. Lisez le document ci-dessous. D'après vous, pourquoi une revue de presse ne peut-elle jamais faire l'unanimité ?

UN REGARD SUBJECTIF SUR L'ACTUALITÉ

La revue de presse est donc une synthèse fidèle des positions des différents journaux mais elle n'est pas pour autant un compte-rendu neutre.

D'abord, parce qu'elle ne peut pas prétendre à l'exhaustivité : les publications sont trop nombreuses pour qu'il soit possible de les prendre toutes en compte, or le choix des sources du journaliste qui rédige la revue de presse est déjà en soi l'expression d'un point de vue sur le traitement de l'actualité.

Ensuite, parce que l'organisation de l'information dans la revue de presse n'est pas neutre : l'ordre de présentation des différentes opinions et l'importance relative accordée à chacune de ses positions, reflète également le choix de l'auteur de la revue de presse selon qu'il souhaite mettre en valeur tel ou tel sujet. Deux journalistes travaillant sur une même revue de presse ne feraient pas forcément les mêmes choix.

Enfin, parce que le journaliste peut maintenir une distance critique par rapport aux sources qu'il cite, bien qu'il n'utilise jamais le « je », lui préférant le « on » indéfini, le journaliste peut introduire par exemple un trait d'humour ou d'ironie dans son discours.

B. Quels tons peut-on adopter pour présenter une revue de presse ? Quelle est votre préférence ? Pourquoi ?

8. APPRENEZ GRÂCE AU WEB

A. Lisez le document suivant. Qu'est-ce que le web 2.0 ?

Les contenus du web 2.0 ne sont en effet plus fournis comme sur le web 1.0 par quelques personnes et entreprises. Ils sont générés par les internautes eux-mêmes qui ne sont plus seulement consommateur mais aussi acteurs du web en participant à sa construction et à sa structuration.

Avec le web 2.0, la logique du web change. Toute personne pouvant se connecter à Internet dispose de la possibilité, d'une part, d'y publier des contenus et, d'autre part, de réagir à ceux mis en ligne par d'autres internautes, voire même de les modifier. Internet se transforme en espace d'interactions horizontales entre internautes ayant tous la possibilité de publier et de réagir aux contributions des autres.

Le web 2.0 contribue ainsi à démocratiser la publication, il ouvre l'accès à la publication à tous et surtout permet, autour des publications, des interactions entre internautes, vus comme des pairs placés sur un même niveau.

Le web 2.0 dans son ensemble a un aspect social éminemment important. Chacun peut maintenant socialiser ses productions, que ce soit ses contributions scientifiques ou une toute forme d'expression (dessin, peinture, vidéo, son…). Selon le type de site qu'il choisira et la publicité qu'il fera autour de lui et au-delà, l'internaute publiant sur le web aura un lectorat/auditoire… plus ou moins important.

Ces publications renferment toutes une dimension sociale du fait qu'elles peuvent également donner lieu à des échanges avec des personnes connues ou inconnues et, par là même, contribuer au renforcement de liens sociaux préexistants, voire à la naissance de nouveaux.

La petite (r) évolution des sciences du langage, Christian Ollivier, Laurent Puren, Éditions Maison des Langues, 2011

B. Faites la liste des différentes technologies du web 2.0 que vous connaissez. Les utilisez-vous ? Dans quel but ?

C. Interagir sur Internet présente des avantages quand on apprend une langue étrangère. Lesquels ?

D. En quoi la relation apprenant/enseignant a-t-elle changé grâce au web 2.0 ?

Ce pictogramme indique que l'activité comprend un document audio et il donne le numéro de la piste du CD sur laquelle est enregistré le document.

Ce pictogramme indique un renvoi au précis de grammaire à la fin du manuel.

Dynamique des unités

PASSAGE À L'ACTION

Je mets mes connaissances en action avec mes camarades et nous construisons un ou deux projets pour les présenter à la classe.

---

9. NOTRE REVUE DE PRESSE

Nous allons élaborer une revue de presse de plusieurs faits d'actualité et la présenter à la classe.

A. L'ensemble de la classe sélectionne trois ou quatre événements de la semaine qui lui paraissent les plus intéressants.

B. En petits groupes, choisissez l'un de ces événements et recherchez des sources différentes d'information.

C. Rédigez la revue de presse correspondante et présentez-la oralement à la classe. N'oubliez pas de faire apparaître les différents points de vue.

10. INFO OU INTOX ?

Nous allons créer la une d'un journal du 1er avril en y introduisant une fausse information.

A. Lisez les documents. Y a-t-il la même tradition dans votre pays ? Si oui, donnez des exemples.

QUELQUES SPÉCIMENS HISTORIQUES DE GROS POISSONS D'AVRIL

Depuis plusieurs années, des canulars, appelés également « intox » ou « hoax » en anglais, se glissent dans les médias, perpétuant cette tradition qui daterait du XVIe siècle. Voici quelques-uns des meilleurs poissons d'avril : *Le Journal du net* a annoncé que Google menaçait de quitter la France ; #uel89 a affirmé que l'Élysée utilisait un logiciel « d'aide à la décision » depuis 2007 ; *La Tribune* a révélé en exclusivité que Nicolas Sarkozy avait proposé à Barack Obama un Airbus A380 pour Air Force One. D'après le site *Le Point.fr*, Barack Obama aurait révélé à Nicolas Sarkozy les preuves de l'existence des extra-terrestres. À la radio, France Inter a annoncé que la tour Eiffel devrait être démontée car elle est trop rouillée.

Le 1er avril est traditionnellement synonyme de farce. Un poisson d'avril est une plaisanterie, un canular que l'on fait le 1er avril à ses connaissances ou à ses amis. Il est aussi de coutume de faire des canulars dans les médias, aussi bien dans la presse écrite, radio, télévision que sur Internet. On ne le pêche pas, on ne le mange pas non plus, on y croit ou alors on y croit pas. L'expression « manger du poisson d'avril » semble donc avoir un rapport étroit avec les facéties du 1er avril. Donner un poisson d'avril à quelqu'un, c'est lui annoncer une nouvelle qu'on invente, en un mot, se divertir un peu à ses dépens et éprouver sa patience. Aujourd'hui, les gens accrochent, le plus discrètement possible, de petits poissons en papier dans le dos des personnes qui se prennent parfois toute la journée avec ce « poisson d'avril » qui fait rire les autres.

Source : ressourcesscolaires.com

B. En petits groupes, organisez un comité de rédaction pour créer la une d'un journal du 1er avril. Choisissez et hiérarchisez les événements qui vous paraissent importants. Détournez une des informations pour en faire un poisson d'avril.

LES PARTIES DE LA UNE

Le **bandeau** est placé tout en haut de la page et occupe généralement toute la largeur du journal. On y annonce parfois un cahier hebdomadaire, une rubrique spéciale.

Le haut de la page de la une s'appelle la **manchette**. C'est là qu'on trouve « l'état civil » du journal : son nom et son logo, la date du jour, le numéro, le prix.

L'**oreille** comporte un titre qui renvoie à une page intérieure ou une publicité.

La **tribune** est un endroit de choix où l'œil du lecteur se pose souvent en premier. On y place donc le ou les titres important(s) du jour. La liste des articles importants se place dans la **sous-tribune**.

Le **ventre** est une partie située au beau milieu de la page, entre la tribune en haut et le **pied de page** en bas. On y place généralement une photo ou un article présentant le fait d'actualité le plus important du jour.

Le **cheval** est un article qui continue en page intérieure.

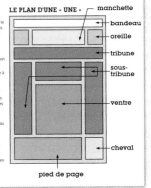

LE PLAN D'UNE « UNE »

— manchette
— bandeau
— oreille
— tribune
— sous-tribune
— ventre
— cheval
— pied de page

C. Créez la maquette de votre une avec le titre du journal, les textes et les illustrations. Présentez votre une à la classe qui devra trouver la fausse information.

PRÉPARATION À L'EXAMEN DU DELF B2

Je m'entraîne au DELF en travaillant chaque compétence.

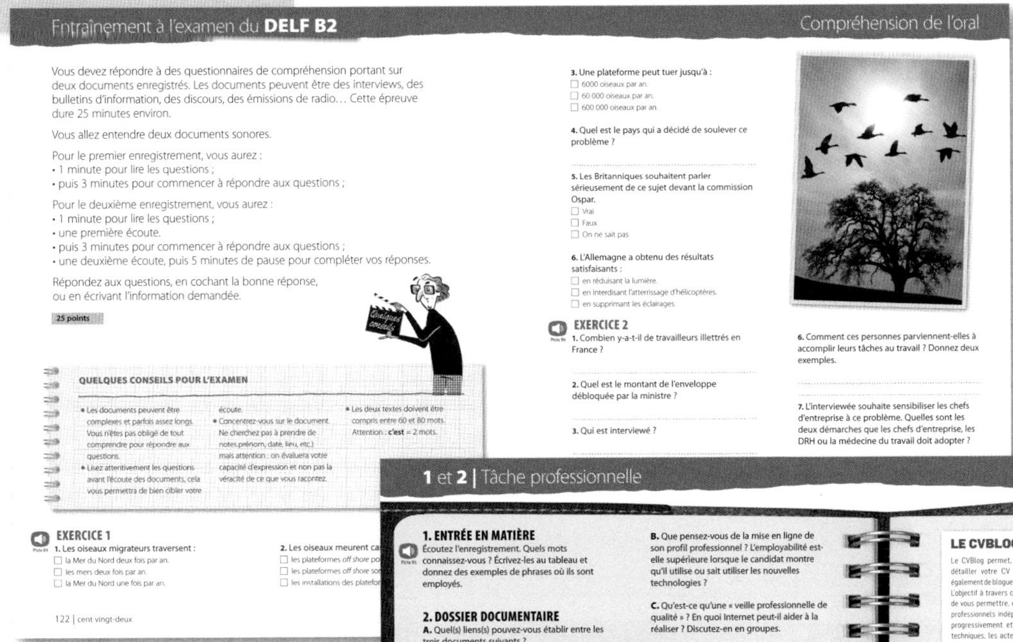

Vous devez répondre à des questionnaires de compréhension portant sur deux documents enregistrés. Les documents peuvent être des interviews, des bulletins d'information, des discours, des émissions de radio... Cette épreuve dure 25 minutes environ.

Vous allez entendre deux documents sonores.

Pour le premier enregistrement, vous aurez :
• 1 minute pour lire les questions ;
• puis 3 minutes pour commencer à répondre aux questions ;

Pour le deuxième enregistrement, vous aurez :
• 1 minute pour lire les questions ;
• une première écoute ;
• puis 3 minutes pour commencer à répondre aux questions ;
• une deuxième écoute, puis 5 minutes de pause pour compléter vos réponses.

Répondez aux questions, en cochant la bonne réponse, ou en écrivant l'information demandée.

25 points

QUELQUES CONSEILS POUR L'EXAMEN

• Les documents peuvent être complexes et parfois assez longs. Vous n'êtes pas obligé de tout comprendre pour répondre aux questions.

• Lisez attentivement les questions avant l'écoute des documents, cela vous permettra de bien cibler votre

• ... écoute. Concentrez-vous sur le document. Ne cherchez pas à prendre de notes prénom, date, lieu, etc.) mais attention : on n'évaluera pas votre capacité d'expression et non pas la véracité de ce que vous racontez.

• Les deux textes doivent être compris entre 60 et 80 mots. Attention : **c'est** = 2 mots.

EXERCICE 1

1. Les oiseaux migrateurs traversent :
☐ la Mer du Nord une fois par an.
☐ la mer deux fois par an.
☐ la Mer du Nord deux fois par an.

2. Les oiseaux meurent ca...
☐ les plateformes off shore po...
☐ les plateformes off shore so...
☐ les installations de plateforme...

3. Une plateforme peut tuer jusqu'à :
☐ 6000 oiseaux par an.
☐ 60 000 oiseaux par an.
☐ 600 000 oiseaux par an.

4. Quel est le pays qui a décidé de soulever ce problème ?

5. Les Britanniques souhaitent parler sérieusement de ce sujet devant la commission Ospar.
☐ Vrai
☐ Faux
☐ On ne sait pas

6. L'Allemagne a obtenu des résultats satisfaisants :
☐ en réduisant la lumière.
☐ en interdisant l'atterrissage d'hélicoptères.
☐ en supprimant les éclairages.

EXERCICE 2

1. Combien y-a-t-il de travailleurs illettrés en France ?

2. Quel est le montant de l'enveloppe débloquée par la ministre ?

3. Qui est interviewé ?

6. Comment ces personnes parviennent-elles à accomplir leurs tâches au travail ? Donnez deux exemples.

7. L'interviewée souhaite sensibiliser les chefs d'entreprise à ce problème. Quelles sont les deux démarches que les chefs d'entreprise, la DRH ou la médecine du travail doit adopter ?

TÂCHES PROFESSIONNELLES

J'interagis dans un contexte professionnel.

---

1. ENTRÉE EN MATIÈRE

Écoutez l'enregistrement. Quels mots connaissez-vous ? Écrivez-les au tableau et donnez des exemples de phrases où ils sont employés.

2. DOSSIER DOCUMENTAIRE

A. Quel(s) lien(s) pouvez-vous établir entre les trois documents suivants ?

DU BON USAGE DES RÉSEAUX SOCIAUX

Les réseaux sociaux vont vous permettre de vous promouvoir professionnellement, de développer votre **employabilité** mais pas seulement ! Vous allez découvrir bien d'autres avantages !

Ils sont un moyen de faire une veille professionnelle de qualité, de détecter des opportunités, de rencontrer des contacts intéressants pour apprendre et vous former en entrant en relation avec des personnes susceptibles de vous guider ou de vous aider.

Comment ?

1. Vous publiez votre profil et vous le renvoyez vers votre CV détaillé et enrichi (liens vers des sites, documents, blog).

2. Vous allez ensuite travailler à inviter vos contacts pour constituer votre réseau. Réfléchissez et procédez méthodiquement (carnet d'adresses, messagerie téléphonique, référents lors de vos différents stages et/ou jobs...). Adoptez dorénavant ce réflexe « social networking ». Invitez après chaque rencontre pertinente les personnes susceptibles de constituer votre réseau professionnel.

3. N'oubliez pas non plus de solliciter des recommandations professionnelles. Il s'agit ici de demander à certaines personnes de votre réseau avec lesquelles vous avez travaillé et réalisé certaines activités et d'obtenir des références sociales et pro-

fessionnelles et à leurs questionnements. C'est au sein de ces groupes que des « experts » sont repérés pour leur apport personnel sur certains sujets. C'est ce niveau-là d'interactivité qui vous permettra de vous ouvrir de nouvelles opportunités professionnelles et de « vous faire repérer » [...]. Il faut entrer en relation avec les autres, participer en posant des questions, en commentant certains apports, en indiquant certains sites, sources, références, expériences utiles au débat et au questionnement. Vous pouvez également proposer des sujets de discussion et contribuer à les animer.

Félicitations, vous avez tout compris !

En développant votre usage avancé des réseaux sociaux, vous avez très simplement comme objectif de vous rendre visible ou d'être reconnu(e), avec un comportement social/elle en aidant les autres (partage de contacts, d'informations, de connaissances, d'expériences) et comprendre ce que c'est une démarche « win-win » car c'est en procédant ainsi que vous trouverez des personnes avant le même centre d'intérêt que vous et que vous cultiverez un véritable sentiment d'appartenance à une communauté).

issus.com/geek4k/docs/utilisez_votre_identite_numerique_v1.2

B. Que pensez-vous de la mise en ligne de son profil professionnel ? L'employabilité est-elle supérieure lorsque le candidat montre qu'il utilise ou sait utiliser les nouvelles technologies ?

C. Qu'est-ce qu'une « veille professionnelle de qualité » ? En quoi Internet peut-il aider à la réaliser ? Discutez-en en groupes.

LE CVBLOG

Le CVBlog permet non seulement de détailler votre CV sur Internet, mais également de bloquer en toute simplicité. L'objectif à travers cette plateforme est de vous permettre, étudiants, cadres ou professionnels indépendants, de devenir progressivement et sans compétences techniques, les acteurs de votre Marque Personnelle sur le Web.

L'IDÉE

Avec un CVBlog, vous avez de l'espace ! Chaque article va représenter une expérience, une compétence, une formation continue... Et pourquoi ne pas développer une micro-communauté autour de votre projet de vie, partager vos expériences, vous créer de nouvelles opportunités.

LE MOTEUR DE VOTRE CONSTRUCTION PERSONNELLE

Étudiants, salariés, cadres, vous devez apprendre à raconter votre histoire professionnelle devant un recruteur. Internet est une place publique où va se construire votre image. Utilisez le

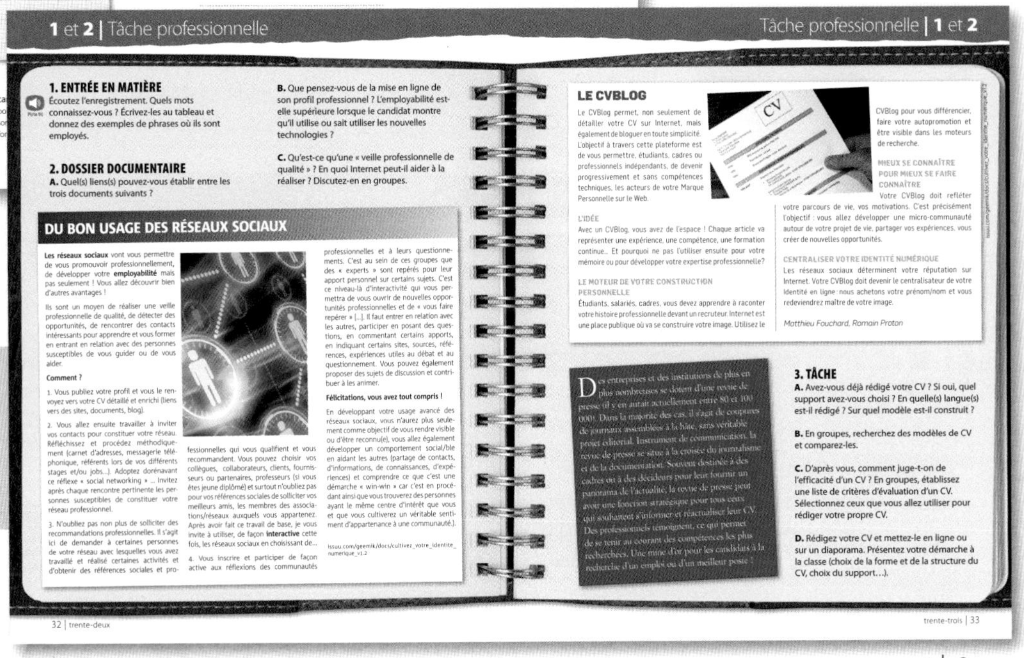

CVBlog pour vous différencier, faire votre autopromotion et être visible dans les moteurs de recherche.

MIEUX SE CONNAÎTRE POUR MIEUX SE FAIRE CONNAÎTRE

Votre CVBlog doit refléter votre parcours de vie, vos motivations. C'est précisément l'objectif : vous allez développer une micro-communauté autour de votre projet de vie, partager vos expériences, vous créer de nouvelles opportunités.

CENTRALISER VOTRE IDENTITÉ NUMÉRIQUE

Les réseaux sociaux déterminent votre réputation sur Internet. Votre CVBlog doit devenir le centralisateur de votre identité en ligne : nous achetons votre prénom/nom et vous redeviendrez maître de votre image.

Matthieu Fouchard, Romain Proton.

Des entreprises et des inscriptions de plus en plus nombreuses se dotent d'une revue de presse (il y en aurait actuellement entre 80 et 100 000). Dans la majorité des cas, il s'agit de coupures de journaux assemblées à la hâte, sans véritable projet éditorial. Instrument de communication, la revue de presse se situe à la croisée du journalisme et de la documentation. Soyons destiné à des panoramas d'actualité, la revue de presse peut aussi avoir une fonction stratégique pour tous ceux qui souhaitent automatiser et réactualiser leur CV. Des professionnels témoignent, et permet de se tenir au courant des compétences les plus recherchées. Une mine d'or pour les candidats à la recherche d'un emploi ou d'un meilleur poste.

3. TÂCHE

A. Avez-vous déjà rédigé votre CV ? Si oui, quel support avez-vous choisi ? En quelle(s) langue(s) est-il rédigé ? Sur quel modèle est-il construit ?

B. En groupes, recherchez des modèles de CV et comparez-les.

C. D'après vous, comment juge-t-on de l'efficacité d'un CV ? En groupes, établissez une liste de critères d'évaluation d'un CV. Sélectionnez ceux que vous allez utiliser pour rédiger votre propre CV.

D. Rédigez votre CV et mettez-le en ligne ou sur un diaporama. Présentez votre démarche à la classe (choix de la forme et de la structure du CV, choix du support...).

Tableau des contenus

UNITÉ	TÂCHE	TYPOLOGIE TEXTUELLE	COMMUNICATION	
1. Informer : tous journalistes ?	Élaborer une revue de presse et/ou créer la une d'un journal du premier avril.	• Unes de journaux • Logos • Dessins de presse • Forums sur Internet • Articles de presse • Chroniques radiophoniques	• Rapporter des paroles • Rapporter des informations • Exprimer son point de vue • Analyser un éditorial • Comparer le traitement de l'information dans différentes unes de journaux.	
2. Gérer son image	Dresser le profil numérique de la classe et/ou rédiger une nouvelle de science-fiction.	• CV • Blog • Textes littéraires • Articles de presse • Paroles de chansons • Chroniques radiophoniques	• Exprimer une hypothèse • Raconter son expérience	
Tâche professionnelle : Rédiger un CV blog				
3. Vivre mieux	Concevoir un projet de Café-santé et/ou rédiger un article vantant les vertus d'un plat.	• Textes littéraires • Articles de presse • Chroniques radiophoniques • Blogs Internet • Prospectus	• Donner des conseils • Organiser un débat • Exprimer des probabilités	
4. Faire du lien	Réorganiser une enquête et rédiger un rapport et/ou écrire un essai utopique.	• Articles de presse • Données chiffrées et statistiques • Enquêtes • Chroniques radiophoniques	• Comparer • Exprimer son opposition • Argumenter • Commenter des données chiffrées	
Tâche professionnelle : Animer une table ronde d'entreprise sur les rapports intergénérationnels				
5. Vivre ensemble	Réaliser un exposé sur le thème des discriminations et/ou mettre en scène et jouer un sketch humoristique sur ce même thème.	• Textes littéraires • Affiches • Paroles de chansons • Sketchs • Prospectus • Articles de presse • Parodies	• Savoir captiver son auditoire • Rire, se moquer • Convaincre • Relever des procédés humoristiques • Exprimer le but	
6. Avoir ses chances	Préparer un plaidoyer portant sur le thème de la seconde chance dans l'éducation et /ou redonner une chance à un personnage historique.	• Paroles de chansons • Synopsis de films • Affiches • Articles de presse • Blogs • Chroniques radiophoniques	• Exprimer des regrets • Exprimer des reproches • Se défendre • Comparer des modèles d'enseignement • Débattre de questions éducatives	
Tâche professionnelle : Préparer un entretien d'embauche				
7. Pouvoir le dire	Écrire une lettre ouverte et/ou faire une pétition.	• Textes littéraires • Lettres ouvertes • Paroles de chansons • Articles de presse • Forums sur Internet	• Présenter et exprimer son opinion • Exprimer la cause • Se justifier • Rendre compte d'actions • Prendre position	
8. S'engager	Rédiger un recueil de poèmes engagés et/ou créer une association farfelue et en rédiger son texte fondateur.	• Textes littéraires • Articles de presse • Données chiffrées et statistiques • Affiches • Prospectus	• Argumenter • Structurer son discours • Jouer avec les sons • Utiliser des procédés de l'art oratoire	
Tâche professionnelle : Gérer les conflits au travail (les Prud'hommes)				
9. Créer	Concevoir le volet culturel d'un séjour dans un pays francophone et/ou mettre en scène deux personnages culturels qui défendent leurs œuvres pour figurer dans un musée.	• Textes littéraires • Articles de presse • Témoignages • Compte rendu • Dessins de presse	• S'opposer • Concéder • Défendre des idées	
10. Circuler	Rédiger un récit d'expériences de notre apprentissage de la langue française et/ou écrire un récit de voyage métaphorique.	• Textes littéraires • Articles de presse • Témoignages • Affiches • Sondages • Carnets de voyage • Blogs • Tests • Peintures	• Parler de notre relation avec la langue française • Faire le récit d'une expérience • Vanter les mérites et les qualités de quelqu'un • Exprimer ses sentiments	
Tâche professionnelle : Rédiger un appel d'offres pour une manifestation culturelle				
Entraînement à l'examen du DELF				

Précis de grammaire 130 | **Précis méthodologique** 146 | **Tableaux de conjugaison** 152 | **Transcriptions des enregistrements** 162 | **Cartes** 170

1

Informer : tous journalistes ?

À la fin de cette unité, nous allons élaborer une revue de presse et/ou créer la une d'un journal du premier avril.

« *Soutenons la liberté de la presse, c'est la base de toutes les autres libertés, c'est par là qu'on s'éclaire mutuellement. Chaque citoyen peut parler par écrit à la nation, et chaque lecteur examine à loisir, et sans passion, ce que ce compatriote lui dit par la voie de la presse.* »

Voltaire, « Questions sur les miracles », *Œuvres complètes*, 1765

Premier contact

1. LA PRESSE ET VOUS

A. Préférez-vous la presse papier ou les journaux en ligne ? Pourquoi ?

B. Observez les logos. Que vous inspirent ces différentes publications de presse ?

C. Que pensez-vous de la citation de Voltaire ?

D. Utilisez des mots du nuage ci-dessus pour exprimer quelques constats, convictions ou souhaits personnels concernant la presse et le journalisme. Quels mots rajouteriez-vous ? Pourquoi ?

Le monde – most intellectual & conservative
Le canard enchaîné – investigative journalism

2. À LA UNE

A. Quel est le rôle de la une d'un journal ?

B. Comparez ces unes. Certaines informations se retrouvent dans les trois. Lesquelles ? En quoi la manière de les présenter et de les traiter est-elle différente ? Pourquoi ?

highly regarded right wing owned by
friend of Sarkozy

Ouest France

Rennes

+ Sports Ouest

OUVERTURE LUNDI 13 JUIN de 9h à 19h
LEROY MERLIN

N° 20513 · www.ouest-france.fr · Tél. 02 99 32 60 00
Directeur de la publication : François-Régis Hutin
Justice et Liberté
0,80 € · Lundi 13 juin 2011

Un Étonnant Voyageur algérien

Avec son roman Si tu cherches la pluie, elle vient d'en haut, Yahia Belaskri a remporté le Prix Ouest-France / Étonnants Voyageurs, décerné au festival de Saint-Malo. S'il évoque la guerre civile des années 1990 dans son pays, l'écrivain algérien cultive l'espérance.

En dernière page

Bactérie tueuse : tout n'est pas élucidé

La piste des graines germées confirmée, le soulagement règne en Allemagne où trente-quatre personnes sont décédées. Mais on ignore toujours comment la bactérie Eceh est arrivée dans l'exploitation bio de Basse-Saxe, source de l'épidémie.

Page 3

Les jeux en ligne français déchantent

Le Premier ministre turc conforté

Son parti, l'AKP, a raflé plus de 50 % des suffrages aux élections législatives. Le Premier ministre Recep Tayyip Erdogan, dont c'est la troisième victoire d'affilée, incarne la stabilité politique et la réussite économique.
Page 2

Quel est le prix d'une œuvre d'art ?

À l'heure où l'on parle d'assurer les œuvres d'art à l'empire de solidarité sur la fortune, il apparaît difficile d'évaluer leur valeur. Un chercheur nous explique le fonctionnement de ce marché. Ici, un tableau d'Andy Warhol.
Cultures, en fin de journal.

Il disait vouloir voter pour Hollande : « l'humour corrézien » de Chirac
Page 4

Ille-et-Vilaine

Sécheresse : les agriculteurs doivent être solidaires
Page 8

Deux cents traducteurs à la cour d'appel de Rennes
Page 8

24 Heures : un millésime remarquable

À l'arrivée, au Mans, seules 15 secondes ont fait la différence entre l'Audi R18 TDI et la Peugeot 908 arrivée en deuxième position. Ici, le trio gagnant (Omara Benoît Tréluyer, l'Allemand André Lotterer et le Suisse Marcel Fässler).
Cahier Sports Ouest

Point de vue · par Jean-François Bouthors (*)

Le jeu, mirage pour temps incertains

Étrange situation que la nôtre, de chevaux, a élargi sa palette où les statistiques économiques semblent nous annoncer la reprise, le pays reste miné par une crise sociale provoquée par les grandes organisations sociales et politiques...

au football, le tennis et quelques autres sports. La Française des Jeux a récemment instauré un deuxième tirage de l'Euromillions la semaine...

gens modestes. « Rembent », mais souvent des...

Jean-Paul Delevoye, médiateur de la République, dans...

RENNES - LE LIBERTE

LE FIGARO

Le trait d'humour de Chirac embarrasse Hollande
PAGE 3

Comment sont préparés les sujets du baccalauréat
PAGE 2

50 € · Samedi 13 juin 2011 · Le Figaro N° 20 795 · www.lefigaro.fr · France métropolitaine uniquement

« Sans la liberté de blâmer il n'est point d'éloge flatteur » Beaumarchais

Le Figaro économie

FMI : un second rival pour Lagarde PAGE 15 ET L'ÉDITORIAL PAGE 13

La Grande-Bretagne privatise sa Poste PAGE 16

L'Assemblée adopte la réforme de la fiscalité du patrimoine PAGE 16

Borloo indifférent aux mises en garde de l'UMP PAGE 4

Philippines : vers une réhabilitation de Marcos PAGE 6

Les nouvelles tendances du mariage PAGE 8

Benoît XVI plaide pour l'intégration des Roms PAGE 9

À Madrid, les « indignés » mettent fin à leur mouvement PAGE 7

L'efficacité des médicaments anti-Alzheimer fait débat PAGE 9

Ces musées qui exposent des faux PAGES 20 ET 21

Audi maintient sa suprématie sur les 24 Heures du Mans

Peugeot aura tout tenté, mais en vain. Pour 13 secondes.. Malgré la disparition précoce de deux de ses R18, violemment accidentées, la firme allemande Audi a décroché hier sa dixième victoire au Mans. PAGE 10

Erdogan : la victoire du modernisateur de la Tu...

Le premier... obtient un... à celui de... en tutoyant...

POUR la troisième fois consécutive, le premier ministre turc, qui se définit comme « un musulman démocrate », remporté avec son parti l'AKP, les législatives. Mais, succès moins large que...

La mort d'un des princi... d'al-Qaida en Afriqu...

UN mois après la mort d'Oussama Ben Laden, al-Qaida subit un nouveau revers. Le chef présumé de l'organisation terroriste en Afrique de l'Est, Fazul Abdullah Mohammed, a été tué à Mogadiscio lors d'un accrochage à un barrage routier. Fazul Abdullah Mohammed avait orchestré notamment les attentats antiaméricains de Nairobi et de Dar es... 1998. Le secrétaire d'État américaine, Hillary... estimait que sa mort représentait « un... significatif » contre la... leuse terroriste. PAGE 5

HISTOIRE ▶ **DU JOUR**

L'espion se cache dans la poubelle sur le campus de Newcastle

Les Britanniques usent volontiers des caméras de surveillance pour lutter contre la criminalité. Ils n'étaient pourtant pas allés jusqu'aux poubelles. C'est désormais chose faite grâce aux chercheurs de l'université de Newcastle. Leur but : inciter les étudiants à mieux recycler leurs déchets ménagers, à se moraliser plus attentifs, à modifier leur comportement. Dès que la poubelle est ouverte, un appareil photo fixé sous le couvercle prend un cliché du contenu jeté, et l'envoie directement sur la page Facebook de son propriétaire. Tout le monde peut ainsi voir et les emballages partent dans le bac à recycler ou sont mêlés au tout-venant. « Normalement, quand vous jetez quelque chose et que le couvercle de la poubelle se referme, vous l'oubliez, c'est fini », explique Anja Thieme, qui a mis en place l'expérience « BinCam » à Newcastle et veut l'étendre à trois autres universités en Grande-Bretagne et en Allemagne. Malgré de nombreuses campagnes de sensibilisation, les Britanniques restent en général peu écolos du recyclage, avec 5,3 millions de tonnes de déchets qui finissent dans les décharges alors qu'elles pourraient être recyclées. Mais le Daily Mail craint que le BinCam ne donne de mauvaises idées à certaines municipalités, qui ont déjà tenté l'année dernière de mettre des puces dans les poubelles pour instaurer une taxe de ramassage proportionnelle au poids des ordures.

CYRILLE VANLERBERGHE (À LONDRES)

DÉBATS & OPINIONS · LE REGARD de Philippe Labro · PAGE 13
RENDEZ-VOUS · L'ÉDITORIAL de Gaëtan de Capèle · LE CARNET DU JOUR · APARTÉ d'Anne Fulda · PAGES 13

Libération

1,40 EURO. PREMIÈRE ÉDITION N°9356 · LUNDI 13 JUIN 2011 · WWW.LIBERATION.FR

founded by Jean Paul Sartre
leftwing

LÉGISLATIVES TURQUES ERDOGAN HAUT LA MAIN
PAGES 2-4

Chirac, le vache qui rit

L'ancien président a laissé entendre samedi qu'il voterait Hollande plutôt que Sarkozy en 2012. « Une blague », a-t-il ensuite tenté de minimiser.
PAGES 8-9

A Saint-Brieuc, le rock en version radicale

La 28e édition du festival breton, qui s'est achevée hier, a cultivé sa radicalité, présentant, quatre jours durant, des spectacles aux tonalités plutôt sombres.
PAGE 24

Luc Ferry croque, Matignon casque

POLÉMIQUE C'est Matignon qui va payer les salaires de Luc Ferry pour les cours qu'il n'a pas donnés toute cette année à l'université Paris-Diderot (Paris-VII). La situation du philosophe n'est ainsi régularisée : Samedi, un député UMP l'a jugé « scandaleux »... et a demandé à Ferry de rembourser ses salaires indus. Hier, c'était au tour des socialistes Ségolène Royal et Manuel Valls de s'indigner alors que le conseiller spécial de Nicolas Sarkozy, Henri Guaino, parlait de « pratique administrative normale »...
PAGE 11

Quand les Chinois se rebellent

Voitures piégées, attentats... : les actes antigouvernement se sont récemment multipliés. Signes d'un vrai ras-le-bol.
PAGE 6

IMPRIMÉ EN FRANCE / PRINTED IN FRANCE Allemagne 3,30 €, Andorre 1,60 €, Autriche 3,30 €, Belgique 3,20 €, Canada 4,50 $, Danemark 35 Kr, DOM 3,20 €, Espagne 3,50 €, Etats-Unis 4,50 $, Finlande 3,40 €, Grande-Bretagne 3,60 £, Grèce 3,50 €, Irlande 3,35 €, Israël 18 ILS, Italie 3,30 €, Luxembourg 3,20 €, Maroc 25 Dh, Norvège 35 Kr, Pays-Bas 3,30 €, Portugal (cont.) 3,30 €, Slovénie 3,50 €, Suède 33 Kr, Suisse 4 FS, TOM 400 CFP, Tunisie 3 DT, Zone CFA 1 800 CFA

3. TRAITEMENT DE L'INFO

Le ministre de l'Éducation nationale français, Luc Chatel, a accepté que les proviseurs passent des annonces pour recruter des enseignants et se mettent pour cela en contact avec Pôle emploi, établissement public en charge de l'emploi en France.

Piste 01

A. Lisez les documents suivants et écoutez l'interview. Quelles sont les opinions défendues dans chacun de ces documents ?

PROFESSEURS REMPLAÇANTS : OPÉRATION DE RECRUTEMENT VIA PÔLE EMPLOI

Le rectorat de Paris a organisé hier, avec Pôle emploi, une journée de recrutement d'enseignants remplaçants, une opération inédite à laquelle se sont présentées plusieurs centaines de personnes mais qui est critiquée par les syndicats. Le but de l'initiative était de constituer un vivier pour « être le plus réactif possible à la rentrée 2011 », a expliqué Benoît Verschaeve, directeur des ressources humaines à l'académie de Paris.

lesechos.fr, 27 mai 2011

ÉDITORIAL, PAR JEAN-EMMANUEL DUCOIN

S.O.S. pour l'éducation

En quatre ans, près de 55 000 salariés de l'éducation auront été sacrifiés. Et l'on nous parle encore d'égalité des chances ?

« On ne manque pas de profs. » Et Luc Chatel ne manque pas de toupet... Derrière des rondeurs qui ne sont qu'apparentes, notre ministre de l'Éducation nationale a de quoi faire pâlir de jalousie les pires politicards de sa classe. Dans une interview donnée hier au *Journal du Dimanche*, l'homme manie le mensonge et la mauvaise foi à tous les temps. Ainsi ose-t-il rappeler que Nicolas Sarkozy, en 2007, avait promis que pour « revaloriser la fonction publique, il fallait moins de fonctionnaires mais mieux payés ». Et il ajoute : « On a l'impression que l'éducation est laissée pour compte. Mais regardons autour de nous. En Angleterre, en Grèce ou au Portugal, des professeurs sont licenciés, leurs rémunérations baissent. » Les Français n'ont donc pas à se plaindre. Pour Luc Chatel, grand expert en sermons de « principe de réalité », qu'importe justement la réalité vécue. Les chiffres sont pourtant têtus : entre 2007 et fin 2011, près de 55000 salariés de l'Éducation nationale auront été sacrifiés, comme le seront bientôt 1 500 classes...

Les projets « éducatifs » des quatre dernières années composent un vaste puzzle destructeur dont on peut aisément reconstituer les morceaux : moins de moyens et moins de personnels, des professeurs inégalement formés pour des écoles aux objectifs différents... Et puisque Luc Chatel n'est plus à une provocation près, lui qui fut jadis DRH chez L'Oréal avant de devenir « cost-killer » à l'UMP, il annonce qu'il va lancer ce mercredi une grande campagne de pub dont le coût devrait s'élever à 1,3 million d'euros. De la com pour vanter les mérites d'un plan de recrutement lancé par le ministre... alors qu'il maintient la suppression de 16 000 postes ! Face à un tel degré d'aplomb et d'effronterie, alors qu'à Pôle emploi vient de se dérouler un surréaliste « prof dating » pour pister d'éventuels enseignants remplaçants, les

mots doivent manquer aux personnels de l'éducation pour dire au plus près leur colère ou leur dégoût devant un tel cynisme politique. Car la situation des profs se dégrade à grande vitesse. Élèves qui ne les respectent pas et renvoient sur eux une part de la violence que subissent leurs familles ; hiérarchie qui les infantilise, ignore la détérioration de leurs conditions de travail, les sous-effectifs, etc.

Dans un contexte de grave crise des vocations, il n'est pas anodin de savoir que le nombre d'enseignants songeant à démissionner, jadis dérisoire, atteint désormais près de 35 % 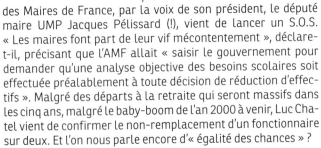 d'entre eux, que 49 % parlent d'un « manque de reconnaissance », que 75 % expriment leur « ras-le-bol »... Les politiques libéralo-néo-réactionnaires faites de « méritocratie », d'« internats d'excellence », d'« individualisation des parcours », d'« autonomie » nous programment une catastrophe absolue, faite de pénurie (de profs, de moyens, etc.) et d'inégalité à tous les échelons de la scolarité... Le sarkozysme n'aime pas l'égalité républicaine : pourquoi devrait-elle continuer de s'appliquer à l'école ? Même l'Association des Maires de France, par la voix de son président, le député maire UMP Jacques Pélissard (!), vient de lancer un S.O.S. « Les maires font part de leur vif mécontentement », déclare-t-il, précisant que l'AMF allait « saisir le gouvernement pour demander qu'une analyse objective des besoins scolaires soit effectuée préalablement à toute décision de réduction d'effectifs ». Malgré des départs à la retraite qui seront massifs dans les cinq ans, malgré le baby-boom de l'an 2000 à venir, Luc Chatel vient de confirmer le non-remplacement d'un fonctionnaire sur deux. Et l'on nous parle encore d'« égalité des chances » ?

Humanité.fr, Jean-Emmanuel Ducoin, 30 mai 2011

DES PROFS RECRUTÉS AU PÔLE EMPLOI ?

Le Sage	Luc Chatel est plutôt pragmatique, non ? Je ne travaille pas dans l'Éducation nationale et je n'ai pas d'enfants en bas âge mais j'entends tout le temps des parents se plaindre de l'absentéisme des enseignants surtout dans les quartiers difficiles. Trouver des remplaçants, c'est positif pour les enfants, non ? L'école publique se modernise !
Cerise	Laisse tomber ! L'école publique meurt !
Nono	Pôle emploi et Éducation nationale ? Quel est le rapport ? Honteux !
Alex	Calmez-vous ! On aura des profs jeunes et motivés au moins !

B. Ces quatre documents concernent la même information. En quoi celle-ci y est-elle traitée de manière différente ? Quel type de traitement vous paraît le plus intéressant ou le plus indispensable. Pourquoi ?

C. Un dessinateur a réalisé cette caricature représentant un nouveau professeur recruté par Pôle emploi. En groupes, imaginez les deux répliques et donnez un titre. En classe entière, commentez et évaluez les différentes propositions.

4. RÉSUMÉ

En vous appuyant sur le document page 14, vous rédigerez un résumé qui portera sur les principaux thèmes du texte et le point de vue soutenu par l'auteur.

➡ **VOIR LE RÉSUMÉ PAGE 146**

5. LA REVUE DE PRESSE

Piste 02

A. Écoutez cet enregistrement. En quoi consiste une revue de presse ?

B. Cochez dans le tableau les sources que le journaliste cite dans sa revue de presse. Quel est l'intérêt de citer des sources différentes ?

	Thème 1	Thème 2
Le Monde		
La Montagne		
20 Minutes		
Métro		
L'Humanité		
Slate.fr		
Le Journal du Centre		
Libération		
Le JDD		
L'Express		
France soir		

C. À votre avis, comment le journaliste a-t-il choisi ses sources ?

NON, NOM ET NOM !

A. Comparez les constructions des titres et chapeaux de ces articles.

Les Verts attendent une prise de conscience des États européens face au nucléaire

Les pays européens commencent à se poser des questions après la catastrophe nucléaire au Japon. L'Allemagne a d'ores et déjà annoncé qu'elle envisage d'arrêter son activité nucléaire dans les prochaines années et l'Italie vient de stopper la construction d'une nouvelle centrale. Les Verts reconnaissent que les gouvernements de ces deux pays ont fait preuve de courage politique.

RÉFORME DES RETRAITES : FERMETÉ DU GOUVERNEMENT

Alors que l'examen du projet de loi sur la réforme des retraites, défendu par le ministre du Travail, a débuté le 7 septembre après-midi à l'Assemblée nationale, de 1 à 3 millions de manifestants, selon les sources, défilaient en France.

Augmentation des prix du carburant

C'est l'été, les vacances approchent ! Et la note va être salée ! Le prix du carburant devrait augmenter de 4 centimes ces jours-ci !

B. Complétez dans le tableau les différents types de nominalisation à partir des exemples donnés.

→ VOIR LA NOMINALISATION PAGE 131

On peut nominaliser différents éléments de la phrase :

• Nominalisation d'un adjectif :
*C'est autant pour sa **rapidité** que pour son **confort** que le TGV est apprécié.* → *Ce train est apprécié parce qu'il est à la fois très **rapide** et très **confortable**.*

firmness

Fermeté du gouvernement au sujet de la libération des prisonniers. →

• Nominalisation d'un verbe :
Diffusion de la nouvelle ce matin. → *La nouvelle a été diffusée ce matin.*

Augmentation des prix du carburant. →

✋ Certains verbes peuvent avoir deux substantifs qui ont des sens différents.
Exposer : l'exposé de l'étudiant/l'exposition de peinture
Arrêter : l'arrêt de bus/l'arrestation des voleurs

• Nominalisation d'une proposition complétive :
*On espère une **augmentation** des ventes.* → *On espère que les ventes **augmenteront**.*

Les Verts attendent une prise de conscience des États européens face au nucléaire. →

C'EST UN RAPPORTEUR !

Le discours rapporté

On peut informer des propos tenus par d'autres en les citant « textuellement », c'est-à-dire tels qu'ils ont été prononcés ou écrits : c'est le **discours direct.** On peut aussi le faire au moyen du **discours indirect.**
Le Premier ministre a déclaré : « Le gouvernement ne cédera pas. »
Le Premier ministre a déclaré que le gouvernement ne céderait pas.

Dans les deux cas, on utilise un verbe introducteur du discours rapporté : ici, *déclarer.* Dans une revue de presse, les verbes introducteurs utilisés par le journaliste peuvent servir à informer simplement des propos tenus. Ce sont des verbes **déclaratifs.**

Ils peuvent aussi qualifier ces propos : « *Cherchez la différence », soupire l'Humanité.* Le verbe *soupirer* traduit une émotion. D'autres verbes introducteurs peuvent évoquer un son non verbal (*pleurer*), un geste (*bondir, hausser les épaules*). Ce sont des verbes **non déclaratifs.**

A. Connaissez-vous d'autres verbes introducteurs du discours rapporté ? Faites-en individuellement une liste, puis mettez-la en commun.

B. Voici des extraits de la revue de presse écoutée précédemment. Dites si les verbes sont des verbes déclaratifs ou non déclaratifs. Cochez la bonne réponse.

Extraits	Sources citées	
	Verbes déclaratifs	Verbes non déclaratifs
1. *France Soir* parle d'un « durcissement de ton » de la part de Martine Aubry.	parle	
2. « À vous de jouer », titre *Libération* qui appelle les sympathisants de gauche à se prononcer pour ce second tour.	appelle	
3. *20 Minutes* s'indigne et parle d'un « coup de folie ».		
4. *Slate.fr* s'enthousiasme et a créé un bingo pour « mieux vivre le suspense insoutenable du second tour de la primaire socialiste ».		

Piste 03

C. Écoutez cette interview. Comment réagiriez-vous s'il vous arrivait la même chose qu'à la personne interviewée ?

D. Avant de décider s'il publiera l'article, le rédacteur en chef de la revue demande au journaliste un compte-rendu de son interview. Rapportez ses propos.

➭ **VOIR** LE DISCOURS RAPPORTÉ **PAGE 143**

EN TOUTE OBJECTIVITÉ, BIEN SÛR !

A. Lisez le commentaire de cet internaute qui a répondu à l'édito publié dans l'*Humanité* (p. 14). Quel est le ton de sa réaction ?

B. Relevez dans ce texte tous les éléments qui permettent au locuteur de faire sentir sa présence, ses sentiments, son opinion… Confrontez vos résultats.

➭ **VOIR** LA MODALISATION **PAGE 138**

Jean-Emmanuel Ducoin, permettez-moi de vous dire que je ne partage absolument pas la position que vous avez exprimée dans l'édito du 30 mai 2011, intitulé «S.O.S. pour l'éducation». Il est évident que l'école est en crise. Cela ne fait aucun doute! Mais votre analyse est partielle et vous commettez l'erreur de focaliser la crise de l'enseignement scolaire sur la politique de Chatel! Vous affirmez qu' « entre 2007 et fin 2011, près de 55 000 salariés de l'Éducation nationale auront été sacrifiés, comme le seront bientôt 1 500 classes... » Mais posez-vous la question du niveau des élèves : en décembre, l'OCDE a rendu public les résultats d'une étude qu'elle a menée auprès d'élèves dans 65 pays. La France se place au 21e rang avec 496 points en lecture et au 22e rang en mathématiques. Décevant, non? Multiplier le nombre d'enseignants et faire de la quantité n'est pas la solution. Luc Chatel n'est pas « un cost-killer de l'UMP » comme vous le prétendez mais un ministre qui a une approche différente et plus pragmatique. Pourquoi ne pas alléger les programmes scolaires ou aménager du tutorat ? Si on répartissait mieux les vacances scolaires, par exemple, les rythmes seraient moins stressants pour les enfants. Si les parents s'impliquaient davantage dans l'éducation de leurs enfants au lieu de se décharger sur les enseignants, devenus des éducateurs... Voici d'autres causes qui expliquent la situation désastreuse de notre école aujourd'hui. Vraiment, votre analyse est incomplète et n'apporte rien au débat sauf de la polémique ! Vous verrez, dans un an, Luc Chatel aura eu raison de prendre cette décision !

6. INDÉPENDANCE DE LA PRESSE

A. Que pensez-vous de la thèse de l'auteur de cet article selon laquelle « l'indépendance constitue un concept illusoire ou même parfois dangereux » ?

B. Dans le troisième paragraphe, le journaliste affirme que « Aussi bien intentionnés soient-ils, ils [les hommes] ont des préjugés, des informations limitées et, il faut bien admettre qu'il peut leur arriver de prendre de « mauvaises » décisions. » Êtes-vous d'accord avec cette idée ?

C. Que répondriez-vous à la question finale que l'auteur pose à ses lecteurs : « Mais alors, que peut bien signifier l'indépendance des journalistes ? ».

L'« INDÉPENDANCE » DES JOURNALISTES

[...] On comprend l'intérêt porté à cette question, on comprend les inquiétudes exprimées par les uns et par les autres car on a le sentiment que l'indépendance des journalistes est un moyen de garantir la liberté de la presse, élément essentiel d'une société libre. Mais cela ne doit pas empêcher de réfléchir sur le contenu exact qu'il convient de donner à la notion d'indépendance des journalistes.

De manière générale, il semble d'ailleurs que la recherche de l'indépendance constitue une préoccupation forte et caractéristique de notre époque. Ainsi, il est fréquent de créer des organismes « indépendants » pour résoudre des problèmes institutionnels. Tel est le cas par exemple, en France, du CSA (Conseil Supérieur de l'Audiovisuel), de l'AMF (Autorité des Marchés Financiers) ou de l'ART (Autorité de Régulation des Télécommunications), sans parler de l'indépendance accordée à la Banque de France avant de l'être à la Banque Centrale Européenne. Bien entendu, dans tous ces cas, le souci majeur a consisté à rendre ces organismes indépendants du pouvoir politique. Cependant, cette notion n'est pas sans ambiguïté.

En effet, dire qu'un organisme est indépendant (ou que ses membres sont indépendants), c'est dire qu'il n'a de compte à rendre à personne, que ses membres ne peuvent pas être sanctionnés ou subir des conséquences quelconques de leurs décisions. Mais s'il en est ainsi, cela signifie que ses membres sont irresponsables puisque la responsabilité se définit comme le fait de supporter les conséquences de ses actes. Or, les hommes ne sont pas parfaits. Aussi bien intentionnés soient-ils, ils ont des préjugés, des informations limitées et il faut bien admettre qu'il peut leur arriver de prendre de « mauvaises » décisions.

Parce que les êtres humains vivent en société et parce que leurs actes ont des conséquences sur autrui, il est nécessaire qu'il existe des processus de contrôle de ces actes, de telle sorte que l'indépendance constitue un concept illusoire ou même parfois dangereux. Ainsi, un producteur qui subit la concurrence d'autres producteurs n'est pas indépendant : il ne peut pas vendre n'importe quoi à n'importe quel prix. Il est « contrôlé » par la concurrence et le marché, c'est-à-dire par les hommes et les femmes qui sont susceptibles d'acheter ses produits, il est dépendant d'eux. Il est responsable précisément parce qu'il subit les conséquences, bonnes ou mauvaises, de ses propres choix. Et il est responsable parce qu'il n'est pas indépendant.

Existe-t-il alors des raisons de dire qu'il en va différemment dans la presse et dans les médias ? Est-il légitime de dire que les journalistes doivent être indépendants, ce qui impliquerait qu'ils auraient le droit, à partir du moment où ils ont été embauchés par un journal, d'écrire n'importe quoi sans jamais en subir les conséquences, par exemple sous forme de difficultés de carrière ou de licenciements ? Personne ne peut évidemment défendre une telle position. Mais alors que peut bien signifier l'indépendance des journalistes ?

Le Québécois libre, Pascal Salin, 15 mars 2008

7. UN CERTAIN REGARD

A. Lisez le document ci-dessous. D'après vous, pourquoi une revue de presse ne peut-elle jamais faire l'unanimité ?

UN REGARD SUBJECTIF SUR L'ACTUALITÉ

La revue de presse est donc une synthèse fidèle des positions des différents journaux mais elle n'est pas pour autant un compte-rendu neutre.

D'abord, parce qu'elle ne peut pas prétendre à l'exhaustivité : les publications sont trop nombreuses pour qu'il soit possible de les prendre toutes en compte, or le choix des sources du journaliste qui rédige sa revue de presse est déjà en soi l'expression d'un point de vue sur le traitement de l'actualité.

Ensuite, parce que l'organisation de l'information dans la revue de presse n'est pas neutre : l'ordre de présentation des différentes opinions et l'importance relative accordée à chacune de ses positions, relève également du choix de l'auteur de la revue de presse selon qu'il souhaite mettre en valeur tel ou tel sujet. Deux journalistes travaillant sur une même revue de presse ne feraient pas forcément les mêmes choix.

Enfin, parce que le journaliste peut manifester une distance critique par rapport aux sources qu'il cite, bien qu'il n'utilise jamais le « je », lui préférant le « on » indéfini, le journaliste peut introduire par exemple un trait d'humour ou d'ironie dans son discours.

rfi.fr, Marie Rousse, le 25 juin 2008

B. Quels tons peut-on adopter pour présenter une revue de presse ? Quelle est votre préférence ? Pourquoi ?

8. APPRENEZ GRÂCE AU WEB

A. Lisez le document suivant. Qu'est-ce que le web 2.0 ?

Les contenus du web 2.0 ne sont en effet plus fournis comme sur le web 1.0 par quelques personnes et entreprises. Ils sont générés par les internautes eux-mêmes qui ne sont plus seulement consommateurs mais aussi acteurs du web en participant à sa construction et à sa structuration.

Avec le web 2.0, la logique du web change. Toute personne pouvant se connecter à Internet dispose de la possibilité, d'une part, d'y publier des contenus et, d'autre part, de réagir à ceux mis en ligne par d'autres internautes, voire même de les modifier. L'Internet se transforme en espace d'interactions horizontales entre internautes ayant tous la possibilité de publier et de réagir aux contributions des autres.

Le web 2.0 contribue ainsi à démocratiser la publication, il ouvre l'accès à la publication à tous et surtout permet, autour des publications, des interactions entre internautes, vus comme des pairs placés sur un même niveau.

Le web 2.0 dans son ensemble a un aspect social éminemment important. Chacun peut maintenant socialiser ses productions, que ce soit ses contributions scientifiques ou son journal intime ou toute forme d'expression (dessin, peinture, vidéo, son...). Selon le type de site qu'il choisira et la publicité qu'il fera autour de lui et au-delà, l'internaute publiant sur le web aura un lectorat/auditoire... plus ou moins important.

Ces publications renferment toutes une dimension sociale du fait qu'elles peuvent également donner lieu à des échanges avec des personnes connues ou inconnues et, par là même, contribuer au renforcement de liens sociaux préexistants, voire à la naissance de nouveaux.

Le Web 2.0 en classe de langue, Christian Ollivier, Lauren Puren, Éditions Maison des Langues, 2011

B. Faites la liste des différentes technologies du web 2.0 que vous connaissez. Les utilisez-vous ? Dans quel but ?

C. Interagir sur Internet présente des avantages quand on apprend une langue étrangère. Lesquels ?

D. En quoi la relation apprenant/enseignant a-t-elle changé grâce au web 2.0 ?

9. NOTRE REVUE DE PRESSE

Nous allons élaborer une revue de presse de plusieurs faits d'actualité et la présenter à la classe.

A. L'ensemble de la classe sélectionne trois ou quatre événements de la semaine qui lui paraissent les plus intéressants.

B. En petits groupes, choisissez l'un de ces événements et recherchez des sources différentes d'information.

C. Rédigez la revue de presse correspondante et présentez-la oralement à la classe. N'oubliez pas de faire apparaître les différents points de vue.

10. INFO OU INTOX ?

Nous allons créer la une d'un journal du 1er avril en y introduisant une fausse information.

A. Lisez les documents. Y a-t-il la même tradition dans votre pays ? Si oui, donnez des exemples.

QUELQUES SPÉCIMENS HISTORIQUES DE GROS POISSONS D'AVRIL

Depuis plusieurs années, des canulars, appelés également « intox » ou « hoax » en anglais, se glissent dans les médias, perpétuant cette tradition qui daterait du XVIe siècle. Voici quelques-uns des meilleurs poissons d'avril : *Le Journal du net* a annoncé que Google menaçait de quitter la France ; *Rue89* a affirmé que l'Élysée utilisait un logiciel « d'aide à la décision » depuis 2007 ; *La Tribune* a révélé en exclusivité que Nicolas Sarkozy avait proposé à Barack Obama un Airbus A380 pour Air Force One. D'après le site *Le Point.fr*, Barack Obama aurait révélé à Nicolas Sarkozy avoir les preuves de l'existence des extra-terrestres. À la radio, France Inter a annoncé que la tour Eiffel devrait être démontée car elle est trop rouillée.

Le 1er avril est traditionnellement synonyme de farce. Un poisson d'avril est une plaisanterie, un canular que l'on fait le 1er avril à ses connaissances ou à ses amis. Il est aussi de coutume de faire des canulars dans les médias, aussi bien dans la presse écrite, radio, télévision que sur Internet. On ne le pêche pas, on ne le mange pas non plus, on y croit ou alors on y croit pas. L'expression « manger du poisson d'avril » semble donc avoir un rapport étroit avec les facéties du 1er avril. Donner un poisson d'avril à quelqu'un, c'est lui annoncer une nouvelle qu'on invente, en un mot, se divertir un peu à ses dépens et éprouver sa patience. Aujourd'hui, les gens accrochent, le plus discrètement possible, de petits poissons en papier dans le dos de personnes qui se promènent parfois toute la journée avec ce « poisson d'avril » qui fait rire les autres.

lejournalducameroun.com

B. En petits groupes, organisez un comité de rédaction pour créer la une d'un journal du 1er avril. Choisissez et hiérarchisez les événements qui vous paraissent importants. Détournez une des informations pour en faire un poisson d'avril.

LES PARTIES DE LA UNE

Le **bandeau** est placé tout en haut de la page et occupe généralement toute la largeur du journal. On y annonce parfois un cahier hebdomadaire, une rubrique spéciale.

Le haut de la page de la une s'appelle la **manchette**. C'est là qu'on trouve « l'état civil » du journal : son nom et son logo, la date du jour, le numéro, le prix.

L'oreille comporte un titre qui renvoie à une page intérieure ou une publicité.

La **tribune** est un endroit de choix où l'œil du lecteur se pose souvent en premier. On y place donc le ou les titres important(s) du jour. La liste des articles importants se place dans la **sous-tribune**.

Le **ventre** est une partie située au beau milieu de la page, entre la tribune en haut et le **pied de page** en bas. On y place généralement une photo ou un article présentant le fait d'actualité le plus important du jour.

Le **cheval** est un article qui continue en page intérieure.

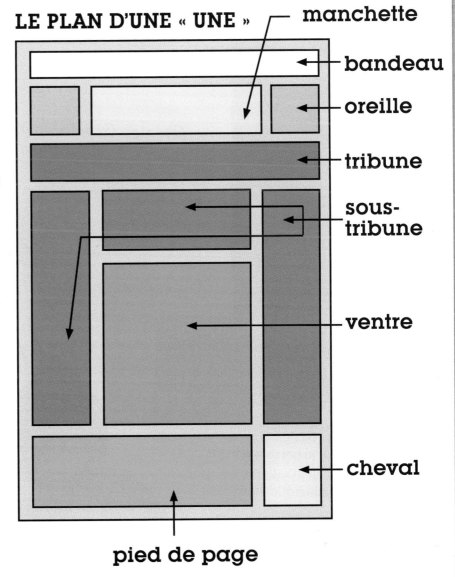

LE PLAN D'UNE « UNE »

manchette
bandeau
oreille
tribune
sous-tribune
ventre
cheval
pied de page

first page of

C. Créez la maquette de votre une avec le titre du journal, les textes et les illustrations. Présentez votre une à la classe qui devra trouver la fausse information.

2

Gérer son image

À la fin de cette unité, nous allons dresser le profil numérique de notre classe et/ou rédiger une nouvelle de science-fiction.

identité numérique
e-réputation
entre
individus
recrutement
courriel
bloguer
traces
jeux en ligne
googliser
geek
surfer
virtuel
communautés
réseaux sociaux
sites
forum
mail
identité
physique
moteurs de recherche
avatar

Google, Google, dis-moi qui est la plus belle !

Premier contact

1. MIROIR, MIROIR...

A. Reconnaissez-vous le personnage de l'illustration ? En quoi la situation représentée est différente de l'histoire que vous connaissez ?

B. Qu'est ce que change Internet dans l'image que l'on a de soi et dans celle que l'on donne de soi ?

C. Proposez, sur le thème de l'unité, une phrase contenant le maximum de mots du nuage.

2. IDENTITÉ NUMÉRIQUE

A. À votre avis, que signifie l'expression « identité numérique » ?

B. En vous appuyant sur le document suivant, relevez les différents éléments d'une identité numérique. La vôtre comporte-t-elle toutes ces informations ?

Qu'est-ce que l'identité numérique ?
Les utilisateurs au cœur du web 2.0

Avec la prolifération des blogs et wikis, la multiplication des réseaux sociaux et l'explosion du trafic sur les plateformes d'échanges, les contenus générés par les utilisateurs prennent une place toujours plus importante dans notre consommation quotidienne de l'Internet. Tous ces contenus laissent des traces sur les sites qui les hébergent et dans les index des moteurs de recherche, ils sont également systématiquement rattachés à un auteur. De plus, la notoriété numérique des individus ainsi que sa valorisation (monétisation de l'audience, de l'expertise...) vont rapidement amener les internautes (*consomm'auteurs* et *consomm'acteurs*) à se soucier de leur identité numérique.

DE LA VOLATILITÉ DE L'IDENTITÉ NUMÉRIQUE

L'identité numérique d'un individu est composée de données formelles et informelles. Toutes ces bribes d'information composent une identité numérique plus globale qui caractérise un individu, sa personnalité, son entourage et ses habitudes. Ces petits bouts d'identité fonctionnent comme des gènes : ils composent **l'ADN numérique d'un individu**.

Gérer son identité numérique veut dire ~urveiller l'utilisation de chacune de ces ~ribes d'information ; cette tâche est ~mplexe surtout pour un individu qui ~uh~ite exploiter l'Internet comme une ~ Nous allons donc progressivement ~ acquérir une vision à 360° de toutes ~aces que nous laissons au quotidien de ~ ~ière à maîtriser l'image que l'on donne de nous-même.

LES DIFFÉRENTES FACETTES DE L'IDENTITÉ NUMÉRIQUE

Comme nous venons de le voir, notre identité numérique est composée de nombreuses informations (ou traces) qui peuvent être regroupées en facettes :
• Les coordonnées, c'est-à-dire tous les moyens numériques qui permettent de joindre un individu (mail, messagerie instantanée, n° de téléphone), de l'identifier (fichier FOAF ou hCard) ou de le localiser (adresse IP) ;
• Les certificats qui sont délivrés par des organismes (Certinomis...), des services (OpenID...) ou des logiciels (CardSpace) afin d'authentifier un utilisateur.
• Les contenus publiés à partir d'outils d'expression qui permettent de prendre la parole : blog, podcast, videocast, portail de journalisme citoyen (Agoravox, Wikio...) ;
• Les contenus partagés à l'aide d'outils de publication : photos (FlickR), vidéos (YouTube, Dailymotion...), musique ou liens ;
• Les avis sur les produits (U.lik, CrowdStorm, iNods...), des services, des prestations ou même des informations (Digg) ;
• Les hobbies qui sont partagés par les passionnés sur des réseaux sociaux spécialisés ; (Boompa pour l'automobile...) ;
• Les achats réalisés chez des meta-marchands (comme Amazon ou eBay), avec des systèmes de paiement ou de programmes de points de fidélité (comme S'Miles ou Maximiles) qui permettent de modéliser les habitudes de consommation ;
• La connaissance diffusée au travers d'encyclopédies collaboratives (Wikipedia), de plateformes de FAQ collaboratives (comme Yahoo! Answers ou Google Answers) ou de

sites de bricoleurs (Instructables) ;
• Les portails (Monster, WetFeet...) et réseaux sociaux (LinkedIn, Xing...) qui servent à donner de la visibilité à sa profession ;
• Les services qui gèrent la notoriété d'un individu (Technorati, Cymfony...), sa fiabilité (Biz360) et sa réputation (RapLeaf, iKarma, ReputationDefender...) ;
• Les services de rencontre (Meetic, Friendster...) et de fédération d'individus (Facebook, MySpace, MyBlogLog...) ;
• Les jeux en ligne (World of Warcraft...), les univers virtuels (SecondLife...) et les services en ligne (SitePal...) qui permettent d'afficher un avatar.

[...] C'est en participant à tous ces services et outils qu'un individu alimente petit à petit toutes les facettes de son identité numérique. La majeure partie des utilisateurs ne mesure pas encore la complexité de la gestion de l'identité numérique et ceci pour deux raisons :
a) Les occasions de laisser des traces sont de plus en plus nombreuses ;
b) Les moteurs de recherche conservent chacune de ces traces pendant de nombreuses années.

Voilà donc très certainement quel sera le prochain défi à relever pour les utilisateurs de l'Internet : prendre toutes les précautions nécessaires pour ne pas ternir l'image d'eux-mêmes (leur identité, leur double numérique) qu'ils sont progressivement en train de construire.

www.fredcavazza.net

C. Selon vous, quels sont les risques et les opportunités liés à l'identité numérique ?

3. E-RÉPUTATION

A. Qu'est-ce que c'est pour vous la « e-réputation » ? Quels problèmes particuliers peut-elle poser ? Faites-vous personnellement attention à votre réputation numérique ?

 B. Écoutez ces témoignages. Quelles idées retrouvez-vous concernant la question de l'identité numérique ? Avec qui êtes-vous d'accord ?

Piste 04

C. Si vous deviez réagir sur le site Internet de cette radio, que diriez-vous ?

4. QUEL INTERNAUTE ÊTES-VOUS ?

A. Lisez le texte suivant. Vous reconnaissez-vous ou reconnaissez-vous un de vos proches dans les profils évoqués ?

B. En groupes, résumez chaque profil en une phrase.
➔ VOIR LE RÉSUMÉ PAGE 146

C. En petits groupes, à partir de ce document, recréez le questionnaire qui a permis d'établir ces profils.

QUEL FACEBOOKIEN ÊTES-VOUS ?

LE POSTEUR FOU : Collectionneur obsessionnel, il passe sa vie à dénicher des vidéos sur Youtube/des clips introuvables sur Myspace/des photos rigolotes sur Flick'r. C'est le boute-en-train du web 2.0. Il poste des commentaires plus vite que son ombre, « like » toutes les publications de ses amis (faut pas faire des jaloux), souhaite tous les anniversaires, ce qui fait beaucoup car il a désormais 1240 amis (il ne refuse aucune « invitation à devenir ton ami », c'est pas gentil).

LE GLASNOST : « Il est 10 heures. J'ai envie de Pepito. » De sa vie, le *glasnost*, nous raconte tout. L'hyper-transparence est son credo. Sa dernière soirée arrosée/son week-end en amoureux/son séminaire d'entreprise, rien ne nous sera épargné. Des kilo-octets d'ennui, en photos ou vidéos. Mais c'est quand il se lance dans la grande aventure de la reproduction humaine que *le glasnost* devient vraiment pénible. Échographies, premier sourire, premiers vomis, premiers gouzis-gouzis : on a suivi en direct *live* l'évolution de sa progéniture. Et on n'en peut plus.

LE VOYEUR : Il passe son temps à mater les profils des autres mais ne publie jamais rien sur le sien. Il adore aller regarder les albums photos – en particulier ceux de ses ex –, épier les conversations de ses amis – et surtout de ses ennemis, qu'il a acceptés dans sa liste de *friends*, bien sûr –, voire leurs déplacements, grâce à ce merveilleux outil qu'est la géolocalisation. Allô Stasi j'écoute ?

LE CONTROL-FREAK : Un chouïa paranoïaque, le *control-freak* se sent oppressé par l'existence même de Facebook, ce Big Brother des temps modernes. Pour duper l'ennemi, il s'est néanmoins construit plusieurs profils, sous pseudo, évidemment. Schizophrène, il jongle désormais entre plusieurs identités, plusieurs mots de passe, plusieurs mails. Il passe des heures à verrouiller les paramètres de confidentialité, on ne sait jamais. Son dernier message publié, « Attention aux informations que vous laissez sur Facebook », n'a du coup été visible que par une seule personne : lui.

Le Nouvel Observateur, 14 avril 2011

5. DROIT À L'OUBLI

A. Lisez l'article suivant et faites-en un résumé.

VERS L'INSTAURATION D'UN « DROIT À L'OUBLI » NUMÉRIQUE

NATHALIE KOSCIUSKO-MORIZET DEVRAIT CRÉER UNE CHARTE EN 2010 POUR PERMETTRE AUX INTERNAUTES DE LIMITER LEURS TRACES SUR LA TOILE.

Alex Türk, le patron de la Cnil, l'organe qui surveille les fichiers informatiques, a eu de la chance : lorsqu'un soir de Saint-Nicolas, il a montré « ses fesses en 1969 », le Web n'existait pas et les forfanteries s'effaçaient dans la nuit. Depuis, une révolution s'est produite. Tout persiste. Et se dissémine, « telles des bombes à retardement ». Alex Türk en a fait la démonstration jeudi. À l'instant où il contait son anecdote, lors d'un atelier dédié au « Droit à l'oubli numérique », Twitter la dispersait sur la toile.

« C'est une situation inédite : nos productions, textes, photos, ainsi que les traces laissées sans même le savoir, nous poursuivent à l'infini. Il faut organiser une prescription », a lancé jeudi la secrétaire d'État à l'économie numérique, Nathalie Kosciusko-Morizet, devant des juristes, politiques et dirigeants de grands sites du Web, comme Google, Microsoft ou Facebook réunis à Sciences Po Paris. Elle souhaite mettre en œuvre un « droit à l'oubli ». Le terme, inventé par les Français (et qui n'a pas de traduction anglaise), n'a pas de réalité juridique claire. La loi informatique et libertés de 1978 prévoit, certes, que chacun puisse accéder à ses données. Et s'opposer à leur divulgation. Mais ce principe se heurte très vite à la mondialisation d'Internet. Pour faire supprimer des messages postés sur un forum en 1997, l'avocate Valérie Sedallian avait attaqué Google... et s'était vu opposer le droit californien !

[...] Dans l'immédiat, NKM envisage une charte plus qu'une loi. D'autant que sur Internet, les interdits peuvent tous être contournés techniquement. La secrétaire d'État suggère que les sites se labellisent. Dans un premier espace, l'utilisateur serait totalement anonyme. Au deuxième niveau, il fournirait un nombre de données limitées, tandis qu'au troisième, il devrait décliner son état civil exact. « Chaque site déterminera dans lequel de ces espaces il voudra être labellisé. »[...]

Cécilia Gabizon, Lefigaro.fr, 2009

B. Que signifie, pour vous, l'expression « droit à l'oubli » ? Pensez-vous que le droit à l'oubli est valable pour tout le monde et dans toutes les situations ? Discutez-en en petits groupes.

6. VIE PRIVÉE/VIE PUBLIQUE : UNE QUESTION DE GÉNÉRATION ?

A. Lisez le texte suivant. En quoi consiste la fracture générationnelle décrite par l'auteur ?

VIE PRIVÉE :

LE POINT DE VUE DES « PETITS CONS »

Nombreux sont ceux qui pensent que les jeunes internautes ont perdu toute notion de vie privée. Impudiques, voire exhibitionnistes, ils ne feraient plus la différence entre vie publique et vie privée. Et si, *a contrario*, ils ne faisaient qu'appliquer à l'Internet ce que leurs grands-parents ont conquis, en terme de libertés, dans la société ? [...]

Pour Josh Freed, célèbre éditorialiste canadien, c'est la plus importante fracture générationnelle depuis des décennies, qu'il résume ainsi : d'un côté, nous avons la « génération des parents », de l'autre, la « génération des transparents » : l'une cherche à protéger sa vie privée de manière quasi-obsessionnelle, l'autre sait à peine ce qu'est la « vie privée ». La génération des transparents a passé toute sa vie sur scène, depuis que leurs embryons ont été filmés par une échographie alors qu'ils n'avaient que huit semaines... de gestation. Ils adorent partager leurs expériences avec la planète entière sur MySpace, Facebook ou Twitter et, pour eux, Big Brother est un reality show. La génération des parents voit cette transparence comme un cauchemar. Elle a grandi à l'ombre de Mac Carthy et des espions de la CIA, et est plutôt paranoïaque dès qu'il s'agit de partager des données personnelles, de passer à la banque en ligne ou même d'acheter un livre sur Amazon.

Jean-Marc Manach

B. Quel est le point de vue de l'auteur ? Êtes-vous d'accord avec lui ?

AVEC DES « SI »

A. Répondez à ce questionnaire que la mairie de votre domicile vous a fait parvenir.

L'UTILISATION D'**INTERNET** DANS NOTRE COMMUNE

SI VOUS DISPOSEZ D'UNE CONNEXION À INTERNET À VOTRE DOMICILE...

• Quel est le débit souscrit ? [_____]

• Quels services utilisez-vous ?

Messagerie ☐ Navigation ☐ Jeux en ligne ☐
Triple Play (Télévision + Tél + Internet) ☐

• Souhaiteriez-vous modifier votre abonnement si vous en aviez la possibilité ?

Pour payer moins cher ☐ Pour avoir un meilleur service ☐
Pour avoir d'autres services ☐

SI VOUS NE DISPOSEZ PAS D'UNE CONNEXION À INTERNET À VOTRE DOMICILE...

• Est-ce un choix de votre part ? Oui ☐ Non ☐
• Souhaiteriez-vous en avoir une ? Oui ☐ Non ☐

SI VOUS SOUHAITEZ AVOIR UNE CONNEXION INTERNET OU MODIFIER VOTRE ABONNEMENT ACTUEL...

• Quel débit souhaiteriez-vous ? [_____]
• Pour quels services voudriez-vous avoir une connexion ?

Messagerie ☐ Navigation ☐ Jeux en ligne ☐
Télévision + Tél + Internet ☐

DANS TOUS LES CAS...

• Pensez-vous qu'une formation à l'utilisation d'Internet vous serait utile ? Oui ☐ Non ☐
• Si oui, pour combien de personnes ? [_____]
• Souhaiteriez-vous recevoir des mails d'information de la mairie ? Oui ☐ Non ☐
• Si oui, votre adresse mail : [_____]

B. Relevez les verbes dans ce questionnaire : à quels modes et quels temps sont-ils conjugués ?

Les structures avec « si »

si + VERBE, VERBE

Si tu avais un ordinateur, tu m'enverrais des mails.

ou : VERBE+ **si** + VERBE

Tu m'enverrais des mails si tu avais un ordinateur.

Les structures avec « si » peuvent exprimer :

1. Une probabilité ou une quasi-certitude :

si + PRÉSENT DE L'INDICATIF, PRÉSENT DE L'INDICATIF

si + PRÉSENT DE L'INDICATIF, FUTUR SIMPLE

si + PRÉSENT DE L'INDICATIF, PRÉSENT DE L'IMPÉRATIF

2. Une hypothèse :

si + IMPARFAIT, CONDITIONNEL PRÉSENT

3. Une condition non réalisée dans le passé (irréel du passé)

a) avec une conséquence dans le présent

si + PLUS-QUE-PARFAIT, CONDITIONNEL PRÉSENT

b) avec une conséquence dans le passé

si + PLUS-QUE-PARFAIT, CONDITIONNEL PASSÉ

4. Une condition non réalisée dans le présent (irréel du présent)

si + IMPARFAIT, CONDITIONNEL PRÉSENT

➡ **VOIR** LE CONDITIONNEL **PAGE 136**

C. Complétez librement les phrases suivantes.

• Si jamais j'avais une connexion Internet, je…
• Si je n'avais pas d'ordinateur, je…
• Si je n'ai plus Internet pendant une journée, je…
• Si l'homme n'avait pas inventé Internet, …

LES MOTS POUR LE DIRE

A. Individuellement, recherchez dans la partie « À la recherche de l'information » le vocabulaire en relation avec les nouvelles technologies et classez-le par catégorie.

B. En groupes, confrontez vos résultats.

RACONTER SON EXPÉRIENCE

A. Lisez le texte suivant. Que s'est-il passé ce jour-là ?

C'est au petit matin que Jan comprit que ce jour-là ne serait pas un jour ordinaire. Précisément quand il ouvrit la porte de son appartement pour se glisser sur le palier. D'habitude, Jan se trouvait face au voisin qui sortait également de chez lui. Après un mutuel signe de tête, furtif, presque fuyant, ils se retrouvaient dos-à-dos, chacun passant sa carte sur la serrure pour fermer son appartement. Ils descendaient ensuite l'escalier, l'un derrière l'autre, Jan en tête parce que le plus jeune, et il sentait le regard du voisin peser sur sa nuque et ses épaules. [...]
Or, ce matin-là, il n'y avait personne sur le palier. La porte du voisin resta fermée. Jan hésita un moment puis jeta un coup d'œil sur sa montre GPS. Il était exactement 7 heures 30, comme chaque jour, et Jan ne trouva aucune explication à cette absence. Jusqu'à présent, jamais le voisin n'avait manqué leur bref rendez-vous matinal. [...]

Olivier Merle, *Identité numérique*, Incipit,
Éditions de Fallois, 2011.

B. Soulignez tous les verbes. À quels temps sont-ils conjugués ? Comment s'explique cette variation ?

Le passé simple

Le passé simple est un temps du passé très utilisé en littérature. Il a les mêmes valeurs que le passé composé, qui est toujours utilisé à l'oral.

	1er groupe	2e groupe	3e groupe			
	manger rester	finir ouvrir	voir prendre	boire savoir	tenir venir	aller
Je/j'	-ai	-is	-is	-us	-ins	-ai
Tu	-as	-is	-is	-us	-ins	-as
Il/Elle	-a	-it	-it	-ut	-int	-a
Nous	-âmes	-îmes	-îmes	-ûmes	-înmes	-âmes
Vous	-âtes	-îtes	-îtes	-ûtes	-întes	-âtes
Ils/Elles	-èrent	-irent	-irent	-urent	-inrent	-èrent

↪ **VOIR** LES TEMPS DU PASSÉ **PAGE 134**

C. Passez ce récit au présent de narration. Quelles différences y a-t-il entre ces deux versions ?

Le présent de narration

Le présent peut être utilisé dans une narration à la place du passé pour rendre le récit plus « vivant » en donnant au lecteur l'impression de vivre les événements en direct. *« C'est en 2003 que Mark Zuckerberg crée Facebook. Il est alors étudiant à Harvard... ».*

D. En groupes, imaginez en quelques phrases la suite du récit original et rédigez-la.

DIS-MOI COMMENT TU SURFES ET JE TE DIRAI QUI TU ES !

A. Quel type d'internaute êtes-vous ? Quelles sont vos pratiques habituelles ?

B. Reliez chaque phrase à l'adjectif qualificatif correspondant.

Vous effacez tout le temps votre historique sur votre ordinateur.

Vous faites confiance à tout ce que l'on vous dit sur Internet.

Vous êtes constamment devant votre ordinateur.

Vous répondez immédiatement à chaque mail que l'on vous envoie.

Quand vous devez écrire, vous préférez le faire au stylo sur du papier plutôt qu'au clavier sur un ordinateur.

traditionnel

consciencieux

accro

confiant

méfiant

C. En groupes, établissez une liste d'adjectifs permettant de qualifier différents comportements sur Internet.

7. AVOIR BONNE OU MAUVAISE RÉPUTATION, UNE QUESTION DE CULTURE ?

A. Lisez le texte suivant. Connaissez-vous cette chanson ? De quoi parle l'auteur ? Pourquoi a-t-il mauvaise réputation ?

B. Dans votre pays, qu'est-ce qui fait qu'une personne a bonne ou mauvaise réputation ? Est-ce la même chose que dans la chanson de Brassens ?

Au village sans prétention
J'ai mauvaise réputation
Que j'me démène ou qu'j'reste coi
J'passe pour un je ne sais quoi

Je ne fais pourtant de tort à personne
En suivant mon chemin de petit bonhomme
Mais les braves gens n'aiment pas que
L'on suive une autre route qu'eux
Non les braves gens n'aiment pas que
L'on suive une autre route qu'eux
Tout le monde médit de moi
Sauf les muets, ça va de soi

Le jour du 14 juillet
Je reste dans mon lit douillet
La musique qui marche au pas
Cela ne me regarde pas

Je ne fais pourtant de mal à personne
En n'écoutant pas le clairon qui sonne
Mais les braves gens n'aiment pas que
L'on suive une autre route qu'eux
Non les braves gens n'aiment pas que
L'on suive une autre route qu'eux
Tout le monde me montre au doigt
Sauf les manchots, ça va de soi

Quand j'croise un voleur malchanceux
Poursuivi par un cul-terreux
J'lance la patte et pourquoi le taire
Le cul-terreux s'retrouve parterre

Je ne fais pourtant de tort à personne
En laissant courir les voleurs de pommes
Mais les braves gens n'aiment pas que
L'on suive une autre route qu'eux

Non les braves gens n'aiment pas que
L'on suive une autre route qu'eux
Tout le monde se rue sur moi
Sauf les culs-de-jatte, ça va de soi

Pas besoin d'être Jérémy
Pour d'viner le sort qui m'est promis
S'ils trouvent une corde à leur goût
Ils me la passeront au cou.

Je ne fais pourtant de tort à personne
En suivant les chemins qui n'mènent pas à Rome
Mais les braves gens n'aiment pas que
L'on suive une autre route qu'eux
Non les braves gens n'aiment pas que
L'on suive une autre route qu'eux
Tout le monde viendra me voir pendu
Sauf les aveugles, bien entendu !

G. Brassens, *La mauvaise réputation*, 1952

8. VIE PRIVÉE ET VIE PUBLIQUE

A. Lisez le document, comprenez-vous pourquoi ces personnes ont été licenciées ? Comment cela se serait-il passé dans votre pays ?

Salariés licenciés : « Un mur Facebook est un espace public »

Éric Rocheblave, avocat en droit du travail, répond aux questions des internautes de l'express.fr sur le licenciement de trois salariés après des propos publiés sur Facebook.

Alankin « Je ne comprends pas l'affaire : seule la communauté des 'amis' des licenciés pouvaient avoir accès à l'information, donc ce sont des propos privés, non ? Donc ce licenciement aurait pu être décrété à l'issue d'une conversation entre amis au restaurant. »
Facebook n'est pas considéré comme un espace privé. Le tribunal des Prud'hommes a réaffirmé vendredi que le « mur », dès lors qu'il était accessible à plus de deux personnes et permettait de relayer des informations était du domaine public. Les salariés vont interjeter appel mais je ne suis pas sûr qu'ils puissent remporter le procès car la Cour a déjà estimé dans d'autres affaires qu'un mur - contrairement aux messages « inbox » sur Facebook - était un espace ouvert. C'est exactement la même problématique pour une discussion sur son entreprise : si celle-ci a lieu chez un particulier en nombre très restreint, elle est généralement considérée comme privée. Mais si elle se tient au restaurant, dans un café ou dans un lieu public, les personnes autour sont susceptibles de reconnaître l'entreprise et la clause de loyauté n'est pas respectée.

Papillou « Je trouve inadmissible qu'on licencie des employés qui osent dire la vérité sur leur entreprise. Que disent les entreprises au sujet de leurs employés ? On ne le saura jamais car elles ne le font pas passer sur Facebook. »
La plupart des gens ont l'impression qu'au nom de la liberté d'expression, ils sont libres de dire tout ce qu'ils pensent. Mais si c'est effectivement un principe fondamental du droit français, elle est réglementée. Dans cette affaire, les trois salariés qui se sont exprimés sur Facebook ont manqué à leur obligation de loyauté. La jurisprudence oblige, en effet, les salariés à respecter un devoir de réserve qui les empêche de dire du mal de leur entreprise dans un cadre public. S'ils ne s'y tiennent pas, cela relève de la diffamation. C'est d'ailleurs pour cette raison que les motifs de licenciement dans cette affaire - « incitation à la rébellion » et « dénigrement de l'entreprise » - sont aussi graves. [...]

Caroline Politi, L'Express, 2010

B. Lisez les définitions suivantes. Comment sont définies dans votre pays les notions de vie privée et de vie publique ? Rédigez votre propre définition.

Robert Badinter a proposé sa définition de la vie privée : En « l'absence de toute définition positive de la vie privée », il convient de la définir par la négative. L'intérêt de cette démarche est, en effet, de mettre l'accent sur la primauté de la vie privée, celle-ci, interdite à toute intrusion indiscrète, étant pour chacun le sort commun. Le reste, c'est-à-dire la vie publique ouverte à la curiosité de tous, est l'exception.

Différentes composantes de la vie privée sont abordées dans les procès, qui correspondent aux aspects principaux de la vie : la vie familiale, la vie sentimentale, les loisirs, la santé, les mœurs, les convictions philosophiques et religieuses, les circonstances de la mort, le droit à l'image.

Il est à noter également que, fin 2003, la Cour de cassation a énoncé que le numéro de sécurité sociale et les références bancaires faisaient partie de la vie privée de chacun, à l'encontre de toute personne dépourvue de motif légitime à les connaître. [...]

eduscol.education.fr – MENJVA – droits réservés

Sur le plan « sociologique »

« Privatus » signifie « séparé de », en conséquence l'on peut définir la vie privée comme étant :

« la capacité pour une personne ou pour un groupe de s'isoler afin de se recentrer sur sa vie et protéger ses intérêts ».

L'on peut également considérer que la vie privée s'apparente aussi à l'anonymat et à la volonté de rester hors de la vie publique.

Les limites de la vie privée ainsi que ce qui est considéré comme privé diffèrent selon les groupes, les cultures et les individus, même s'il existe toujours un « tronc commun » pour cette notion.

Le concept est toutefois plus associé aux cultures occidentales, certaines cultures ne disposant même pas d'un mot signifiant « vie privée ».

Véronique Doulliez sous la supervision de Benoit Van Keirsbilck.

C. Confrontez vos définitions. Avez-vous la même définition que vos camarades de classe ?

9. PAROLES D'ÉTUDIANTS

Piste 05

A. Écoutez les témoignages suivants. Qu'est-il arrivé à ces personnes ? Avez-vous vécu ce genre de situation ? Auriez-vous ou avez-vous une attitude différente avec un professeur français et un professeur de votre nationalité ?

B. Dans votre pays, quelles sont les règles à respecter en classe vis-à-vis des enseignants ? Quelle frontière y a-t-il entre votre vie privée et votre vie en classe ? Donnez quelques exemples concrets et discutez-en.

C. Rédigez le guide *Bien se comporter en classe* à l'intention des Français qui viennent étudier dans votre pays.

10. NOTRE AVATAR

Nous allons dresser le profil numérique de notre classe.

A. Par groupes, choisissez le thème de votre enquête (l'usage des réseaux sociaux, la e-réputation, l'utilisation des nouvelles technologies, etc.) et les personnes qui seront interrogées.

B. Faites la liste des différents points à aborder dans votre questionnaire et rédigez celui-ci.

C. Réalisez votre enquête. Analysez les résultats et rédigez le rapport que vous présenterez aux autres groupes.

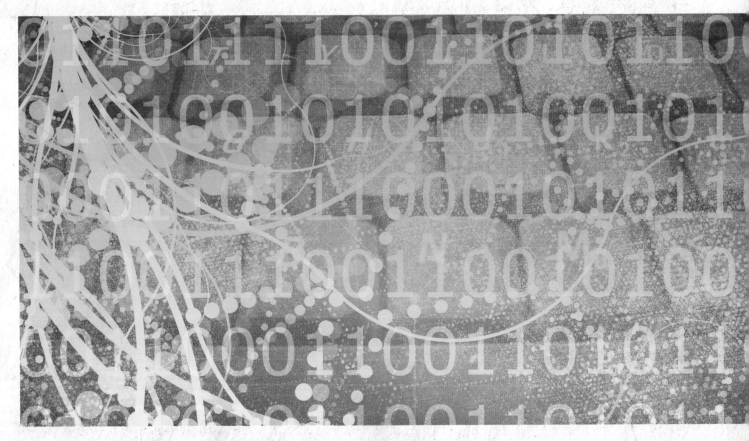

11. IDENTITÉ NUMÉRIQUE DU FUTUR

Nous allons imaginer et rédiger une nouvelle de science-fiction.

En 2100, un grand-père raconte à son petit-fils ce qui s'est passé en 2050, date à laquelle l'identité numérique est devenue plus importante que l'identité réelle – physique et morale – des personnes…

A. En groupes, donnez vie à ces deux personnages (nom, prénom, âge, etc.) et définissez les grandes lignes de l'histoire : Que s'est-il passé en 2050 ? Comment est la vie en 2100 ?

B. Chaque groupe rédige sa nouvelle et lui donne un titre.

C. Chaque groupe fait une lecture publique de sa nouvelle. La classe décide des différents prix (le grand prix, le prix de la nouvelle la plus drôle, la plus effrayante, la plus triste, la plus haletante, par exemple) et vote pour les attribuer.

NOUVELLE ET ROMAN

« Dans la nouvelle, j'aime le rythme court, avec un effet de chute, alors que le roman permet de se laisser aller, avec lui on peut jouer avec le temps. »
Pascale Gautier (écrivaine française)

UNE DÉFINITION DE LA NOUVELLE

Selon le dictionnaire *Littré*, une nouvelle est une « sorte de roman très court », un « récit d'aventures intéressantes ou amusantes ». La nouvelle est généralement un récit court et cette brièveté permet d'intensifier l'effet produit par le texte.

En général, le récit est centré autour d'un seul événement. Les personnages sont peu nombreux. La nouvelle est proche du roman mais s'en distingue par sa dimension réduite, le petit nombre des personnages, la concentration et l'intensité de l'action ou encore le caractère insolite des événements.

1. ENTRÉE EN MATIÈRE

Piste 06

Écoutez l'enregistrement. Quels mots connaissez-vous ? Écrivez-les au tableau et donnez des exemples de phrases où ils sont employés.

2. DOSSIER DOCUMENTAIRE

A. Quel(s) liens(s) pouvez-vous établir entre les trois documents suivants ?

B. Que pensez-vous de la mise en ligne de son profil professionnel ? L'employabilité est-elle supérieure lorsque le candidat montre qu'il utilise ou sait utiliser les nouvelles technologies ?

C. Qu'est-ce qu'une « veille professionnelle de qualité » ? Comment Internet peut-il aider à la réaliser ? Discutez-en en groupes.

DU BON USAGE DES RÉSEAUX SOCIAUX

Les réseaux sociaux vont vous permettre de vous promouvoir professionnellement, de développer votre **employabilité** mais pas seulement ! Vous allez découvrir bien d'autres avantages !

Ils sont un moyen de réaliser une veille professionnelle de qualité, de détecter des opportunités, de rencontrer des contacts intéressants pour apprendre et vous former en entrant en relation avec des personnes susceptibles de vous guider ou de vous aider.

Comment ?

1. Vous publiez votre profil et vous le renvoyez vers votre CV détaillé et enrichi (liens vers des sites, documents, blog).

2. Vous allez ensuite travailler à inviter vos contacts pour constituer votre réseau. Réfléchissez et procédez méthodiquement (carnet d'adresses, messagerie téléphonique, référents lors de vos différents stages et/ou jobs...). Adoptez dorénavant ce réflexe « social networking » ... Invitez après chaque rencontre pertinente les personnes susceptibles de constituer votre réseau professionnel.

3. N'oubliez pas non plus de solliciter des recommandations professionnelles. Il s'agit ici de demander à certaines personnes de votre réseau avec lesquelles vous avez travaillé et réalisé certaines activités et d'obtenir des références sociales et pro-

fessionnelles qui vous qualifient et vous recommandent. Vous pouvez choisir vos collègues, collaborateurs, clients, fournisseurs ou partenaires, professeurs (si vous êtes jeune diplômé) et surtout n'oubliez pas pour vos références sociales de solliciter vos meilleurs amis, les membres des associations/réseaux auxquels vous appartenez. Après avoir fait ce travail de base, je vous invite à utiliser, de façon **interactive** cette fois, les réseaux sociaux en choisissant de...

4. Vous inscrire et participer de façon active aux réflexions des communautés professionnelles et à leurs questionnements. C'est au sein de ces groupes que des « experts » sont repérés pour leur apport personnel sur certains sujets. C'est ce niveau-là d'interactivité qui vous permettra de vous ouvrir de nouvelles opportunités professionnelles et de « vous faire repérer » [...]. Il faut entrer en relation avec les autres, participer en posant des questions, en commentant certains apports, en indiquant certains sites, sources, références, expériences utiles au débat et au questionnement. Vous pouvez également proposer des sujets de discussion et contribuer à les animer.

Félicitations, vous avez tout compris !

En développant votre usage avancé des réseaux sociaux, vous n'aurez plus seulement comme objectif de vous rendre visible ou d'être reconnu(e), vous allez également développer un comportement social/ble en aidant les autres (partage de contacts, d'informations, de connaissances, d'expériences) et comprendre ce que c'est une démarche « win-win » car c'est en procédant ainsi que vous trouverez des personnes ayant le même centre d'intérêt que vous et que vous cultiverez un véritable sentiment d'appartenance à une communauté.).

issuu.com/geemik/docs/cultivez_votre_identite_numerique_v1.2, novembre 2011

LE CVBLOG

Le CVBlog permet, non seulement de détailler votre CV sur Internet, mais également de bloguer en toute simplicité. L'objectif à travers cette plateforme est de vous permettre, étudiants, cadres ou professionnels indépendants, de devenir progressivement et sans compétences techniques, les acteurs de votre Marque Personnelle sur le Web.

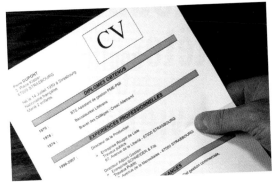

L'IDÉE

Avec un CVBlog, vous avez de l'espace ! Chaque article va représenter une expérience, une compétence, une formation continue... Et pourquoi ne pas l'utiliser ensuite pour votre mémoire ou pour développer votre expertise professionnelle ?

LE MOTEUR DE VOTRE CONSTRUCTION PERSONNELLE

Étudiants, salariés, cadres, vous devez apprendre à raconter votre histoire professionnelle devant un recruteur. Internet est une place publique où va se construire votre image. Utilisez le CVBlog pour vous différencier, faire votre autopromotion et être visible dans les moteurs de recherche.

MIEUX SE CONNAÎTRE POUR MIEUX SE FAIRE CONNAÎTRE

Votre CVBlog doit refléter votre parcours de vie, vos motivations. C'est précisément l'objectif : vous allez développer une micro-communauté autour de votre projet de vie, partager vos expériences, vous créer de nouvelles opportunités.

CENTRALISER VOTRE IDENTITÉ NUMÉRIQUE

Les réseaux sociaux déterminent votre réputation sur Internet. Votre CVBlog doit devenir le centralisateur de votre Identité en ligne : nous achetons votre prénom/nom et vous redeviendrez maître de votre image.

Matthieu Fouchard, Romain Proton, novembre 2011

issuu.com/geemik/docs/cultivez_votre_identite_numerique_v1.2

D es entreprises et des institutions de plus en plus nombreuses se dotent d'une revue de presse (il y en aurait actuellement entre 80 et 100 000). Dans la majorité des cas, il s'agit de coupures de journaux assemblées à la hâte, sans véritable projet éditorial. Instrument de communication, la revue de presse se situe à la croisée du journalisme et de la documentation. Souvent destinée à des cadres ou à des décideurs pour leur fournir un panorama de l'actualité, la revue de presse peut avoir une fonction stratégique pour tous ceux qui souhaitent s'informer et réactualiser leur CV. Des professionnels témoignent, ce qui permet de se tenir au courant des compétences les plus recherchées. Une mine d'or pour les candidats à la recherche d'un emploi ou d'un meilleur poste !

3. TÂCHE

A. Avez-vous déjà rédigé votre CV ? Si oui, quel support avez-vous choisi ? En quelle(s) langue(s) est-il rédigé ? Sur quel modèle est-il construit ?

B. En groupes, recherchez des modèles de CV et comparez-les.

C. D'après vous, comment juge-t-on de l'efficacité d'un CV ? En groupes, établissez une liste de critères d'évaluation d'un CV. Sélectionnez ceux que vous allez utiliser pour rédiger votre propre CV.

D. Rédigez votre CV et mettez-le en ligne ou sur un diaporama. Présentez votre démarche à la classe (choix de la forme et de la structure du CV, choix du support...).

3

Vivre mieux

À la fin de cette unité, nous allons concevoir un projet de Café Santé et en élaborer le programme initial et/ou rédiger pour un magazine diététique un article vantant les vertus imaginaires d'un plat.

repas généraliste malade sain salé doc âge table toubib cancer spécialiste bio tête sucré diagnostique pathologie manger sang propreté bouffe médecin diète travail esprit équilibre art hôpital vie gras forme allégé santé diagnostic

Café Santé
Stress Stress
Stress Stress

Dispute — Couple — Réputation — Avenir
Horaires — Exam
Famille — Conflit

VENEZ ÉCHANGER
AUTOUR D'UN THÉ OU D'UN CAFÉ

MERCREDI 23 AVRIL - 14H

10 QUAI JEAN MOULIN - LYON 1ER
04-78-37-52-13   ESJ@J-NET.ORG
ESPACE > vous écouter
santé jeunes > vous informer
> vous accompagner

1. Les vitamines sont la principale source d'énergie du corps.
☐ VRAI ☐ FAUX

2. Manger des œufs est bénéfique pour les yeux.
☐ VRAI ☐ FAUX

3. L'alcool dissout les graisses.
☐ VRAI ☐ FAUX

4. L'huile d'olive est excellente pour la santé.
☐ VRAI ☐ FAUX

5. 1 milliard de médicaments sont délivrés chaque année en France.
☐ VRAI ☐ FAUX

6. Le café peut entraîner des trous de mémoire.
☐ VRAI ☐ FAUX

« On a beau avoir une santé de fer, on finit toujours par rouiller ».
Jacques Prévert

« La santé, c'est d'avoir mal tous les jours à un endroit différent ».
Michel Chrestien

« Le bonheur, c'est avoir une bonne santé et une mauvaise mémoire ».
Ingrid Bergman

« La santé, c'est comme la liberté, ça n'existe que quand on en manque ».
Georges Perros

« J'ai décidé d'être heureux parce que c'est bon pour la santé ».
Voltaire

Premier contact

1. MANGER MIEUX

A. Avec les mots du nuage, faites une phrase en rapport avec l'une des citations. La classe doit deviner de quelle citation il s'agit.

B. Répondez aux questions du mini-quiz santé, puis discutez entre vous de vos réponses.

C. Que pensez-vous de l'idée de ces « Cafés santé », lancés sur le modèle des « Cafés philo » ?

2. À LA RECHERCHE DU BONHEUR PERDU

A. Lisez le texte. Comment expliquez-vous le titre choisi par l'auteur ? Quel autre titre proposeriez-vous ?

B. Comment l'auteur a-t-il choisi et classé ses définitions ?

C. Par petits groupes, faites le palmarès des dix définitions du bonheur selon M. Butor, qui vous correspondent le mieux.

D. Rédigez votre propre définition du bonheur à la manière de M. Butor, sous la forme d'une liste de moments particuliers.

Chaque jour, écrivains, essayistes et photographes répondent à la question : qu'en est-il aujourd'hui du bonheur ?

UN PEU DE SILENCE ENTRE AMIS.
Michel Butor

Le bonheur, c'est d'apprendre la fin de la guerre.
- C'est les nuages, les merveilleux nuages...
- Gravir les pyramides de Teotihuacan en plein midi avec un panama sur la tête.
- Que la France soit terre d'asile.
- Embarquer sur le navire de la Reine de Saba dans le tableau de Claude Lorrain.
- Qu'un milliardaire un peu poète donne l'intégralité de sa fortune à un hôpital moyennant qu'on lui réserve une chambre séparée, avec naturellement un droit de regard sur la comptabilité, ce qui conduit les autres émerveillés par cet accès de lyrisme à s'empresser d'en faire autant.
- C'est l'invention des automobiles silencieuses.

Le bonheur, c'est le retour de l'enfant prodigue.
- C'est l'oiseau qui parle, l'arbre qui chante et l'eau couleur d'or.
- Siroter du thé à la menthe en attendant le lever du soleil sur Pétra.
- La lecture dans un journal de droite d'un compte-rendu sur un livre qu'on vient de publier qui ne soit pas un éreintement fielleux et témoigne même de quelque sensibilité.
- Marcher le long d'une plage interminable en ramassant des coquillages.
- Qu'un éditeur passionné, découvrant soudain ce que sont payés les joueurs de tennis, améliore substantiellement nos contrats.
- C'est l'invention des motocyclettes silencieuses.

Le bonheur, c'est voir que se remet un frère que l'on croyait perdu.
- Ce sont les lichens figurant les haleines, humeurs, pierres et flammes.
- Écouter le rossignol en dînant sur sa terrasse.

- Improviser au piano en bonne compagnie jazzistique sur le thème « body and soul ».
- Voler de ses propres ailes.
- La capacité d'espérer encore que le XXIe siècle soit moins atroce que le XXe [sans même parler des précédents].
- C'est l'invention des hélicoptères silencieux.

Le bonheur, c'est lire dans les yeux d'une femme qu'on aime qu'elle a envie que vous le lui disiez.
- Ce sont les cinq doigts de la main avec les ongles, les six faces du dé avec leurs chiffres, les sept pulsions capitales avec leurs emblèmes.
- Tomber sur la retransmission d'un opéra à la télé tandis que le programme annonçait celle d'un match de foot.
- Tenir la partie de récitant dans la première d'un compositeur ami.
- Faire des progrès en chinois classique.
- L'accueil enthousiaste des étrangers aux aéroports par les remplaçants de l'actuelle police, conscients de leurs ressources qu'ils ignorent souvent eux-mêmes.
- C'est l'invention des avions silencieux.

Le bonheur, c'est découvrir que la brouille avec un ami très cher, qui durait depuis des années, provenait d'un absurde malentendu.
- C'est l'ouverture du monde que l'on veut toujours nous cadenasser.
- L'abandon de l'audimat par les chaînes publiques.
- Réussir à écrire sans une rature sur l'eau-forte ou la gouache d'un peintre complice.
- Trouver pour un voisin chômeur un travail bien payé qui lui plaise.
- La floraison du cactus cierge, la seule nuit du 15 août, dans un jardin de Nice.
- C'est l'invention des tondeuses à gazon silencieuses.

Le bonheur, c'est vous savez bien...
- C'est l'astronautique bien tard, mais bientôt, vous verrez, bientôt, cela va reprendre...
- Rendre concrète la notion de vitesses transluminiques.
- Débusquer enfin l'adjectif qui se dérobait depuis six semaines.
- Serrer la joue d'un bébé contre sa barbe.
- « Une fois, par un minuit lugubre, tandis que je m'apesantissais, faible et fatigué, sur maint curieux et bizarre volume de savoir oublié, trandis que je dodelinais de la tête, somnolant presque, il se fit un heurt, comme de quelqu'un frappant doucement à la porte de ma chambre... »
- C'est l'invention de la construction silencieuse.

Le bonheur, c'est la suite et la série et le reste et les autres, et les refusés et les oubliés, les imprévus, les j'en passe, et j'en passe...
- C'est le désert qui retrouvera ses bruits propres.
- Qu'on vous demande d'en parler dans *Libération*.
- La critique enfin sérieuse par un jeune philosophe audacieux de la notion de croissance en économie.
- Ouvrir dans la modeste demeure que l'on vient d'acheter la petite porte imprévue qui donne sur d'immenses caves comme celles de la maison natale de Rabelais à la Devinière.
- Trouver autre chose.
- « Sa dent, douce à la mort, m'avertissait au chant du coq *-ad matutinam* au *Christus venit,* - dans les plus sombres villes... »
- C'est un jour, on ne sait quel jour, après tous ces fracas et secousses, un peu de silence entre amis autour de quelque boisson.

Libération, Michel Butor, 9 août 1993

3. NUTRITION ET SANTÉ

A. Quels facteurs expliquent, selon Stella et Joël de Rosnay, qu'il soit difficile de faire accepter les conseils nutritionnels, en particulier aux Français ? Ce constat fait en 1979 vous paraît-il toujours valable ?

Le tiers-monde meurt de sous-alimentation... et nous de trop manger. Pléthore ou carence : les maladies de la malnutrition ou de la sous-alimentation tuent probablement dans le monde d'aujourd'hui plus que les microbes et les épidémies. Et pourtant, sauf dans le tiers-monde, on s'est peu intéressé jusqu'ici à la nutrition, surtout en France. C'est bien connu : nous avons tous, ici, la faiblesse de croire que ce qui touche aux plaisirs de la table est comme notre seconde nature. On n'a rien à nous apprendre en ce domaine. D'ailleurs, quoi de plus triste qu'un « régime », une « diète », le « jeûne » ou l'abstinence ». Il faut bien, à la rigueur, y recourir pour traiter des maladies, mais pas pour préserver sa santé ou plus simplement pour vivre mieux et plus longtemps.

Les biologistes vont plus loin : ce que nous mangeons influencerait notre manière de penser et d'agir. Comme le disent si bien les Anglais : « You are what you eat », vous êtes ce que vous mangez. Et les Français d'ajouter : « On creuse sa tombe avec ses dents ». Il ne s'agit donc plus aujourd'hui de perdre quelques kilos superflus, mais tout bonnement de survivre. D'inventer une diététique de survie. Nous avons la mort aux dents. Il est grand temps de réagir.

Mais comment ? Pendant des millénaires les hommes ont cherché à manger plus. Faut-il aujourd'hui leur demander de manger moins ? Peut-on aller contre des habitudes aussi enracinées ? Beaucoup estiment que toute ingérence dans leur mode d'alimentation est une véritable atteinte à leur vie privée.

Manger est devenu si banal et si évident qu'on n'y prête plus guère attention. La plus grande diversité règne en matière d'alimentation. Il en va de même des hommes. Les besoins sont très différents selon les individus. Inégaux dans notre façon d'assimiler une nourriture riche, nous le sommes aussi devant les aliments : certains adaptent à leurs besoins ce qu'ils mangent et boivent. D'autres ne peuvent résister à la tentation. Certains grossissent facilement, d'autres ne prennent jamais de poids. D'autres encore ne parviennent pas à grossir, même s'ils le souhaitent. Les facteurs héréditaires viennent ajouter à la complexité des phénomènes et des tendances. L'environnement ou le terrain moduleront à leur tour ces influences. C'est pourquoi, il apparaît bien difficile sinon impossible de communiquer des règles de vie ou d'équilibre adaptées à chaque cas.

Stella et Joël de Rosnay, *La Mal Bouffe,* éditions plon 1979

B. Quelles sont les inégalités évoquées par les auteurs ?

C. Relevez l'expression imagée utilisée par les auteurs. Quel en est le sens ?

D. Pensez-vous, comme les biologistes cités par ces auteurs, que « ce que nous mangeons influencerait notre manière de penser et d'agir » ?

4. LES FRANÇAIS, LEURS MÉDECINS ET LES MÉDICAMENTS

Piste 07

A. Écoutez la chronique du journaliste. Quels sont les chiffres qui vous surprennent ?

B. Que révèlent ces chiffres et comment le rédacteur en chef de la revue *Que choisir ?* l'explique-t-il ?

C. Comment peut s'expliquer la pression des patients ?

➔ VOIR **COMMENTER DES DONNÉES** PAGE 148

5. ALIMENTATION, MODE D'EMPLOI

A. En quoi consiste la malnutrition dans les pays développés ?

LA MALNUTRITION DANS LES PAYS DÉVELOPPÉS

Pour l'homme, une alimentation saine consiste à respecter l'équilibre alimentaire, c'est-à-dire à consommer ni trop ni trop peu de nutriments essentiels – tels que les vitamines et oligo-éléments –, de protéines, de fruits et de légumes, et à prendre ses repas de préférence à des heures régulières.

Certains régimes alimentaires traditionnels ont un impact favorable sur la santé. Les habitants de l'île japonaise d'Okinawa ont l'espérance de vie la plus longue au monde. Leur alimentation a de nombreux points communs avec celle du « régime crétois » : utilisation d'huile, peu de graisses animales, consommation de légumes et de poissons, régime frugal. […]

L'alimentation rentre dans les facteurs pouvant influer sur l'espérance de vie. Ainsi, une équipe de chercheurs de l'université de Cambridge (Royaume-Uni), en partenariat avec le Medical Research Council, a mené une enquête sur 20 244 individus (dont 1 987 sont décédés en cours d'enquête) pendant 14 ans (1993-2007), afin de déterminer l'impact du mode de vie sur l'espérance de vie. L'étude conclut que le « mode de vie idéal » – absence de tabac, consommation d'alcool égale ou inférieure à un demi verre par jour, consommation de 5 fruits et légumes par jour, exercice physique d'une demi-heure par jour – majore l'espérance de vie de 14 ans par rapport au cumul des quatre facteurs de risque. Le cumul des quatre facteurs de risque (tabac, alcool, manque de fruits et légumes et d'exercice physique) multiplie le risque de décès par 4,4 ; trois facteurs, de 2,5 ; deux facteurs de près de 2 et un facteur de 1,4. Selon le professeur Kay-Tee Khaw, premier signataire de l'étude, « c'est la première fois que l'on analyse l'effet cumulé des facteurs de risque sur la mortalité. »

Évolutions récentes dans les sociétés développées

Le mode de vie actuel dans les sociétés développées menace de mettre à mal les principes d'une alimentation saine.

L'obésité augmente régulièrement dans le monde, y compris en France depuis 30 ans. Elle concerne aujourd'hui 8 % des adultes et 10 % des enfants : une frange de plus en plus importante et jeune de la population. Des habitudes alimentaires néfastes pour la santé se développent :

- consommation de sodas, crèmes glacées, desserts sucrés et produits contenant des sucres simples ;

- régimes amaigrissants déséquilibrés sur le plan nutritionnel et généralement contre-productifs car suivis plus tard de périodes d'alimentation encore plus riches ;

- grignotage d'aliments gras et sucrés (concernerait 60 % des adolescents), qui coupent la faim pour les aliments utiles ;

- plats préparés comprenant trop de sel (ce qui augmente très fortement l'hypertension artérielle et incite à manger toujours plus salé) et peu d'aliments frais (donc moins de vitamines notamment).

- consommation d'aliments industriels contenant un grand nombre d'additifs souvent d'origine chimique.

Wikipédia, septembre 2011

B. Comment s'explique la diffusion de ces nouvelles habitudes alimentaires ?

C. Quelles principales évolutions peut-on constater dans les pays développés ?

D. Quels sont les autres facteurs susceptibles de diminuer l'espérance de vie ? Quelles règles d'hygiène de vie permettraient de limiter l'impact de ces facteurs ?

6. LE BLOG SANTÉ

A. Résumez les différents arguments développés par les internautes dans ce blog santé. Quel est celui qui vous fait le plus réagir et pourquoi ?

LE BONHEUR C'EST LA SANTÉ ?

blogsante.vo

elinetrose
POSTÉ LE 20-09-2011 À 10:10:58

Moi, je mange que du bio et je vous le recommande : je suis très heureuse comme ça. Oui, le bonheur ça passe par une bonne santé !

plage76
POSTÉ LE 20-09-2011 À 11:17:41

Il y a des maladies pas graves (rhume, gastro...) et des maladies graves (cancer, leucémie, plein de maladies orphelines dont je ne connais pas le nom...). Bon, je ne connais pas beaucoup de maladies non plus, hein ! Pour les maladies graves il n'y a pas grand chose à faire, c'est le destin non ? Moi, dès que je ne me sens pas bien, je me bourre de médicaments, ça ne peut pas me faire de mal.

Clémence27
POSTÉ LE 20-09-2011 À 15:26:07

Au début, on parlait beaucoup du sida et puis plus rien maintenant... Les jeunes l'ont oublié ! C'est pareil pour le cancer, je trouve qu'il y en a de plus en plus autour de moi... Sans compter que, pour la radioactivité, on nous cache tout, on nous dit rien ! Si on est de plus en plus malade, on ne peut pas s'attendre à ce que les gens soient heureux.

fabo2
POSTÉ LE 20-09-2011 À 15:35:13

Je crois qu'on regarde trop de science-fiction et que tout le monde rêve de devenir éternel, mais c'est pas ça le cycle de la vie... La santé, on en parle beaucoup dans les médias mais on n'a pas à se plaindre, nous, on est heureux globalement ; il faudrait regarder ce qui se passe dans les pays moins favorisés.

B. Dans votre pays, est-on soucieux de sa santé ? Quelles sont les préoccupations majeures ?

DES MOTS POUR LE DIRE

A. Lisez l'article suivant, vous reconnaissez-vous dans l'une de ces catégories de consommateurs ? Quels aliments de substitution utilisez-vous ?

C'est pour moi, c'est pas pour moi...

JE NE SUPPORTE PAS LES LAITAGES
Dommage pour vous :
Car ils apportent au quotidien du calcium et aussi des protéines.
Quels risques encourez-vous ?
Vous risquez de voir vos os se fragiliser par manque de calcium. Un système immunitaire qui peine avec une peau, des ongles et des cheveux qui ne seront pas tip-top...
Par quoi pouvez-vous les remplacer ?
Il existe d'autres sources de protéines animales (poisson, viande...) ou végétales (l'association de légumineuses telles que les haricots, les fèves ou les pois, avec des céréales). Pour le calcium, dont on connaît l'importance, il se trouve aussi dans les algues qui redeviennent à la mode, les amandes et certaines de vos eaux minérales en sont aussi riches. Et puis, pensez aussi à vous exposer quelques minutes par jour au soleil... cela vous aidera à faire le plein de vitamine D.

LES ŒUFS ET MOI ÇA FAIT DEUX
Dommage pour vous :
Car ils apportent à votre organisme des protéines qui sont excellemment dosées dans leur blanc, mais aussi des acides oléiques dans leur jaune.
Quels risques encourez-vous ?
Aucun, à condition de compenser cela par des protéines animales.

Par quoi pouvez-vous les remplacer ?
Les poissons et la viande en général auxquels on apportera des huiles riches en oméga 3 (colza, noix...).

J'AI UN PEU DE MAL AVEC LA VIANDE
Dommage pour vous :
Vous vous privez ainsi de fer mais aussi de protéines.
Quels risques encourez-vous ?
Si vous perdez de la masse musculaire, que vous faites de l'anémie et que vous vous sentez toujours fatigué(e) ; ne cherchez pas plus loin !
Par quoi pouvez-vous la remplacer ?
Alternez le poisson, les œufs et les produits laitiers (comme les fromages blancs qui sont moins gras que les fromages). Les végétaliens se tourneront volontiers vers le soja ou le tofu pour les protéines. On pourra aussi combiner céréales et légumes (lentille, pois chiche + semoule ou riz + quinoa), mais n'hésitez pas à consulter votre médecin qui vous apportera ses conseils pour vous éviter des carences en fer.

LES LÉGUMES, QUELLE HORREUR !
Dommage pour vous :
Les légumes apportent des fibres, mais aussi des antioxydants, des minéraux...
Quels risques encourez-vous ?
Vous risquez de ne plus arriver à éliminer

et manquer de tonus. Ne vous privez pas non plus des folates dont on connaît les vertus neurologiques.
Par quoi pouvez-vous les remplacer ?
Essayez les mêmes aliments sans les cuire si vous ne les supportez pas cuits. Et si cela ne passe pas non plus, tentez d'autres végétaux plus exotiques ou que vous ne connaîtriez pas en allant piocher sur les divers étals de vos commerçants. L'essentiel est de troquer des végétaux par d'autres, en vous référant à leurs couleurs car elles révèlent souvent leur composition (vitamine B pour les légumes verts, béta-carotène pour les oranges). Et puis tentez donc de les maquiller, de les camoufler dans des compositions où ils passeront inaperçus !

B. Quels sont, dans votre culture, les autres aliments considérés comme indispensables ?

C. Comme cet internaute, postez une demande d'aide sur une question de santé, puis rédigez le conseil correspondant après avoir choisi un aliment particulièrement apprécié pour ses vertus nutritionnelles dans votre pays.

➜ VOIR DONNER UN CONSEIL PAGE 140

DOCTORISSIMO

Message de jean_rene78, posté à 11h30 :
« Que dois-je faire Doc' ? Je me retrouve souvent en train de chercher des mots que j'ai sur le bout de la langue. »

RÉPONSE DE DOCTORISSIMO
« Cher jean_rene, si vous commencez à ne plus trouver les mots lorsque vous prenez la parole, il vaudrait mieux que vous réduisiez votre consommation de café, dont les effets à long terme sur la mémoire sont bien connus. Le café est toutefois très bon pour votre santé : rien ne vous empêche d'en consommer à petite dose. Il faut aussi éviter d'en prendre 3 à 4 heures avant de vous coucher... »

TOUT EST DANS L'ASSIETTE…

A. Relevez dans ce document les propositions relatives. Comment sont-elles construites ?

B. Quels sont les pronoms relatifs composés ? En connaissez-vous d'autres ?

Depuis une dizaine d'années, les pouvoirs publics se sont promis de nous faire manger au moins 5 fruits et légumes par jour. Mais connaissez-vous leurs bienfaits ?

Le brocoli, dont les vertus sur la santé ont encore été confirmées par l'Association américaine de recherche contre le cancer, par exemple. L'abricot, auquel on fait appel depuis longtemps pour combattre l'anémie car il possède du phosphore et du magnésium qui nourrissent les cellules du cerveau.

Quant à la consommation des artichauts, dont on dit qu'ils sont les meilleurs amis du foie, et à partir desquels on extrait de la cynarine qui favorise la sécrétion biliaire, elle serait également préconisée dans le but de favoriser la dissolution du cholestérol dans le sang. Attention à l'aubergine, dont on connaît la qualité de coupe-faim car c'est une véritable éponge à graisse de cuisson !

Que dire des merveilles de la carotte, à laquelle les diététiciens font souvent référence, qui est très riche en fer et efficace contre l'anémie mais grâce à laquelle on peut aussi lutter efficacement contre les diarrhées ?

Et si tout ceci ne suffisait pas à vous convaincre, mangez aussi des haricots, dont sont extraits les bêta-carotènes (efficaces dans la prévention de certains cancers et maladies cardio-vasculaires) et qui possèdent aussi des vertus diurétiques. Ce sont eux, verts ou jaunes, que l'on utilise dans les cures pour soulager les reins et qui soignent aussi les rhumatismes. Les malheureux navets, auxquels on ne prête guère de vertus, sont pourtant riches en iode, lequel stimule le métabolisme. Le navet possède également de nombreuses fibres qui jouent un rôle important dans le transit intestinal et la prévention de cancers du tube digestif.

Et n'oublions pas l'oignon, dont les bienfaits ne s'arrêtent pas à ses propriétés médicinales, et qui est utilisé en phytothérapie contre les rhumatismes ainsi que contre l'inflammation des yeux et des voies respiratoires. À consommer sans modération !

Alors, vous n'êtes pas encore convaincu ?

bienmanger.vo

C. Choisissez l'un des aliments ci-dessous et présentez ses vertus dans une phrase où vous réutiliserez le maximum de pronoms relatifs différents.

• *Le chou, auquel on prête des vertus amaigrissantes…*

le chou	combattre le cancer	prévenir la constipation	aider à maigrir
la cerise	protéger le cœur	combatre le cancer	éliminer l'insomnie
la châtaigne	aider à maigrir	protéger le cœur	abaisser le cholestérol
le poisson	combatre le cancer	améliorer la mémoire	protéger le cœur

Les pronoms relatifs composés

On les forme à partir d'une préposition (*de, à, par, avec, sans, au sujet de, grâce à*…) + le pronom **lequel** (*laquelle / lesquels / lesquelles*).

à + *lequel* = *auquel*
à + *laquelle* = *à laquelle*
à + *lesquels* = *auxquels*
à + *lesquelles* = *auxquelles*

↪ **VOIR** LES PRONOMS RELATIFS **PAGE 132**

7. MÉDECINE EN LIGNE

A. Avez-vous déjà consulté un médecin par Internet ? Pourquoi ? Comment cela s'est-il passé ? Sinon, êtes-vous prêt à le faire ?

LA TOILE, NOUVEAU VIDAL DU PROFANE ?

De la mauvaise haleine au cancer des amygdales en passant par les maladies les plus rares, Internet regorge d'informations médicales. Mais peut-on vraiment s'y fier ?

Cancers incurables, maladies sexuellement transmissibles ou dégénératives… : Julien s'est imaginé mourir une bonne dizaine de fois. « La dernière fois, j'étais un peu fatigué, explique ce spécialiste des troubles imaginaires. Un internaute expliquait sur un forum que c'était le premier symptôme en cas de leucémie. Je suis allé voir le médecin. Il m'a prescrit des vitamines… »

Les premiers signes sont apparus au début des années 2000 : « googlisation » intempestive, échanges d'e-mails avec son médecin, messages postés sur les forums. Puis des sites dédiés (doctissimo.com, atoute.org, atousante.com) sont arrivés, suivis de sites spécialisés (sur le diabète, le cancer du sein ou la mauvaise haleine) et le mal a empiré. Le schéma classique ? Un patient consulte son médecin traitant qui lui explique qu'il n'a rien de grave. Persuadé que le praticien se trompe, notre Argan expose ses symptômes sur la toile. Il lit des descriptions ultra-flippantes, imagine le pire : cancer, sclérose en plaques, sida… Le diagnostic est plus banal : internetose aiguë !

Un mal de plus en plus partagé. Selon une enquête Ipsos pour le Conseil national de l'Ordre des médecins, 64% des Français iraient chercher en ligne des informations médicales. Et le nombre de sites spécialisés d'exploser. « Les consultations chez les médecins sont très rapides, explique le docteur Jacques Lucas, vice-président du Conseil de l'Ordre. Les gens ont envie de comprendre ce qu'ils ont. Alors ils vont sur Internet parce que c'est le lieu où l'on trouve l'information : comme avant ils consultaient *le Larousse médical.* » Le but ? Poser des mots sur son mal, mais aussi trouver du soutien, via les forums. « C'est très vrai pour les pathologies longues ou lourdes, comme le diabète ou les cancers, observe la présidente du site doctissimo.com, Valérie Brouchoud. Des petites communautés de malades et de proches de malades se forment et accueillent les nouveaux arrivants. Ils les rassurent, les conseillent, leur demandent des nouvelles, comme dans les associations de malades. »

TGV magazine, juin 2011

B. Que recherchent ceux qui fréquentent les forums consacrés aux questions de santé ? Ces pratiques sont-elles courantes dans votre pays ou dans votre entourage ?

C. Quels sont les avantages et les inconvénients de telles pratiques ? Les premiers compensent-ils les seconds, à votre avis ?

8. LES MÉDECINES PARALLÈLES

Piste 08

A. Écoutez la Chronique santé de France info. Selon le journaliste, quel est l'objectif de ces médecines non traditionnelles ?

B. Pourquoi de plus en plus de personnes font-elles appel aux médecines parallèles ? Votre pays connaît-il le même phénomène ?

9. LIBERTÉ, ÉGALITÉ, SANTÉ

A. Lisez le document ci-dessous et donnez une définition de « complémentaire santé ». Ce dispositif existe-t-il chez vous ?

Une couverture santé à deux vitesses

Quatre millions de personnes ne disposent pas de complémentaire santé en France malgré la mise en place de dispositifs pour pallier cette carence. Une analyse de Pierre Volovitch, de l'Observatoire des inégalités.

Avoir une « mutuelle » – plus précisément une assurance complémentaire santé – est devenu déterminant pour bénéficier d'une bonne qualité de soins. Entre 1980 et 2008, le « reste à charge », la part des dépenses de soins que doivent supporter les ménages (qu'ils le financent eux-mêmes ou grâce à la couverture apportée par une complémentaire santé) est passée

8% of tax goes to social security

de 217 à 547 euros par personne et par an, une fois l'inflation déduite. C'est ce qu'indiquent les résultats d'une étude réalisée par l'Institut de recherche et de documentation en économie de la santé (IRDES). Au cours de la même période, la proportion de personnes couvertes par une complémentaire santé a logiquement fortement augmenté, de 69 % à 94 % de la population de France métropolitaine. Cela signifie tout de même que près de quatre millions de personnes restent sans complémentaire santé en France métropolitaine en 2008.

Le premier motif de non-recours à une complémentaire évoqué par les enquêtés est le manque de moyens : 46 % souhaiteraient en bénéficier mais ne le peuvent pas pour des raisons financières. Parmi les ménages les plus pauvres (moins de 870 euros par unité de consommation, UC), 12 % des personnes ne bénéficient pas d'une complémentaire santé, contre seulement 3 % au sein des ménages les plus riches (1 997 euros et plus par UC).

Deux dispositifs ont été mis en place pour faciliter l'accès à la complémentaire santé pour les plus pauvres. La Couverture maladie universelle (CMU) permet aux personnes dont le revenu est inférieur à 620 euros pour un adulte de bénéficier d'une complémentaire gratuite. Pour les personnes dont le revenu est situé entre le seuil CMU et 744 euros, il existe une Aide à l'acquisition d'une complémentaire (ACS). Au-delà, de nombreux ménages ne peuvent prétendre ni à la CMU, ni à l'ACS, alors même qu'ils appartiennent aux 20 % les plus démunis (moins de 870 euros par mois).

Les cotisations pour avoir accès à une complémentaire santé ne sont proportionnelles au revenu que pour une minorité de mutuelles. Pour la très grande majorité, elle est identique, quel que soit le niveau de vie. Résultat, le « taux d'effort », la part que représente la couverture complémentaire dans le revenu, varie de 3 % pour les ménages les plus riches (1 867 euros et plus par UC) à 10 % pour les ménages les plus pauvres (moins de 800 euros par UC).

Observatoire des inégalités - www.inegalites.fr

B. Quelle est la différence entre l'assurance complémentaire santé et la Couverture maladie universelle (CMU) ?

C. Quels sont les trois niveaux de garantie que distingue l'auteur ? *assurance maladie / CMU*

D. Comment s'explique l'augmentation du nombre des personnes ne disposant pas de complémentaire santé ?

10. LA SEMAINE DU GOÛT À L'ÉCOLE

A. L'organisation d'une telle « Semaine du goût » à l'école vous surprend-elle ? Ses objectifs et ses modes de réalisation vous paraissent-ils intéressants ?

B. Êtes-vous d'accord avec l'auteur lorsqu'il affirme qu'il faut lier éducation et nutrition ?

C. Existe-t-il ce type de manifestation dans votre pays ou d'autres modes de sensibilisation à l'éducation alimentaire ?

LE GOÛT A TOUS LES COUPS
LA SEMAINE DU GOÛT DU 17 AU 23 OCTOBRE
C'EST LE GOÛT, QU'ON DÉCOUVRE, QU'ON APPREND, QU'ON DÉGUSTE ET QU'ON TRANSMET. ALORS PROFITEZ DE CETTE SEMAINE POUR DÉCOUVRIR LE GOÛT A TOUS LES COUPS !
la Semaine du Goût depuis 1990
WWW.LEGOUT.COM

Eh oui, l'éducation des mœurs passe bien aussi par la nourriture. Au XVIe siècle, le mot « nourriture » signifiait d'ailleurs à la fois « éducation » et « alimentation ». Pour Rabelais, dès sa procréation, l'enfant doit être bien nourri. L'école de la bonne chère laïque, gratuite et obligatoire ? Comment, en effet, éviter le circuit de l'école pour pousser les consommateurs à manger intelligemment ? La Semaine du goût est née en 1990, explique son co-fondateur Jean-Luc Petitrenaud, « pour permettre à petits et grands, professionnels et grand public, de se retrouver pour découvrir, apprendre, former, s'initier aux richesses du patrimoine culinaire français, tout en s'inscrivant dans la valorisation de comportements alimentaires équilibrés. » Si l'on suit l'agenda des manifestations, c'est ainsi l'occasion de manger à prix doux pour une démocratisation réelle des fins mets, de prendre des leçons grâce aux nombreux ateliers organisés à travers toute la France et d'œuvrer pour que l'équation plaisir et équilibre alimentaire devienne naturelle dans les chaumières. Que la leçon de goût commence...

ww.evene.fr, www.legout.com

11. ORGANISER UN CAFÉ DÉBAT

Nous allons concevoir un projet de Café santé et en élaborer le programme initial.

A. Que pensez-vous de l'idée de ces « Cafés débat » ? Existent-ils chez vous et sur quelles thématiques ? Sinon, pensez-vous qu'ils pourraient chez vous aussi y être lancés avec succès ?

On peut résumer le Café débat en disant qu'il s'agit de réveiller et mobiliser l'intelligence collective en discutant des questions importantes. C'est un outil efficace pour étudier des sujets spécifiques. La différence avec les forums ouverts est qu'il est moins chaotique. Il part de l'idée que, pour beaucoup de gens, l'endroit où ont lieu les conversations les plus riches est là où ils se sentent détendus [...].

Le World Café, un réseau de praticiens du monde entier, a défini sept principes qui présentent très clairement la démarche :

1) Définissez le contexte.
2) Créez un espace accueillant.
3) Abordez des questions qui comptent.
4) Encouragez chacun à contribuer.
5) Reliez différentes perspectives.
6) Écoutez ensemble.
7) Partagez les résultats.

villesentransition.net, novembre 2011

B. Tous ces conseils vous semblent-ils aussi valables pour un « Café santé » ? Y en a-t-il d'autres qui vous paraissent souhaitables ou nécessaires ?

C. En vous inspirant de ce document, rédigez, à l'intention de tous les participants, la « Charte » de votre Café santé.

D. Rédigez le document de lancement de votre Café santé, dans lequel vous annoncerez sa création en la justifiant, ainsi que le programme initial avec les thèmes brièvement présentés des deux ou trois premières séances.

> ARTICLE 1 – DU PUBLIC
> Le Café santé est ouvert à tous les publics, sans distinction de condition sociale, origine, âge, niveau d'études et de culture personnelle.

Petite histoire des Cafés débat

Cette pratique originale de la philosophie est née à Paris, en décembre 1992 dans un café proche de La Bastille, avec le philosophe Marc Sautet qui y menait les dimanches matins des discussions publiques, lesquelles continuent encore aujourd'hui.

Beaucoup de ces Cafés philo (comparés parfois aux salons littéraires du XVIIIe siècle ou encore aux réunions que tenaient Sartre et ses amis dans les cafés du Quartier latin) se sont créés ensuite, à Paris et en province, avant de devenir véritablement un phénomène international. L'esprit du Café-philo consiste à mettre en valeur les interventions du public lui-même, sans exposé de départ ni intervenant privilégié. Tolérance, ouverture et pluralisme font de cet espace un lieu propre aux sociétés démocratiques.

Il s'agit d'inviter les gens à aller plus loin dans leur propre réflexion. Des idées proches ont fait depuis leur apparition avec succès, notamment le « Café santé ». Il existe aussi des « Cafés psy » et des « Cafés socio » réunissant des gens qui veulent discuter librement des sujets qui les intéressent

12. LA CUISINE IMPROBABLE

Nous allons rédiger, pour un magazine sur la diététique, un article promotionnel vantant les vertus imaginaires d'un plat réel ou inventé.

A. Choisissez une recette, imaginaire ou réelle, avec des ingrédients auxquels vous associerez des vertus.

B. Rédigez pour ce plat un article promotionnel (titre, chapeau, etc.) à la manière d'un rédacteur de revue sur la diététique.

Ça vous dirait de sortir dîner ?

Alors, quoi de plus subtil et de plus raffiné que cette choucroute proposée par ce jeune toqué (qui ne prend pas de la bouteille) dont le restaurant est situé dans le 17e arrondissement de Paris, et qui titillera nos papilles avec une gelée de choux, dont on connaît les vertus aphrodisiaques. Vous pourrez faire chauffer son jus à 60°, en ajoutant une pincée d'ail, auquel on fait appel pour lutter contre le cancer, et qui en plus protégera votre cœur... de beurre. (N'oubliez pas d'ailleurs de mettre du beurre dans vos épinards.). La menthe, à laquelle on ne peut rester insensible, se fait à peine remarquer. Une présence qui relève, de manière subtile, celle de ce lard artisanal auquel on aura subtilement ajouté une pincée de poivre, au-dessus duquel plane encore ce fumet magique et qui ne mange pas de pain.

Vous auriez tort de discuter le bout de gras et de ne pas vous laissez aller à l'extase gustative. Inutile d'en écrire des tartines pour vous convaincre, je l'espère : si j'étais à votre place, c'est illico que j'irais mettre les pieds dans le plat.

4

Faire du lien

À la fin de cette unité, nous allons organiser une enquête et rédiger un rapport sur les relations intergénérationnelles dans notre culture et/ou écrire un essai utopique.

novateur
jeunesse
contrairement
3ᵉ âge
activité
chômage
baby-boom
travail
Santé
retraité
conflit
héritage
connaissance
tension
incompréhension
vieux
respect
adolescence
vieillissante
sécurité
générations
ancien
petits-enfants
ensemble
traditionnel
âges
seniors
sexagénaires
espérance de vie
valeurs
inactivité

La Semaine Bleue c'est « 365 jours pour agir et 7 jours pour le dire ».

CONFLIT DE GÉNÉRATIONS OU LUTTE DE CLASSES ?

29 AVRIL : 1ʳᵉ JOURNÉE EUROPÉENNE DE LA SOLIDARITÉ ENTRE LES GÉNÉRATIONS.

Entraide entre générations : ça fait du lien.

Premier contact

1. À LA UNE

A. Regardez ces titres de presse française : quelles sont les différentes idées qui s'en dégagent ?

B. Les problématiques sont-elles les mêmes dans votre pays ?

C. Commentez les documents à l'aide des mots du nuage.

Vous allez devoir travailler sur l'ensemble des documents des pages 45, 46 et 47 pour établir le plan détaillé d'un exposé.

Exemples de sujets :

. Les conflits de générations sont-ils propres aux cultures modernes ?

• Conflits de générations : le mal des sociétés modernes ?

➤ **VOIR FAIRE UN EXPOSÉ PAGE 147**

2. JEUNES / VIEUX : MÊME COMBAT ?

A. Quels sont les chiffres qui vous surprennent dans l'article de l'INSEE ? Quels sont ceux qui vous semblent les plus importants pour illustrer le thème du conflit de générations ?

B. Observez les résultats de l'enquête ci-contre menée auprès des personnes âgées. Ces reproches existent-ils aussi dans votre pays ? Vous semblent-ils justifiés ou non ? Donnez des exemples.

FAIRE UN EXPOSÉ

Organisez votre travail en utilisant un modèle de type :

Introduction
1) Thèse
2) Antithèse
3) Synthèse
Conclusion

Ou :
Introduction
1) Causes
2) Conséquences
3) Solutions
Conclusion

C. Analysez les deux documents : à quel pourcentage de la population française appartiennent ces baby-boomers ? Compte-tenu de leur âge actuel, le taux de personnes âgées de plus de 65 ans va t-il s'accroître ou diminuer dans les années à venir ?

LA POPULATION FRANÇAISE AUJOURD'HUI

▶ La population française (métropole et départements d'outre-mer) est aujourd'hui estimée à 64,3 millions. En incluant les collectivités d'outre-mer (Polynésie française, Nouvelle-Calédonie, Mayotte, Saint-Pierre-et-Miquelon, Wallis-et-Futuna et les anciennes îles de Guadeloupe : Saint-Martin et Saint-Barthélemy), la France compte 65,1 millions d'habitants. 16,5 % de la population ont 65 ans ou plus, alors que vingt ans plus tôt, ce taux ne s'élevait qu'à 14 %. À l'inverse, la part des moins de 20 ans dans la population diminue d'année en année.

▶ L'espérance de vie à la naissance est plutôt stable. Elle atteint 77,5 ans pour les hommes et 84,3 ans pour les femmes.

▶ L'indicateur conjoncturel de fécondité s'établit à 201 enfants pour 100 femmes, ce qui place la France en tête des pays européens pour la fécondité. Comme les années précédentes, l'âge moyen à la maternité a augmenté : 29,9 ans contre 29,8 ans un an plus tôt. De même, les naissances hors mariage sont toujours plus nombreuses.

Portail social de la France, 2009, INSEE

LES BABY-BOOMERS* JUGENT LES JEUNES D'AUJOURD'HUI

LES JEUNES

... manquent de respect pour les plus anciens, pour l'autorité.	77%
... sont plus égoïstes que nous.	76%
... vivent dans du coton, ils ont tout et tout de suite. Ils n'ont plus le goût de l'effort.	73%
... ne s'intéressent pas aux traditions et n'ont que faire de notre héritage culturel.	72%
... n'ont plus le sens des valeurs collectives.	72%
... sont individualistes.	69%
... ont perdu le sens des valeurs familiales.	65%
... sont beaucoup moins travailleurs.	60%
... sont plus autonomes.	32%
... font moins de folies qu'à notre époque.	16%

* Personnes nées entre 1945 et 1970

3. CONFLIT QUAND TU NOUS TIENS...

A. Lisez l'article et dressez le portrait des grands-parents d'aujourd'hui.

Ma mère m'épuise !

Éric Donfu

Oh! MAMIE BOOM

Éditions Jacob-Duvernet

Confrontés à des parents hyper actifs, les trentenaires et les quadras d'aujourd'hui fatiguent. Les nouveaux seniors (55-75 ans) reprennent des études, font de la randonnée, s'investissent dans l'associatif, parcourent le monde. En restant jeunes, minces et bronzés. Une vitalité débordante qui est en train de changer leurs rapports avec leurs enfants et petits-enfants.

« Ma mère abuse. Quand j'étais enceinte, c'est tout juste si elle ne m'a pas demandé de me dépêcher d'accoucher car elle devait partir faire du voilier avec son nouveau mec… », soupire Charlotte, 35 ans. « C'est logique, commente le sociologue Éric Donfu. Les baby-boomers sont devenus des papy et mamie-boomers. Ils sont la première génération dans l'histoire de l'humanité à arriver à la soixantaine en pleine forme, avec cette ouverture d'esprit et un tel pouvoir d'achat. Alors, c'est normal qu'ils en profitent. »

ELLE, décembre 2008

Piste 09

B. Écoutez l'extrait de l'émission de France Info. Le portrait des grands-parents est-il le même que dans l'article ? Pourquoi ?

C. Quels problèmes la journaliste de *Psychologies Magazine* repère-t-elle ? Quels conseils donne-t-elle pour éviter ces conflits ?

D. Les modes de vie et revendications de ces grands-parents vous paraissent-ils légitimes ?

E. Seriez-vous un grand-père/mère indigne ? Faites le test et calculez votre score. Puis mettez en commun vos résultats, en justifiant vos réponses.

Calculez votre coefficient de grands-parents indignes !

Imaginez-vous grand-père ou grand-mère. Durant vos journées :
- ☐ Vous continuez à travailler à temps plein. (3 points)
- ☐ Vous proposez une sortie à vélo ou une partie de foot aux enfants. (0 point)
- ☐ Vous faites semblant d'être occupé alors que vous passez vos journées sur Internet. (1 point)
- ☐ Vous pouvez proposer d'aller récupérer les petits-enfants après avoir préparé un bon gâteau. (0 point)

Vos petits-enfants vous demandent de passer une journée avec eux :
- ☐ Vous prétextez un rendez-vous chez le médecin. (1 point)
- ☐ Ça tombe mal, vous aviez prévu une sortie randonnée avec les membres de votre nouvelle asso. (3 points)
- ☐ Vous vous excusez mais le ménage, le repassage et le rangement de l'armoire n'attendent pas. (1 point)
- ☐ Vous organisez un pique-nique avec vos petits-enfants, suivi d'une séance commune de découpage-collage-coloriage. (0 point)

Vous gardez vos petits-enfants :
- ☐ Vous achetez un menu Happy meal ou tout autre chose du McDo pour gagner du temps. (1 point)
- ☐ Vous regardez un programme à la télé qui vous plaît en prétextant qu'il n'y a rien d'autre sur les autres chaînes. (2 points)
- ☐ Vous jouez tous ensemble à un bon jeu de société. (0 point)

Vous passez votre temps libre à :
- ☐ Faire du sport avec vos amis. (2 points)
- ☐ Vous occuper des petits ; ils sont si mignons ! (0 point)
- ☐ Regarder « Questions pour un champion » entre deux siestes. (1 point)

Calculez votre note sur 10.

Entre 0 et 5 points : Il vous reste du chemin à parcourir... Pensez un peu à vous et brisez les chaînes (ou le cordon) qui vous entravent.

Entre 5 à 8 points : Vous n'êtes pas tombé(e) dans l'errance et la souffrance de ceux qui ne supportent pas de vieillir : continuez ainsi.

De 8 à 10 points : Si la société était pleine de gens aussi actifs et dynamiques que vous, le monde serait peut être différent.

4. TROIS POINTS DE VUE

A. Quelles sont, selon ces personnalités, les principales causes des conflits intergénérationnels ? Partagez-vous leur analyse ?

B. Quelles solutions proposent-elles pour les éviter ? Qu'en pensez-vous ?

DES PISTES POUR ÉVITER UN CONFLIT DE GÉNÉRATIONS

Benoît Apparu, secrétaire d'État au Logement et à l'Urbanisme

« Il faut résorber les déficits »

« Il existe un conflit potentiel sur trois sujets majeurs : la dette, les retraites et l'environnement. Il y a une consommation de services publics, une manière de traiter notre planète et une organisation de notre système des retraites qui mettent en risque les générations futures. Les « anciens » avaient une bonne retraite, une planète « *safe* » (sûre) et de quoi dépenser de l'argent public : ce ne sera pas le cas demain.

Si nos aînés ont bénéficié des Trente Glorieuses et du plein-emploi, tant mieux pour eux et les générations qui suivent ne peuvent pas leur en faire le reproche. Alors que sur la dette, les retraites et l'environnement, ceux qui arrivent pourront dire à leurs aînés : vous n'avez pas fait ce qu'il fallait ! Il ne s'agit pas d'un problème franco-français. La France, qui a un taux assez élevé de natalité, se porte d'ailleurs mieux que d'autres pays.

Ce potentiel de risques va-t-il se transformer en un réel conflit entre les générations ? Mon naturel optimiste l'emporte. Je répondrais donc non. Mais il faut rassembler plusieurs conditions pour bien s'en sortir. Il va falloir que l'on accepte des règles structurelles lourdes : on a plutôt bien commencé sur l'environnement avec le Grenelle. […]

Quant à la dette, en période de crise, les choses sont plus compliquées. Mais freiner les dépenses publiques est une absolue nécessité ! Finalement, éviter le conflit entre les générations rend plus nécessaire que jamais les réformes. »

Olivia Ruiz, chanteuse

« Le risque n'est pas le conflit, c'est l'indifférence »

« Dans mon travail d'artiste, je ne cesse de dialoguer avec des plus anciens, de les intégrer à ma création. Pour mon dernier album, *Miss Météores*, j'ai demandé à mon père de chanter à mes côtés. J'ai aussi travaillé l'an passé sur un beau projet rap au Burkina Faso avec Toan, mon petit frère. Dans ce pays dit « des hommes intègres », chacun peut voir que le respect des anciens ne se discute même pas : les plus âgés possèdent l'expérience et le recul. Ce sont des passeurs ! C'est comme cela que je vois mes propres grands-parents. Ils détiennent l'histoire et les secrets de ma famille et réagissent avec sagesse à ce qui arrive. Ils sont moins impulsifs que les jeunes.

On dirait que notre société préfère valoriser des qualités liées à l'adolescence, comme l'impatience, l'impétuosité. Ce n'est pas la faute des adolescents eux-mêmes : il ne faut pas trop leur en demander ! Moi aussi, à 13 ans, j'avais besoin de tout, sauf de retenue, pour régler mes problèmes ! La sagesse de mes grands-parents, j'ai appris à l'apprécier plus tard.

De même que j'apprends sans cesse au contact de grandes dames comme Juliette Gréco, pour qui j'ai écrit des chansons : je la regarde avec une tendresse folle, parce que sa part d'enfance est demeurée intacte. Elle est le contraire d'une indifférente. Plus qu'un risque de conflit entre les générations, je crois que le danger à redouter est l'indifférence. Les plus anciens constituent une hotte remplie de cadeaux. Il faut savoir les recevoir… Vraiment, si l'indifférence l'emporte, les plus embêtés ne seront pas les plus âgés. La grande perdante, selon moi, sera la jeunesse. »

Thibault Ianxade, chef d'entreprise :

« Confier aux jeunes plus de postes à responsabilités »

« Le fossé entre les générations a toujours existé, mais j'ai le sentiment qu'il est aujourd'hui plus important qu'avant. Les jeunes qui arrivent sur le marché du travail sont très méfiants vis-à-vis de leurs aînés. Ils savent qu'ils devront travailler plus longtemps et que de nouvelles mesures devront être prises afin de pouvoir maintenir un régime social protecteur, sans toutefois avoir la garantie que l'on puisse y parvenir.

Beaucoup se disent qu'ils vont devoir assurer eux-mêmes leur retraite au travers notamment des systèmes de capitalisation, mais tous n'en ont pas les moyens. Ils savent aussi qu'ils devront prendre en charge leurs aînés et se demandent bien comment. L'héritage environnemental laissé aux jeunes générations est également une source d'inquiétude. Certes, la mise en place de nouveaux dispositifs de développement durable est présentée à juste titre comme un vecteur de croissance économique, mais c'est d'abord pour l'instant un facteur de coût. Là encore, la question du « qui paiera ? » se pose.

Je ne crois pas au conflit entre les générations. Mais il faut être vigilant. Les manifestations contre le C.P.E.* en 2005 sont d'ailleurs là pour nous le rappeler. Nous devons aussi, collectivement, faire preuve de beaucoup de pédagogie, compte tenu de notre déficit de culture économique. Mais la meilleure manière de laisser les jeunes s'exprimer est de leur confier plus de postes à responsabilités. C'est valable autant dans le monde politique que dans les milieux économiques. Car, qu'on le veuille ou non, il y a ce sentiment dans l'opinion que l'actuelle génération est déjà depuis très longtemps en place. »

*Contrat Première Embauche

Propos recueillis par Jean-Yves Dana, Solenn de Royer, Anna Latron et Jean-Claude Bourdon, *La Croix*, 16 novembre 2009

POUR COMPARER

Relisez le document de la page 47 et reprenez quelques-unes des idées en utilisant des outils pour comparer.

Pour comparer

Pour marquer **le degré**.

• En combinant des constructions adverbiales pour insister :

très peu, un peu, légèrement, beaucoup, énormément… + moins/plus + ADJECTIF QUALIFICATIF.

C'est beaucoup plus compliqué, c'est bien moins facile.

Pour souligner une préférence : **plutôt que**.

• Pour marquer un **affaiblissement** ou une **progression** :

Plus/moins + VERBE + plus/moins + VERBE

Plus on vieillit, moins on est souple.

De plus/moins en plus/moins de + NOM

Les maisons de retraite attirent de plus en plus de clients.

Chaque fois plus/moins de…

Il y a chaque fois plus de monde aux forums emploi-seniors.

• Pour marquer l'**intensité** :

VERBE + d'autant plus/moins + NOM + que

Les grands-parents sont de plus en plus occupés, d'autant qu'ils occupent des emplois de plus en plus tardivement.

↪ VOIR LA COMPARAISON PAGE 141

PAPY AU SCANNER

A. À votre avis, à quel public s'adresse ce document ?

B. Quels changements physiques sont décrits ?

C. Le regard que les adolescents portent sur les générations plus anciennes n'est pas toujours tendre. L'inverse non plus. Écrivez un texte ironique qui oppose les physiques des grands-parents et des adolescents.

↪ VOIR L'OPPOSITION PAGE 140

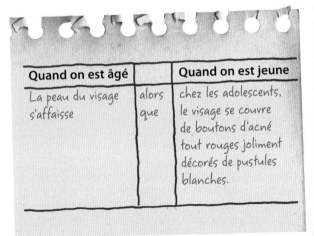

Quand on est âgé		Quand on est jeune
La peau du visage s'affaisse	alors que	chez les adolescents, le visage se couvre de boutons d'acné tout rouges joliment décorés de pustules blanches.

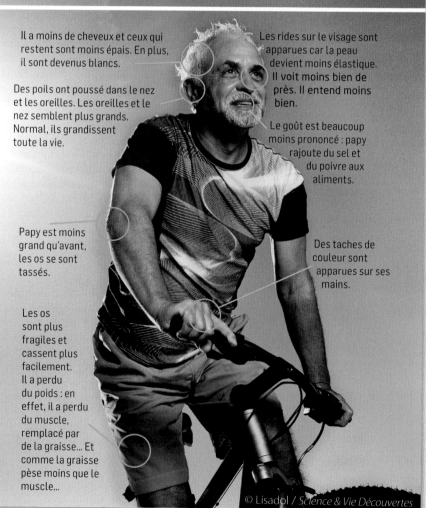

PAPY AU SCANNER

Il a moins de cheveux et ceux qui restent sont moins épais. En plus, il sont devenus blancs.

Des poils ont poussé dans le nez et les oreilles. Les oreilles et le nez semblent plus grands. Normal, ils grandissent toute la vie.

Papy est moins grand qu'avant, les os se sont tassés.

Les os sont plus fragiles et cassent plus facilement. Il a perdu du poids : en effet, il a perdu du muscle, remplacé par de la graisse… Et comme la graisse pèse moins que le muscle…

Les rides sur le visage sont apparues car la peau devient moins élastique. Il voit moins bien de près. Il entend moins bien.

Le goût est beaucoup moins prononcé : papy rajoute du sel et du poivre aux aliments.

Des taches de couleur sont apparues sur ses mains.

© Lisadol / *Science & Vie Découvertes*

AH, MES AÏEUX...

A. Lisez l'article et faites un tableau des « avantages » et des « inconvénients » de vieillir, en ajoutant ceux que vous aurez déterminés à travers vos discussions en groupes.

Au fur et à mesure, ton corps va être moins performant (fais la course avec papy, normalement tu devrais gagner sauf s'il fait partie du club de sprint du quartier...), le cerveau va répondre moins vite (joue au memory avec mémé, tu devrais l'écraser...). Mais alors, c'est horrible de vieillir ? Non, car avec l'âge on gagne quelque chose qui s'appelle l'expérience. C'est-à-dire ? Comme on a vécu plus longtemps, on sait plus de choses... Exemple : le gâteau au chocolat de mémé est extrêmement bon parce qu'elle l'a fait 3 224 fois ! Ou alors, on est moins flipendo* quand il arrive quelque chose... Papy sait bien que même si ça fait mal sur le coup, on se console toujours d'une punition ou d'une dispute avec son meilleur ami. C'est pour cela d'ailleurs que tu peux te confier à tes grands-parents quand il t'arrive une tuile ! Alors ? Tes grands-parents, ils sont comme ils sont, non ? Au final, la fontaine de Jouvence, on la laisse à Jack Sparrow !

Flipendo : terme jeune signifiant « stressé », « angoissé » (terme formé à partir de « flipper » : avoir peur de, craindre)

© Lisadol / *Science & Vie Découvertes*

B. Réécrivez l'article en commençant par « Au fur et à mesure, ton corps **sera** moins performant... » et en effectuant les modifications nécessaires sur les temps des verbes.

➔ VOIR LES TEMPS DU FUTUR PAGE 135

LES GRANDS-PARENTS DU BABY-BOOM

 Piste 10

A. Écoutez le micro-trottoir et brossez le portrait des grands-parents du baby-boom.

B. De la même façon, dressez celui des nouvelles générations en utilisant des qualificatifs opposés.

SYNTHÈSE

Reprenez et commentez les chiffres proposés dans les documents des pages 45, 46 et 47. Aidez-vous des ressources suivantes.

Pour commenter

Pour commenter un tableau :
Ces données/statistiques/chiffres/tableaux...
montrent/démontrent/prouvent/font apparaître que...

Pour mettre en valeur un chiffre :
Le nombre (total) de...
La somme/Le total du (des)...
s'élève à/se monte à/représente...

Pour indiquer une quantité :
Plus/moins de xxx % des habitants
Le double/Le triple de
Si l'on additionne le nombre de... à... on obtient...

Pour indiquer une minorité ou une majorité :
La plupart de/des...
Majoritaire/Prépondérante

Pour moduler une donnée, un chiffre :
environ/approximativement/presque/à peu près

5. ENQUÊTE LYCÉENNE

A. Des lycéens d'un établissement de l'académie de Versailles ont réalisé une enquête sur les conflits de générations. Voici quelques extraits de leurs conclusions. Les résultats de cette enquête vous surprennent-ils ?

Il ressort des résultats obtenus que la perception des conflits est bien réelle chez nos jeunes. 75% reconnaissent avoir des conflits (régulièrement ou de temps en temps) avec leurs parents et 16% estiment que ces conflits sont très fréquents.

Ces conflits sont plus fréquents avec les mères qu'avec les pères.

Quatre facteurs principaux de conflits apparaissent clairement
- l'entretien de la maison : 65,2% des sondés évoquent les tâches ménagères et le rangement de leur chambre.
- 50,2% évoquent le travail scolaire (les devoirs).
- 51,4% les fréquentations et les sorties.
- enfin, 44,4% la tenue vestimentaire, le look, la politesse.

Ces sujets de conflits varient en fonction des origines sociales. Les différences sont assez sensibles entre les enfants de cadres supérieurs ou de professions libérales et ceux d'agriculteurs et/ou d'ouvriers. Pour les enfants des premiers, les fréquentations et les sorties sont citées à 31,5% alors que, pour les seconds, c'est la principale source de conflits pour 65% d'entres eux. De même, la politesse est citée à 15,5% par les enfants de cadres et professions libérales, contre 48,7% pour les autres.

Les conflits s'atténuent-ils avec l'âge ?
Ici, les avis sont partagés : 50% des jeunes le pensent alors que l'autre moitié pense le contraire.

Les sondés du sexe féminin ont davantage de conflits avec leurs parents même si la différence est faible (65% de garçons et 72% de filles estiment avoir des conflits assez fréquents avec leurs parents).

En règle générale, les jeunes arrivent à dialoguer assez facilement avec leurs parents : 65,8% disent n'avoir aucun sujet tabou avec eux. Toutefois, la vie affective est un sujet difficile.
Les sujets sensibles sont la sexualité (pour 13%), la vie sentimentale et affective (15%).

Les parents restent le recours privilégié en cas de problèmes.
Ils sont seulement 4% à ne pas se tourner vers eux en cas de problème à régler, pour chercher de l'aide ou obtenir un conseil. La mère a alors un rôle privilégié : 80% se tournent vers « maman » pour se confier (identiquement selon les sexes).

Globalement, on peut constater que paradoxalement et contrairement aux idées reçues, les parents ont une forte influence sur leurs enfants dans le domaine de l'habillement et la scolarité : environ 60% des jeunes collégiens et lycéens admettent faire encore ces choix avec l'aide de leurs parents (cette influence, notons-le, décroît avec l'âge). Cependant, pour ce qui touche à leurs activités extra-scolaires culturelles ou sportives, 85% disent avoir choisi leur activité seuls.

C'est avant tout financièrement et scolairement que la solidarité parentale s'effectue. En effet, 75% des jeunes disent avoir suffisamment d'argent de poche, les garçons semblant dans ce domaine disposer de plus de ressources que les filles.

Dans le domaine scolaire, 90% des jeunes trouvent que leurs parents s'intéressent à leur scolarité (10% contrôlent les devoirs et 1% consultent les enseignants). Ces résultats varient en fonction de l'origine sociale: plus on s'élève dans les catégories socioprofessionnelles et plus le contrôle des devoirs est systématique (32 % des cadres supérieurs contrôlent les devoirs de leurs enfants contre 10,5% des ouvriers).

Réciproquement, 86% des jeunes disent aider leur mère et 54% aider leur père. 95% des filles aident leur mère alors que 36% aident leur père. De même, 74% des garçons aident leur mère alors que 85% aident plutôt leur père. Les tâches sont connotées en fonction des sexes. (Faire la vaisselle, le ménage, le repas ou le linge relèvent d'activités orientées vers la mère, tandis que le bricolage, le jardinage et l'entretien de la voiture sont des tâches attribuées par les enfants au père).

En conclusion, même si certains conflits demeurent, les relations entre les générations restent fortes. Il ne nous semble pas qu'il existe de fossé infranchissable entre parents et enfants. En période de difficultés, la famille reste le recours privilégié et reste celle qui guide et inculque aux jeunes générations les valeurs de la société.

Élèves du lycée P. Gauguin de Versailles.

B. Quelles questions ont été posées par les enquêteurs ?

C. Sur quelles hypothèses ce questionnaire a-t-il été construit ?

D. Quel était l'objectif pédagogique de l'enseignant lorsqu'il a proposé à ses élèves de réaliser eux-mêmes cette enquête ?

6. ENTRAIDE ENTRE GÉNÉRATIONS : ÇA FAIT DU LIEN

A. Lisez l'article suivant. Ce type d'actions existe-t-il chez vous ? Qu'en pensez-vous ?

En ce vendredi, la résidence Magenta, dans le Xᵉ arrondissement de Paris, vibre au rythme des percussions. Un groupe de musiciens amateurs est venu donner un concert dans cet établissement d'hébergement pour personnes âgées dépendantes (EHPAD). Les musiciens viennent d'un centre d'aide par le travail. Dans une salle à manger comble, ils enchaînent les morceaux, dont un blues qu'ils ont composé avec Bernard Lacalmette, un musicien professionnel. Des personnes âgées et des aides-soignantes se mettent à danser, des visages s'illuminent et des mains battent la mesure sur le fauteuil roulant. Le concert s'achève autour d'un goûter. « Il n'y a pas si longtemps, j'allais chaque mois à la salle Pleyel. C'était merveilleux, mais les choses changent », confie Janine avec nostalgie, le regard encore pétillant. « Ces jeunes ont éclairé notre journée. » « La musique, ça suscite l'émotion et réveille des souvenirs. Quel que soit le répertoire, on ouvre une fenêtre dans un lieu où il ne se passe pas grand-chose », raconte Stéphane Baudo, responsable avec sa femme, Martine, de Cœur en fête.

[...]

De leur côté, les jeunes apprennent beaucoup au contact de leurs aînés. Manon a été bénévole pendant une semaine durant l'été dernier, à Saint-Cernin, dans le Lot. Cette étudiante toulousaine de vingt-deux ans a vraiment apprécié son séjour, pourtant éreintant. « J'ai accompagné Louisette, puis Henriette. Louisette avait beaucoup de vitalité et d'humour, et je la taquinais souvent », se souvient Manon, dont les rapports étaient très différents avec Henriette. « J'avais les larmes aux yeux quand je l'ai rencontrée tant j'ai perçu sa solitude. Elle ne parlait quasiment pas. Mais on a beaucoup échangé autrement, notamment par la danse. »

Un plaisir partagé

Les plus âgés donnent aussi de leur personne et de leur temps aux plus jeunes. Une ou deux fois par semaine, un(e) bénévole de l'association *Lire et faire lire* se rend dans une école ou un centre de loisirs. « Je ne lis pas aux enfants, mais avec eux, côte à côte, comme à la maison ! » précise Marie-France Lecuir, de l'association *Lire et faire lire* Haute-Garonne, qui ajoute : « J'apporte mon temps en cadeau et je reçois beaucoup des enfants. »

Karine Pollet, *Viva magazine*, 3 mai 2010

B. Que pourriez-vous proposer d'autre ?

COMMENT FAVORISER LA SOLIDARITÉ ENTRE LES GÉNÉRATIONS ET RÉDUIRE LA SOLITUDE DES PERSONNES ÂGÉES ?

Cœur en fête

Tant qu'on a un cœur qui bat... on existe !

• **En montant un spectacle de théâtre, de musique avec l'association Cœur en fête** www.coeurenfete.org **ou l'association de chorales « Se canto ».**

• **En participant aux nombreuses manifestations qu'organise l'association « Petits frères des pauvres » dans les maisons de retraites pour Noël.**

• **En participant à une colocation intergénérationnelle. Une personne âgée seule cohabite avec un étudiant. Le loyer peut être gratuit ou à prix modéré. Des pages Internet comme www.leparisolidaire.fr ou www.untoit2generations.fr mettent les personnes intéressées en contact.**

• **Et tout simplement en rendant visite à un voisin qui vit seul, en lui tenant compagnie, en l'aidant à faire ses courses, etc. L'entraide, c'est aussi des petites actions quotidiennes.**

7. NOUS ENQUÊTONS

Vous allez organiser une enquête pour rédiger un rapport sur les relations entre générations dans votre culture.

A. En vous aidant du document suivant, réalisez une enquête sur les relations intergénérationnelles. Préparez un questionnaire et interrogez classe, famille, etc.

L'enquête par questionnaires est un moyen pratique pour collecter rapidement des informations et un outil efficace d'aide à la décision. Même s'il n'y a pas de recette miracle pour réaliser une bonne enquête et obtenir à tous les coups des résultats pertinents, il existe des règles incontournables à respecter à chaque étape.

Les 10 commandements pour une enquête de qualité :

1. Établir par écrit des objectifs clairs, précis et opérationnels à l'enquête puis les faire valider par les personnes concernées.

2. Identifier précisément la cible de l'enquête (population-mère) et choisir un échantillon représentatif.

3. Choisir un nombre restreint de quotas et avoir recours à des quotas simples.

4. Concentrer les questions posées sur le seul objectif de l'enquête et ne pas ajouter des questions inutiles, même si elles sont intéressantes par ailleurs.

5. Organiser le questionnaire en parties claires en partant du général au particulier et des questions neutres aux questions engageantes.

6. Ne pas multiplier les questions ouvertes qui apportent beaucoup moins d'informations que des questions fermées bien posées.

7. Utiliser un langage clair, simple et compréhensible par tous.

8. Soigner la présentation du questionnaire et indiquer clairement les consignes et les informations nécessaires aux enquêteurs et/ou répondants.

9. Insister auprès de tous les intervenants en général et des enquêteurs et du personnel de saisie en particulier sur la nécessité d'une grande rigueur.

10. Être prudent dans l'interprétation et la restitution des résultats en étant bien conscient des marges d'erreur.

www.surveystore.info

B. Récoltez les résultats du questionnaire et rédigez un rapport sur les relations entre générations dans votre culture.

Le **rapport** contient, outre les résultats, toutes les informations importantes concernant la réalisation de l'enquête : de la formulation des questions aux résultats et aux conclusions de l'enquête.
Un rapport de qualité est structuré clairement en plusieurs chapitres.

Exemple :
1. Objectifs, problématique
2. Méthode :
   a. Questions posées, choix des réponses proposés (éventuellement enseignements tirés de la pré-enquête)
   b. Sélection des personnes interrogées
3. Réalisation (calendrier, observations, problèmes rencontrés, solutions trouvées)
4. Résultats, conclusions :
   a. Résultats (tableaux, graphiques), explications éventuelles sur les méthodes de calcul
   b. Conclusion, distinction claire entre résultats et interprétations
   c. Éventuellement, conclusion personnelle.

8. J'AI FAIT UN RÊVE

À la manière d'un Charles Fourier, vous prendrez votre plume pour rédiger la conclusion d'un essai utopique.

A. Lisez ces documents, connaissez-vous ce mouvement littéraire ?

CRITIQUE DE LA SOCIÉTÉ

« N'EST-ELLE PAS UNIQUE ET INGRATE, LA SOCIÉTÉ QUI PRODIGUE TANT DE BIENS [...] À DES JOAILLIERS, À DES OISIFS, OU À CES ARTISANS DE LUXE QUI NE SAVENT QUE FLATTER ET ASSERVIR DES VOLUPTÉS FRIVOLES QUAND, D'AUTRE PART, ELLE N'A NI CŒUR NI SOUCI POUR LE LABOUREUR, LE CHARBONNIER, LE MANŒUVRE, LE CHARRETIER, L'OUVRIER, SANS LESQUELS IL N'EXISTERAIT PAS DE SOCIÉTÉ ? DANS SON CRUEL ÉGOÏSME, ELLE ABUSE DE LA VIGUEUR DE LEUR JEUNESSE POUR TIRER D'EUX LE PLUS DE TRAVAIL ET DE PROFIT ; ET DÈS QU'ILS FAIBLISSENT SOUS LE POIDS DE L'ÂGE OU DE LA MALADIE [...], ELLE OUBLIE LEURS NOMBREUSES VEILLES, LEURS NOMBREUX ET IMPORTANTS SERVICES, ELLE LES RÉCOMPENSE EN LES LAISSANT MOURIR DE FAIM. [...] »

Thomas More, *L'Utopie*. Livre second, « Des religions de l'Utopie », 1516.

L'utopie est un mouvement littéraire initié en Angleterre au XVIe siècle par Thomas More qui critique très fortement la société dans laquelle il vit. C'est d'ailleurs lui qui invente ce terme en 1551. Le « socialisme utopique » est l'application politique de ce courant de pensée. Il prend ses racines dans la proposition d'une société idéale.

En France, Charles Fourier incarnera ce courant littéraire. Il exposera ses ambitions et ses projets en 1789 aux membres du Directoire, qui se moqueront de lui. Il poursuivra néanmoins sa quête inlassable d'une société idéale, qu'il décrira dans les moindres détails dans plusieurs livres dont *Le Nouveau Monde industriel et sociétaire*.

Selon cet utopiste, les hommes devraient vivre en petites communautés de 1 600 à 1 800 membres, qu'il nomme « phalanges » et qui remplacent les familles. Sans famille, plus de rapports parentaux, plus de rapports d'autorité, plus de conflits intergénérationnels. Le gouvernement est restreint au plus strict minimum, les décisions importantes se prenant en commun au jour le jour sur la place centrale.

Charles Fourier

B. Rédigez la conclusion de ce que pourrait être un essai utopique dans lequel les conflits intergénérationnels auraient totalement disparu. Dans cette conclusion, vous ferez un résumé des avantages des relations intergénérationnelles qui y règnent, en les comparant avec celles qui existent dans nos sociétés.

LES PHALANSTÈRES DE FOURIER

Chaque phalange est logée dans une maison-cité que Fourier appelle le *phalanstère*. Mot créé à partir du radical « phalan(ge) » et du suffixe emprunté à « (mona)stère ». L'architecture a un seul but ; celui de faciliter les relations entre individus. D'où la multiplication des « rues-galeries », des lieux de passages abrités et chauffés ou encore la multiplication des salles de réunion.

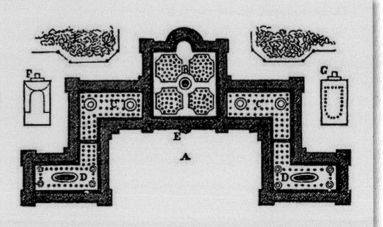

1. ENTRÉE EN MATIÈRE

Piste 11

Écoutez et sélectionnez les mots qui représentent, selon vous, le monde de l'entreprise.

2. DOSSIER DOCUMENTAIRE

Piste 12

A. Écoutez ces témoignages, puis résumez les arguments de chacun. Discutez-en petits groupes.

	Principal argument
Témoignage 1	
Témoignage 2	
Témoignage 3	
Témoignage 4	
Témoignage 5	

B. Vous choisirez ensuite les phrases qui traduisent le mieux votre point de vue pour proposer une réponse à la question du journaliste. Lisez l'article suivant. Relevez dans quels contextes le terme « culture » apparaît.

C. Recherchez dans le texte les termes qui sont plus spécifiquement associés à la gestion des entreprises et au monde du travail.

D. Synthétisez les éléments les plus importants du texte pour en faire un compte-rendu (écrit ou oral). Respectez les articulations du document.

C'est principalement sur la base de variations nationales que les études de management interculturel appréhendent les différences dans l'organisation des entreprises et la pratique des relations de travail.

Qu'est-ce que l'interculturel en entreprise ? Bien que la notion se soit développée en même temps que celle de « culture d'entreprise », elle ne porte pas sur les mêmes objets. En effet, alors que la « culture d'entreprise » désigne essentiellement quelque chose que les dirigeants ont à charge de définir et de modifier, l'interculturel porte sur un état de fait, à savoir que, dans une entreprise donnée, les personnes exhibent des comportements et affirment des opinions qui obéissent à des déterminants culturels. Il est évident que la culture en question ne saurait être seulement celle de l'entreprise : la profession, la religion, la nationalité, etc., sont directement en cause. L'approche interculturelle s'intéresse, par définition, aux différences de cultures qui ont une incidence sur les relations de travail à l'intérieur et à l'extérieur de l'entreprise. En pratique, le « management interculturel » s'intéresse aux différences existant entre cultures nationales, voire entre aires de civilisation. [...]

Les études interculturelles mettent en avant l'existence de stéréotypes nationaux qui rendent ces réalités opaques, difficiles à comprendre. Par exemple, si les Français jugent souvent les Américains « durs en affaires », c'est parce qu'ils ne perçoivent pas que, pour ces derniers, les relations affectives comptent moins que la tâche à réaliser. En matière de communication, on oppose parfois les cultures à « contexte pauvre », où les messages doivent être explicites (États-Unis, pays anglo-saxons) à celles à «contexte riche», où les messages comportent beaucoup d'implicite (France, pays moyen-orientaux). Enfin, l'approche interculturelle est également importante en matière de stratégie commerciale. La pénétration d'un marché étranger suppose, généralement, une adaptation culturelle des produits, des arguments et des systèmes de vente. Le développement des études interculturelles vise, bien évidemment, à proposer aux entreprises des techniques de « management interculturel » qui font l'objet d'un enseignement auprès des cadres chargés de les mettre en œuvre.

Nicolas Journet, *Sciences humaines,*
hors série n° 20, mars avril 1998.

3. TÂCHE

A. Dressez une liste des attitudes de travail caractéristiques des jeunes générations et des anciennes.

B. Vous animerez une des tables rondes proposées par cette entreprise : rassemblez vos arguments et élaborez le plan de votre argumentation.

L'INSTITUT POUR LA PROMOTION DU LIEN SOCIAL

Organise une Journée d'étude et de formation portant sur le thème :
Les relations intergénérationnelles au travail et le transfert de compétences.

Avec les transformations qui sont advenues sur le marché du travail au cours de ces dernières années, la problématique des relations intergénérationnelles est devenue une préoccupation croissante dans l'entreprise. Comment les entreprises parviennent-elles à concilier la nécessité de promouvoir des relations intergénérationnelles de qualité avec la résolution de leurs aléas productifs ?

Si cette question est posée dès le départ c'est que, pendant des décennies, le choix français en matière de régulation des concurrences intergénérationnelles a été de faire supporter le poids des ajustements structurels aux deux extrémités de la pyramide des âges alors que s'impose aujourd'hui un phénomène qui contribue à faire cohabiter, au travail, des âges et des générations qui ne se côtoyaient plus dans l'entreprise. Et qu'une tendance récurrente dans les discours managériaux consiste à se représenter la cohabitation au travail entre jeunes et anciens sous l'angle du risque d'une plus grande conflictualité susceptible de jouer négativement sur les performances collectives. Discours que les échanges et les réflexions qui se déve-

lopperont dans l'Atelier 1 contribueront certainement à nuancer.

Mais les entreprises sont confrontées aujourd'hui à quelques autres défis qui seront approfondis dans les Ateliers 2 et 3 de cette journée. L'un d'entre eux concerne le transfert d'expérience et de compétence entre générations car le contexte actuel des départs massifs en retraite, conjugués à des difficultés de recrutement de personnel et aux changements rapides auxquels elles sont confrontées, que ce soit du côté des procédés techniques et de l'organisation du travail ou de celui des réorientations de produits ou de métier, sont autant de facteurs qui leur font subir des évolutions profondes. Comment les entreprises s'organisent-elles pour gérer cette complexité et réussir leurs processus de transmission nécessaires pour permettre l'intégration des jeunes générations et la valorisation des compétences des anciens ?

Journée d'étude et de formation de l'IPLS, mai 2011

ATELIER 1 :

Les entreprises intègrent-elles suffisamment le transfert des compétences entre les générations à leur stratégie ?

ATELIER 2 :

Le transfert d'expérience et de compétence entre générations est-il encore possible dans un monde du travail en constante mutation ?

ATELIER 3 :

Comment adapter le management aux spécificités des générations présentes dans l'entreprise ?

5

Vivre ensemble

À la fin de cette unité, nous allons réaliser la présentation orale d'un exposé sur le thème des discriminations et/ou rédiger, mettre en scène et jouer un sketch humoristique sur le thème des discriminations.

droits blessant dignité autre discrimination propos tolérance handicapés actes brutalités combattre attitudes étrangers peur injuste égaux différent femmes respect société

SEMAINE D'ACTIONS CONTRE LE RACISME DU 17 AU 24 MARS 2005

Qu'est-ce qu'elle a ma gueule ?

LES BOUCS ÉMISSAIRES
renseignements : ☎ 514.842.7127 ⊕ www.inforacisme.com

« *L'homme ne peut vivre qu'avec ses semblables, et même avec eux il ne peut pas vivre, car il lui devient intolérable qu'un autre soit son semblable.* »

Johann Wolfgang von Goethe

Premier contact

1. INTOLÉRANCE

A. Comment comprenez-vous la citation de Goethe ? Discutez-en entre vous.

B. Que pensez-vous de ces affiches ?

C. À quel(s) type(s) de discrimination êtes-vous sensible ? Expliquez pourquoi en vous servant des mots du nuage.

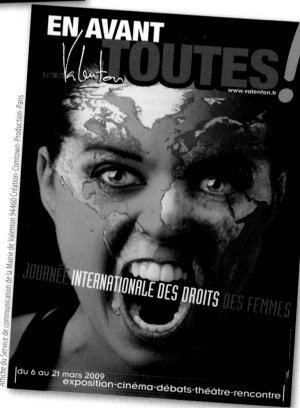

EN AVANT TOUTES !
www.valenton.fr

JOURNÉE INTERNATIONALE DES DROITS DES FEMMES

du 6 au 21 mars 2009
exposition·cinéma·débats·théâtre·rencontre

Affiche du Service de communication de la Mairie de Valenton 94460 Création–Comtown-Production-Paris

2. PRÉJUGÉ, QUAND TU NOUS TIENS !

A. Observez cette affiche et répondez individuellement à la question finale.

> ### N'AVEZ-VOUS JAMAIS PENSÉ QUE...

LES NOIRS NE SONT BONS QUE POUR LE FOOT

LE MÉNAGE EST UNE AFFAIRE DE FEMME

LES ROMS SONT DES VOLEURS DE POULES

LES MUSULMANS SONT TOUS DES INTÉGRISTES

LA JOURNÉE DES JEUNES COMMENCE À 14H

LES HOMOS ADÔÔÔRENT LE ROSE

> Les discriminations, ça part toujours d'un préjugé...
> **Et vous, vous en êtes où dans vos clichés ?**

*Animafac

B. Certains des préjugés illustrés ci-dessus existent-ils dans votre pays ? En existe-t-il d'autres ?

C. Quelle différence faites-vous entre préjugés, clichés et discriminations ?

3. L'ÉTRANGETÉ DE L'ÉTRANGER

A. Lisez l'extrait du texte de Lévi-Strauss. Comment explique-t-il la xénophobie ?

> L'attitude la plus ancienne, et qui repose sans doute sur des fondements psychologiques solides puisqu'elle tend à réapparaître chez chacun de nous quand nous sommes placés dans une situation inattendue, consiste à répudier purement et simplement les formes culturelles – morales, religieuses, sociales, esthétiques – qui sont les plus éloignées de celles auxquelles nous nous identifions. « Habitudes de sauvages », « cela n'est pas de chez nous », « on ne devrait pas permettre cela », etc., autant de réactions grossières qui traduisent ce même frisson, cette même répulsion, en présence de manières de vivre, de croire ou de penser qui nous sont étrangères. Ainsi l'Antiquité confondait-elle tout ce qui ne participait pas de la culture grecque (puis gréco-romaine) sous le même nom de « barbare » ; la civilisation occidentale a ensuite utilisé le terme de « sauvage » dans le même sens. Or, derrière ces épithètes se dissimule un même jugement : il est probable que le mot barbare se réfère étymologiquement à la confusion et à l'inarticulation du chant des oiseaux, opposées à la valeur signifiante du langage humain ; et sauvage, qui veut dire « de la forêt », évoque aussi un genre de vie animale, par opposition à la culture humaine. Dans les deux cas, on refuse d'admettre le fait même de la diversité culturelle ; on préfère rejeter hors de la culture, dans la nature, tout ce qui ne se conforme pas à la norme sous laquelle on vit.
>
> Claude Lévi-Strauss, *Race et Histoire*, 1961.

B. Quelle phrase du texte correspond le mieux, selon vous, au message de l'affiche ci-contre ?

C. Montrez en quoi ces deux documents présentent deux aspects complémentaires du même phénomène.

4. L'ARME DE L'HUMOUR

A. Lisez ce sketch de l'humoriste français Fernand Raynaud. Comment le racisme s'exprime-t-il dans les propos du douanier ? Quels arguments utilise l'étranger pour convaincre le douanier que tous les hommes sont égaux ?

J'suis pas un imbécile, moi, j'suis douanier, j'aime pas les étrangers. Ils viennent manger le pain des Français. C'est curieux, comme profession, je suis douanier puis j'aime pas les étrangers. Quand je vois un étranger qui arrive et qui mange du pain, je dis : « Ça, c'est mon pain » ; puisque je suis français et qu'ils mangent du pain français, donc c'est mon pain à moi. Moi, j'aime pas les étrangers parce que moi, je suis français et je suis fier d'être français ! Mon nom à moi, c'est Koularkerstensky du côté de ma mère et Piazano Venditti, du côté d'un copain à mon père ! C'est pour vous dire si j'suis français ! J'aime pas les étrangers. Ils viennent manger le pain des Français.

Dans le village où on habite, on a un étranger. Alors quand on le voit passer, on dit : « Tiens, ça, là », on le montre du doigt comme un objet ; ils viennent manger le pain des Français… Quand sa femme passe, la tête basse, avec ses petits enfants qui baissent la tête, « Ça, ça, là, c'est des étrangers. Ils viennent bouffer le pain des Français ». L'autre dimanche, dans mon village, c'était à la sortie de la messe de 10 heures, j'avais été communier au café d'en face. Il y a l'étranger qui a voulu me parler. Moi, j'ai autre chose à faire, vous pensez, parler avec un étranger ! J'avais mon tiercé à préparer… Enfin, du haut de ma grandeur, j'ai daigné l'écouter. Il m'a dit : « Ne pensez-vous pas qu'à notre époque, 1972, c'est un peu ridicule de traiter certaines personnes d'étrangères… Nous sommes tous égaux. Voilà ce que j'avais sur le cœur, je voulais vous dire ça, monsieur le douanier. Vous qui êtes fonctionnaire et très important, vous qui avez le bouclier de la loi. Nous sommes tous égaux, on peut vous le prouver. Quand un chirurgien opère un cœur humain, que ce soit au Cap, à Genève, à Washington, à Moscou, à Pékin, il s'y prend de la même manière. Nous sommes tous égaux. » Oh ! L'andouille ! Venir me déranger pour me dire des inepties pareilles ! Il a poursuivi, ils sont tellement bêtes, ces étrangers ! Ils viennent manger le pain des Français ! Il m'a dit : « Est-ce que vous connaissez une race où une mère aime davantage ou moins bien son enfant qu'une autre race ? » Là, j'ai rien compris à ce qu'il a voulu dire. J'en ai conclu qu'il était bête. En effet, lorsque quelqu'un s'exprime et que l'on ne comprend pas ce qu'il dit, c'est qu'il est bête, et moi, je peux pas être bête, je suis douanier. « Va-t-en, étranger ! » Il m'a répondu : « J'en ai ras-le-bol. Votre race et sa noblesse. Il a pris sa femme, sa valise, ses enfants. Ils sont montés sur un bateau, ils ont été loin au-delà des mers. Et depuis ce jour-là, dans notre village, on ne mange plus de pain… : il était boulanger…

« Le Douanier », de Fernand Raynaud

B. En quoi consiste l'humour dans ce sketch ?

5. DISCRIMINATIONS EN TOUS GENRES

Piste 13

A. Écoutez la chanson de Kamini *Je suis blanc*. Que lui est-il arrivé ? Quelles en ont été les conséquences ?

B. Selon vous, que veut-il dénoncer ?

C. Commentez le refrain de la chanson :
Argent, logement, les flics, les gens,
Comme un changement, depuis qu'j'suis blanc
Argent, logement, les flics, les gens,
Comme un changement, depuis qu'j'suis blanc

D. Cette chanson aurait-elle un sens dans votre pays ?

6. IMMIGRATION ET INTÉGRATION

A. Lisez cet extrait de roman et décrivez l'environnement familial et social de la jeune fille.

« Il paraît que… » « J'ai entendu dire que… » « Après les gens ils vont dire que… » : voilà grosso modo ce qui ravage les sociétés arabo-musulmanes en général et mon immeuble en particulier. J'habitais dans une tour où les racontars servaient de fondations et le ciment de cervelle. « C'est comme ça » était le maximum de la réponse. Au-delà, ça frisait le blasphème. On ne s'y aventurait jamais. De peur qu'après, les gens ils disent que…

L'ascenseur était souvent en panne mais les cancans trouvaient toujours le moyen d'errer dans les étages. On disait de moi que j'étais une effrontée, de ma sœur qu'elle était une fille bien et de ma mère qu'elle laissait trop de gras dans le tajine de mouton. On épargnait plutôt mon père, même s'il était le dernier de tout l'immeuble à ne pas encore être hadj*, ce qui l'accablait. Car mes parents n'avaient qu'une obsession : faire leur pèlerinage à La Mecque. J'aimais mes parents au-delà de tout mais je les aimais n'importe comment, en vrac et à perpétuité. Depuis leur arrivée en France, ils avaient tout fait pour s'insérer dans la société. S'intégrer, en revanche, ils n'avaient jamais réussi. Cela dit, vu les tronches dans le voisinage, s'assimiler se révélait trop risqué.

Il valait mieux rester couleur locale et ne pas faire de vagues. Entre la machette d'un voisin malien et le sabre d'un cousin algérien, se la jouer petit Français n'était pas recommandé. Ou alors, à l'époque, il aurait fallu un peu plus mélanger les voisins. Et là, peut-être que.

*Hadj : Titre que porte un musulman ayant fait le pèlerinage à La Mecque et à Médina.

La Mecque-Phuket, Saphia Azzeddine, Éditions Léo Scheer, 2010.

B. Que recherchait la famille ? Y est-elle parvenue ? Pourquoi ?

7. LE SEXISME EN MILIEU PROFESSIONNEL

Lisez ce document et faites la liste de tous les clichés dont les femmes françaises sont victimes en milieu professionnel. Cette situation vous surprend-elle ? Expliquez votre réponse.

Force et pouvoir pour les hommes, douceur et maternage pour les femmes : les clichés ont la vie dure. Et s'il y a un monde dans lequel ce phénomène est clairement amplifié, c'est bien le monde du travail. Les enquêtes nous montrent que 70% des employeurs du secteur privé disent préférer recruter des hommes (DARES de juillet 2009). Au final et si on parle de CDI, ce sont 59% d'hommes qui sont recrutés (soit 41% de femmes). Il y aurait des raisons à cela ? Posons-nous la question « Pourquoi ? ».

1. Parce que les hommes ont de plus gros bras

Dans nos sociétés évoluées, le physique est un vecteur important qui joue sur la nature du poste à pourvoir. Reste ancrée dans nos petites têtes la certitude que les métiers où les contraintes physiques sont fortes ne sont pas faits pour les femmes. Certes, porter des sacs de ciment, faire fondre de l'acier à 1 200° ou bien monter dans l'arbre récupérer le chat du voisin ne sont pas tâches aisées. Il apparaît donc que, à l'heure où le tertiaire représente 75% des emplois (*Alternatives économiques pratiques* n° 023, 2006), la force physique, la masse musculaire, la taille, etc. sont encore interprétés comme signes de vigueur et de capacité de travail.

2. Parce que les hommes ne font pas d'enfants

Enfin si, bien sûr, les hommes sont aussi des pères, mais, bizarrement, les employeurs ne leur demandent pas, à eux, comment ils organisent le mode de garde de leur progéniture... Le modèle familial ancestral qui prône que « l'homme doit impérativement avoir un emploi, la femme peut toujours rester à la maison » montre qu'on n'a guère évolué sur la répartition des tâches. Ce n'est ni plus ni moins ce que nous expliquait l'ethnologue Desmond Morris dans son best-seller *Le Singe nu* (Éditions Jonathan Cape, 1967) : à l'homme la chasse (il faut nourrir la famille et par là-même affronter les dangers), à la femme la grotte (ranger la maison et élever les enfants). Morris a-t-il raison de dire qu'on est si proches des singes ? [...]

3. Parce que les hommes aiment la vie nocturne

Non, on ne parle pas ici de boîtes de nuit mais plutôt d'horaires de travail. Parce qu'en France, on continue de croire que ce sont les salariés qui quittent tard leur lieu de travail qui sont les plus efficaces. Et force est de constater que ceux qui restent accrochés à leurs bureaux sont en majorité des hommes. Pourquoi ? Parce que les femmes, elles, sont déjà parties en courant dans les escaliers pour gérer la maison, les devoirs, les courses, la belle-maman... [...]

Vous l'aurez compris, la situation est grave pour l'emploi des femmes car les préjugés à combattre sont encore énormes.

www.regionsjob.com

8. DISCRIMINATION ET HANDICAP

Piste 14

A. Écoutez ce témoignage. Quel type de discrimination y est dénoncé ?

B. Pourquoi le quotidien de cette personne est-il difficile ?

C. Que pensez-vous de cette situation ? Comparez avec la situation de votre pays.

GÉNÉRATION « NI NI »

A. Lisez le texte. Reformulez les phrases en gras sans en changer le sens.

➤ VOIR LA NÉGATION PAGE 133

Attention, la génération « Ni ni » arrive en Suisse !

Pour un certain nombre de spécialistes des sciences économiques et sociales, la génération « ni ni » pourrait bien devenir un phénomène helvétique après avoir ravagé l'Amérique latine et l'Espagne, où les « ni ni » se comptent par centaines de milliers quand ce n'est pas par millions, comme en Argentine.

Mais de quoi s'agit-il exactement ?
« Ni ni » est l'abréviation de *ni trabaja*, *ni estudia*, ni ne travaille, ni n'étudie.
Le phénomène touche les jeunes entre 17 et 34 ans, toutes classes sociales confondues ; pour les sociologues, il exprime une forme de paresse engendrée par les difficultés d'imaginer ou de se créer un avenir dans une société intransigeante et incapable de créer des conditions d'emploi ou tout simplement d'avenir. Résignés, les parents acceptent la longue cohabitation sous le toit familial et la vision désespérante de leurs enfants prostrés à longueur de journée sur les sofas, **n'ayant envie ni de sortir ni de s'en sortir**. À leur décharge, il convient de dire que les exemples de ceux de leurs aînés qui n'étaient pas des « ni ni » mais des simples « ni » n'étaient guère encourageants. Ainsi, rencontré par hasard sur un banc public du Retiro à Madrid, ce brillant ex-étudiant, titulaire d'un doctorat en économie, m'expliquait ses mille démarches depuis deux ans pour trouver un emploi et sa décision de modifier son *curriculum vitae* afin de le rendre moins attractif. En effet, à chaque fois qu'il postulait, on le trouvait trop qualifié alors que son seul vœu – vital – était de pouvoir travailler dans n'importe quel domaine. [...] Notre pays, au contraire des pays hispanophones, **ne possède ni la culture, ni le réflexe atavique** ~~reversion on to ancestral type~~ **du foyer perpétuel** où vieux et jeunes cohabitent sans difficulté. La Suisse serait plutôt « ni ni ni » : **ni travail, ni étude, ni lit**...

www.wikiswiss.ch, 21 mars 2011

B. « Le phénomène exprime une forme de paresse engendrée par les difficultés d'imaginer ou de se créer un avenir dans une société intransigeante et incapable de créer des conditions d'emploi ou tout simplement d'avenir. ». Trouvez des exemples de « conditions favorables à l'emploi ». Reprenez ensuite ces exemples dans plusieurs phrases comportant la négation « ni… ni ».

C. Quel est le sens des phrases suivantes ? Cochez la bonne réponse.

Le véritable égoïste est celui qui ne pense qu'à lui quand il parle d'un autre. (Pierre Dac, Les Pensées, 1972)

☐ L'égoïste pense à un autre quand il parle de lui.
☑ L'égoïste ne pense pas à l'autre quand il en parle mais seulement à lui-même.

Cette explication n'est utile que pour toi.

☑ L'explication n'est utile pour personne, sauf pour toi.
☐ L'explication est utile pour tous et aussi pour toi.

La restriction

Pour exprimer la restriction, on peut utiliser :

· seulement :

*Nos revendications portent **seulement** sur les discriminations sexuelles.*

· ne... que : **ne** se place avant le verbe et **que** se place devant le terme sur lequel porte la restriction.

*Nos revendications **ne** portent **que** sur les discriminations sexuelles.*

· rien... que :

*Écoutez-moi **rien qu'**une minute. (= Écoutez-moi une minute seulement.)*

ELLES NE VEULENT PLUS SE LAISSER FAIRE

À l'aide de ces tournures à sens passif, reformulez certaines idées du document de l'activité 7 p. 59 en insistant sur les discriminations faites aux femmes.

• *Les femmes se voient refuser des postes à responsabilité.*

Le passif

Dans la voix passive, le sujet réel n'est pas exprimé.

Le passif se construit de plusieurs manières :

Être + participe passé

*La loi contre les discriminations **sera appliquée** quand le décret aura été promulgué.*

La forme pronominale

*La lutte contre les discriminations **s'organise** peu à peu.*

Se faire + infinitif présent ; Se laisser + infinitif présent (le participe passé est invariable)

Se voir + infinitif présent ou adjectif qualificatif (le participe passé s'accorde)

*Ma collègue **s'est fait licencier** peu après qu'elle a annoncé sa grossesse.*

*Elle **s'est laissé piéger** par son employeur.*

*Son entreprise **s'est vue contrainte** de le réintégrer à son poste sur décision de justice.*

☛ **VOIR** LE PASSIF **PAGE 142**

UNE ARME REDOUTABLE

A. Dans son sketch, Fernand Raynaud exprime l'ironie au moyen d'un raisonnement tenu par le personnage du douanier. Lisez ces deux extraits et dites en quoi ils sont ironiques.

Je dis : « Ça, c'est mon pain » puisque je suis français et qu'ils mangent du pain français, donc c'est mon pain à moi.

En effet, lorsque quelqu'un s'exprime et que l'on ne comprend pas ce qu'il dit, c'est qu'il est bête, et moi, je peux pas être bête, je suis douanier.

B. En vous aidant du précis grammatical, repérez dans ce sketch un exemple d'hyperbole.

☛ **VOIR** LES FIGURES DE STYLE **PAGE 142**

C. En utilisant les procédés de l'ironie, imaginez ce que le boulanger pourra dire au douanier s'il le rencontre par hasard quelques mois après son départ.

MAIS QUELLE LANGUE !

A. Un certain nombre de mots familiers apparaissent dans cette unité. Donnez l'équivalent en registre standard d'un maximum des mots suivants en retrouvant le contexte dans lequel ils apparaissent.

Registre familier	Registre standard
un mec	
un black	
les flics	
la tronche	
le baratin	
gonfler	
des conneries	
la bouffe	
déconner	
la gueule	
un gars	
des racontars	
choper	

B. Réécrivez les phrases suivantes dans un registre standard.

• Le mec s'est fait choper par les flics à la sortie d'un bar parce qu'il vendait du shit.
• Rien qu'à voir sa tronche, je sais qu'il a fait des conneries.
• À force de baratiner, plus personne ne croit ses racontars.
• Ça me gonfle de voir ce black qui danse si bien à côté de moi !
• Ouais, mais j'aime pas leur bouffe, c'est trop épicé, ça t'arrache la gueule !
• Mon portable déconne, je peux plus ouvrir mes docs !

C. Commentez vos propositions en groupes et reprenez le tableau que vous avez rempli précédemment pour le compléter.

D. Dans quelles situations n'utiliseriez-vous jamais ces mots ? Discutez-en entre vous.

9. LE DÉFENSEUR DES DROITS

A. En France, pourquoi a-t-on jugé nécessaire de créer une institution telle que le Défenseur des droits ?

Le Défenseur des droits

Vous avez la possibilité de saisir le Défenseur des droits pour nous faire part d'une situation de discrimination. [...] Le Défenseur des droits examine votre réclamation et vous informe de vos droits. Elle peut vous aider à caractériser la discrimination et, dans ce cas se déclare compétente pour instruire le dossier que vous lui avez adressé. La direction juridique veille à l'instruction des réclamations. Toutes les réclamations étudiées par des juristes font l'objet d'un travail d'expertise juridique.

Le Défenseur des droits en chiffres
Depuis son installation, le nombre de réclamations enregistrées à la Haute autorité ne cesse d'augmenter : 6 222 réclamations en 2007, 4 058 en 2006 et 1 409 en 2005. Elle reçoit en moyenne 20 réclamations par jour. L'emploi est le premier domaine concerné, avec plus de la moitié des réclamations, devant le fonctionnement des services publics (20,35%), les biens et services privés (13,26%), le logement (6,11%) et l'éducation (4,57%). L'origine est le critère le plus souvent invoqué (27,16%) suivi par la santé et le handicap (21,68%). Ces chiffres révèlent une persistance des discriminations dans le domaine de l'emploi, secteur privé et secteur public. Ces discriminations touchent principalement les personnes d'origine étrangère mais également les personnes handicapées, les femmes et les personnes âgées.

Et elles se manifestent le plus souvent à l'embauche, l'insertion professionnelle, l'évolution de carrière.

Exemple de délibération :
Difficulté d'accessibilité à un logement social en raison d'un handicap visuel.
Les réclamants, non voyants, sont locataires d'un appartement dont le bailleur est une société anonyme d'HLM. Ils sont gênés depuis la mise en place d'un système d'accès à l'immeuble par une liste de noms déroulante. Ils évoquent également les difficultés qu'ils rencontrent pour avoir accès aux informations diffusées par voie d'affichage. Le Collège constate que les travaux de modernisation ont pour effet de créer une situation défavorable aux réclamants. La saisine du Défenseur des droits et de l'adjointe au maire chargée des personnes handicapées de la municipalité permet de trouver une solution. Depuis, la société anonyme d'HLM étend à l'ensemble du parc immobilier dont elle assure la gestion, un système de platine numérique* adapté aux personnes souffrant d'un handicap visuel. Délibération n° 2006-52 du 27 mars 2006.

* C'est un interphone audio adapté aux personnes non-voyantes.

www.defenseurdesdroits.fr

B. Une telle institution existe-t-elle chez vous ? Si ce n'est pas le cas, comment le citoyen peut-il dénoncer une situation de discrimination pour faire valoir ses droits ?

Piste 05

C. Écoutez le témoignage. Quelle discrimination y est dénoncée ? Que pourrait faire le Défenseur des droits, pour aider à la lutte contre ce type de discrimination ?

10. LA LAÏCITÉ À LA FRANÇAISE

A. Lisez la définition de la laïcité à la française. Ce principe s'applique-t-il dans votre pays ? Expliquez.

Consacrée par la loi de 1905 sur la séparation de l'Église et de l'État, la laïcité est une valeur fondatrice et un principe essentiel de la République. Grande liberté publique, la laïcité garantit les droits de l'homme et les protège. La République ne reconnaît, ne salarie ni ne subventionne aucun culte sauf pour les dépenses relatives à des exercices d'aumônerie et destinées à assurer le libre exercice des cultes dans les établissements publics tels que les lycées, collèges, écoles, hospices, asiles et prisons (Article 2 de la loi du 9 décembre 1905). La Nation garantit l'égal accès de l'enfant et de l'adulte à l'instruction, à la formation professionnelle et à la culture. L'organisation de l'enseignement public gratuit et laïc à tous les degrés est un devoir de l'État. Le principe de laïcité est inscrit dans la Constitution de 1946, puis repris dans la Constitution de 1958 et figure ainsi dès l'article 1er de la Constitution : « La France est une République indivisible, laïque, démocratique et sociale. »

B. Lisez le titre et le sous-titre de l'article ci-dessous. D'après vous, pourquoi la statue a-t-elle suscité une telle protestation de la part de certains habitants de la ville de Publier ?

C. Lisez maintenant l'ensemble de l'article et vérifiez si vos hypothèses s'y trouvent. Quels sont les arguments de certains habitants pour faire retirer la statue ?

LAÏCITÉ : LA VIERGE DE LA DISCORDE
La mairie va se séparer de la statue en raison des protestations des laïcs.

Le maire de Publier (Haute-Savoie) va finalement vendre la statue de la Vierge, bénie le 15 août dernier à l'occasion de l'Assomption. Financée par des fonds publics, elle avait déclenché l'ire de certains habitants, du Parti socialiste et des libres-penseurs, pour lesquels elle constituait une entorse au principe de laïcité. « J'avoue que j'ai un peu flirté avec la loi de 1905. Je me suis trompé, j'assume sans problème », a avoué hier Gaston Lacroix, maire de Publier et conseiller général du canton d'Évian. Trois associations se sont dites prêtes à la racheter. « Il reste la question de l'implantation de la statue sur le domaine public », précise l'élu, qui se dit prêt à la déplacer sur un terrain privé situé vingt mètres plus loin.

La sculpture incriminée, qui repose sur un socle où figure l'inscription « Notre-Dame-du-Léman, veille sur tes enfants », a été achetée par la commune pour la somme rondelette de 23 700 € hors-taxes. Mesurant 1,60 m, elle représente une Vierge d'une blancheur immaculée. « La construction de cette statue est totalement illégale, car elle est contraire à la loi de séparation de l'Église et de l'État de 1905 », nous a assuré hier Joël Goemans, président de la Fédération de Haute-Savoie de la libre-pensée. « La République est neutre et laïque. Elle ne doit pas se préoccuper de religion. » Claire Donzel, première secrétaire du PS de Haute-Savoie, avait de son côté jugé que cette affaire avait « de quoi choquer tout citoyen français ».

« Œuvre d'art »
Gaston Lacroix, qui avait qualifié cette statue d'« œuvre d'art », précisant que « cette Vierge est un repère dans une société qui n'en a plus », avait engagé cette dépense sans information publique ni appel d'offres. Le budget débloqué avait été voté *a posteriori* par le conseil municipal. Des pratiques qui risquaient d'attirer l'attention du Trésor public, d'autant que les libres-penseurs, de même qu'un habitant du bourg, avaient annoncé qu'ils déposeraient un recours devant le tribunal administratif afin de faire retirer la statue.

Philippe Peter, *France-Soir*, 7 septembre 2011

D. En groupes, imaginez les autres arguments qui pourraient être utilisés en faveur ou contre le maintien sur place de cette statue.

E. Cette affaire, ou une affaire similaire mettant en jeu la relation entre l'État et la religion, pourrait-elle déclencher une telle polémique dans votre pays ?

11. LA MIXITÉ À L'ÉCOLE

Le 15 mai 2008, en France, le Parlement a transposé en droit français des textes de l'Union européenne sur les discriminations. L'un d'eux a fait polémique : la mixité sexuelle à l'école ne serait plus une obligation.

Piste 16

A. Écoutez le document. Qui sont les personnes interrogées ? Comment réagissent-elles ?

B. Êtes-vous pour ou contre la mixité sexuelle à l'école ? Pourquoi ? Discutez-en entre vous.

12. EXPOSÉ ORAL

Vous allez faire un exposé oral sur le thème des discriminations.

A. Avant de commencer, vous allez décider des critères d'évaluation d'un exposé oral. Complétez la grille ci-dessous en définissant et en décrivant les sous-critères.

B. Choisissez le sujet de votre exposé et recueillez les informations nécessaires (au moyen d'enquêtes, grâce à Internet…).

C. Préparez un plan détaillé et présentez oralement votre exposé à la classe.

↪ **VOIR FAIRE UN EXPOSÉ PAGE 147**

D. Vos camarades prendront des notes, vous poseront des questions et enfin ils évalueront et commenteront la qualité de communication orale de votre exposé.

CRITÈRES	SOUS-CRITÈRES	DESCRIPTION	POINTS
1. Structuration du discours	– Introduction éveillant l'intérêt – …	– Problématique et plan bien présentés	
2. Attitude	– Gestes, mimiques – …	– Gestuelle pertinente – Attitude posée – …	
3. Interaction	– Qualité des réponses – …	– Écoute et prend en compte les questions de ses camarades – …	

13. LES DISCRIMINATIONS ONT LA VIE DURE !

Vous allez rédiger, mettre en scène et jouer un sketch humoristique sur le thème des discriminations.

A. Lisez la définition de la parodie et commentez-la entre vous.

LA PARODIE

La parodie est une forme d'humour qui utilise le cadre, les personnages, le style et le fonctionnement d'une œuvre pour s'en moquer. Elle se base entre autres sur l'inversion et l'exagération des caractéristiques appartenant au sujet parodié.

Toute exploitation d'œuvres sans l'autorisation de son auteur constitue un acte de contrefaçon. Toutefois, l'article L 122-5 du Code de la Propriété intellectuelle aménage, afin de ne pas compromettre la liberté de parodier, certaines exceptions à ce droit exclusif de l'auteur. Il en est ainsi notamment de la parodie, du pastiche et de la caricature, compte tenu des lois du genre.

Le but poursuivi doit être, en principe, de faire sourire ou rire, sans pour autant chercher à nuire à l'auteur. C'est la poursuite d'une intention humoristique qui permet à la parodie d'échapper au principe du droit d'auteur. Ces lois impliquent une absence de confusion entre l'œuvre parodiée et la parodie elle-même, de telle sorte que le public sache tout de suite laquelle est l'originale.

De ce fait, la parodie est une exception au droit d'auteur car c'est une de nos libertés. À la télévision, quelques émissions sont devenues cultes comme *Les Guignols de l'info*, parodie de l'information. Certains films utilisent également les clins d'œil à d'autres films, auxquels ils peuvent rendre hommage ou non, comme *OSS 117 : Le Caire, nid d'espions*, qui est une parodie de films d'espionnage.

Christanna Klewua, *Sur la parodie*, décembre 2011

B. Observez ces deux photos. Reconnaissez-vous cette personnalité politique ? Comment appelle-t-on le procédé humoristique utilisé pour le représenter ?

chirac

LES GUIGNOLS DE L'INFO

C. En groupes, choisissez la discrimination que vous voulez dénoncer. Rédigez le sketch. Vous pouvez parodier une œuvre si vous le souhaitez.

D. Travaillez la mise en scène en ajoutant à votre texte des didascalies : indications concernant les lieux, les costumes, les intonations, les gestes et mimiques, etc.

E. Faites une répétition générale, puis jouez devant la classe entière. Quel sketch a eu le plus de succès ? Pourquoi ?

6

Avoir ses chances

À la fin de cette unité, nous allons préparer un plaidoyer portant sur le thème de la seconde chance dans l'éducation et /ou redonner une chance à un personnage historique.

préjugés réussite offense nouveau nouvelle
apprendre diversité fois j'avais
recommencer souvenirs
soutien regrets patience se racheter fraternité
définitif reproches vie récidive
une égalité espoir
se pardonner décrocher

« Mieux vaut tard que jamais. »

« Il n'est jamais trop tard pour bien faire. »

« L'union fait la force. »

« On efface tout et on recommence. »

« L'erreur est humaine. »

« Tout vient à point pour qui sait attendre. »

« Chacun pour soi et Dieu pour tous. »

Premier contact

1. PETITS PROVERBES, GRANDES RÉFLEXIONS

A. Choisissez un proverbe et imaginez des situations où vous pourriez le citer. Reformulez ce proverbe ou un autre en réutilisant des mots du nuage de mots. Existe-t-il des proverbes équivalents dans votre langue ?

B. Lisez ce début de chanson. À votre avis, quelles peuvent être les erreurs de jeunesse auxquelles il fait référence ?

C. Donnez des exemples concrets de seconde chance dans la vie.

« On a tous le droit à une seconde chance
Redonner à sa vie un nouveau sens
Quand j'étais jeune je me suis embringué dans
des plans dont j'suis pas vraiment fier
On a tous le droit à une seconde chance
Redonner à sa vie un nouveau sens
Tout le monde a droit à une seconde chance. »

Psy 4 De La Rime, *l'école de la seconde chance*

2. LA SECONDE CHANCE À L'ÉCOLE

A. Que veut dire l'auteur lorsqu'il écrit que certains élèves quittent l'école « trop tôt » ? Quelles peuvent être les conséquences d'une sortie prématurée du système scolaire ?

ILS ONT QUITTÉ L'ÉCOLE TROP TÔT

Le décrochage scolaire est un problème urgent et grave, tant pour les personnes concernées que pour l'ensemble de la société. Les États membres de l'Union européenne collaborent pour réduire le nombre d'élèves qui abandonnent l'école avant la fin de l'enseignement secondaire.

Les motifs pour lesquels les jeunes renoncent prématurément à l'enseignement sont nombreux et souvent très personnels. Il peut s'agir de difficultés d'apprentissage, de problèmes sociaux ou d'un manque de motivation, d'orientation ou de soutien.

Bien que la situation varie selon les pays de l'UE, le phénomène social de l'abandon scolaire précoce suit certains schémas. Les jeunes en décrochage scolaire sont plus susceptibles d'appartenir à un milieu socioéconomique faible ou à un groupe social vulnérable. En moyenne, le taux de décrochage scolaire en Europe est deux fois plus élevé chez les jeunes issus de l'immigration que chez les jeunes autochtones. En outre, les garçons y sont plus exposés.

Toutefois, les répercussions des conditions personnelles et sociales dépendent aussi de la configuration du système d'éducation et de l'environnement dans les différentes écoles. Il est difficile d'apporter des réponses aisées car les motifs de l'abandon de l'enseignement ou de la formation professionnelle sont multiples.

Direction générale Éducation et Culture
ec.europa.eu, 23 mai 2011

B. En vous appuyant sur les deux textes, expliquez pourquoi les écoles de la deuxième chance ont été créées. Que pensez-vous de cette idée, ainsi que des critères de sélection et du programme de ces écoles ?

QU'EST-CE QUE L'ÉCOLE DE LA DEUXIÈME CHANCE ?

1. L'école de la deuxième chance, un enjeu européen
Projet défendu par Édith Cresson lors du sommet des chefs d'État de Madrid de décembre 1995 et adopté par les ministres de l'Éducation des États membres, l'école de la deuxième chance (E2C) a pour principal objectif l'intégration professionnelle et sociale des personnes de 18 à 25 ans ayant abandonné le système scolaire dès le premier cycle de l'enseignement secondaire sans avoir obtenu aucun diplôme ni qualification.

2. Vers un cursus personnalisé
Suivant les directives proposées par le Livre Blanc « Enseigner et apprendre : vers la société cognitive », le programme d'enseignement s'établit autour des besoins et difficultés de chaque élève grâce à un cursus personnalisé. L'individualisation des apprentissages et l'utilisation de pédagogies actives permettent ainsi d'assurer efficacement une remise à niveau des savoirs fondamentaux – lecture, écriture, calcul, informatique. La formation est rémunérée et dure entre 6 et 24 mois selon les besoins de chaque apprenant. À la fin de sa formation, un certificat lui est délivré accréditant son niveau de compétences qui lui sert de passeport pour entrer dans la vie active.

3. Engagement des acteurs économiques et sociaux régionaux
La formation se déroule en alternance avec des stages en entreprise et peut être interrompue dès que le stagiaire accède à un emploi ou à une formation qualifiante. La participation des acteurs économiques et sociaux régionaux est fondamentale pour assurer l'intégration professionnelle et sociale des jeunes en difficulté et pour répondre aux exigences et besoins du marché de l'emploi local.

4. Les résultats
Les résultats sont prometteurs puisque 70% des jeunes qui ont suivi cette formation ont pu accéder soit à un emploi, soit à une formation qualifiante.

C. L'école n'est pas le seul facteur d'exclusion. En groupes, recherchez-en d'autres et classez-les par ordre d'importance. Comparez vos résultats.

D. En groupes, sélectionnez dans les textes les informations les plus importantes concernant la situation actuelle, ses causes et la solution proposée par l'école de la deuxième chance. Puis, reliez ces informations entre elles de manière à en faire un texte synthétique et comparez vos productions.

3. L'ÉGALITÉ DES CHANCES

A. Lisez le titre du document ci-dessous. Que peut-il signifier ? Faites des hypothèses sur le contenu de cet article puis lisez-le pour vérifier vos hypothèses.

SCIENCES-PO : C'EST ENCORE LOIN LE PÉRIPH ?

En 2001, la création des conventions éducation prioritaire (CEP), qui permettent à des lycéens en ZEP (pour zone d'éducation prioritaire) d'avoir une voie d'accès spécifique pour entrer à Sciences-Po, avait provoqué un beau tollé. Selon les détracteurs, l'école introduisait sans le dire de la « discrimination positive » inspirée des Américains – mais contraire à l'esprit français –, abandonnait le sacro-saint principe du concours, garant de l'égalité républicaine, faisait un « coup » médiatique, cherchait à se donner bonne conscience à peu de frais… Dix ans après, ces conventions sont entrées dans les mœurs. Depuis, quasiment toutes les grandes écoles ont aussi mis en place des dispositifs de diversité sociale.

Les Conventions Sciences-Po, un pari gagné

L'objectif de ces CEP était de faire entrer dans la prestigieuse école des lycéens qui n'y auraient jamais eu accès et même qui n'y auraient jamais pensé, soit parce qu'ils ne la connaissaient pas, soit parce qu'ils n'auraient pas osé se présenter. En dix ans, 850 étudiants ont été recrutés par cette voie. Tous ne sont pas de milieux populaires car les lycées partenaires ZEP ou assimilés accueillent un public relativement mixte. [...]

« Ce sont ensuite des Sciences-Po comme les autres, explique le chercheur Vincent Tiberj, qui a réalisé une étude sur les six promotions, même si certains mettent du temps à s'adapter et redoublent la première année, ils sortent diplômés et peu abandonnent. Ils sont ensuite comme les autres pour la qualité des emplois qu'ils trouvent et le taux de précarité, faible. » Mais on les retrouve davantage dans le privé-les concours pour le public les décourageraient.

Les limites du dispositif

« Je n'ai pas de recette miracle et je n'ai aucun conseil à donner aux autres grandes écoles », a expliqué le patron de Sciences-Po. En fait, le bilan est plus nuancé qu'il n'y paraît. L'arrivée de ces étudiants – environ 10% des recrutés – a permis à Sciences-Po de garder un minimum de mixité sociale alors que l'école, victime de son aura auprès des milieux favorisés – notamment les professions libérales,

les cadres sup, les enseignants –, menaçait de devenir homogène, avec, en 1997-1998, seulement 1% d'étudiants enfants d'ouvriers… Mais le dispositif n'a pas radicalement changé le visage de l'école qui accueille aujourd'hui, notamment, 68% d'étudiants de catégories favorisées – les professions libérales représentent même 14% alors qu'elles sont moins de 1% dans la population –, et 7,5% d'enfants d'employés, 4,5% d'enfants d'ouvriers…

Pour illustrer la démocratisation de Sciences-Po, Richard Descoings met en avant le taux de boursiers qui a bondi. « De 6% en 2000, il est passé à 26% aujourd'hui, explique-t-il, notamment grâce au dispositif des CEP mais pas seulement : il y a aussi un pouvoir d'achat en baisse et nous avons un système de bourses Sciences-Po très attractif. » Mais il s'agit là d'un critère contesté par les sociologues qui lui préfèrent les catégories socioprofessionnelles : un enfant d'instituteur peut être boursier alors qu'il a un capital culturel bien supérieur à celui d'un enfant d'ouvrier.

Que faire pour démocratiser les élites ?

Richard Descoings l'a reconnu implicitement : le défi dépasse Sciences-Po de loin. L'école a fait, selon lui, ce qu'elle pouvait pour diversifier son public. Elle a ouvert ses portes alors que d'autres préféraient garder des effectifs réduits : cette année, elle accueille 1 400 étudiants en première année contre 400 il y a dix ans. Elle a aussi multiplié les voies d'accès – le concours d'entrée ne recrute plus que 40% des élèves –, a introduit des oraux, des maths ou des épreuves sur dossier, pour surmonter les « aspects discriminants » des épreuves écrites de dissertation et de culture générale, etc. « Mais la structure sociale française est très élitiste, souligne Vincent Tiberj, et on sous-estime son inertie » Au final, les élèves qui se présentent proviennent toujours largement des « grands » lycées. Le concours fait peur aux plus modestes. En outre, « plus il est sélectif, plus il est biaisé socialement », dit Richard Descoings. Les conventions éducation prioritaire ont apporté un bol d'air frais à l'école, avec des étudiants venus d'au-delà du périphérique. Mais pour en finir avec « la reproduction des élites », il faudra encore trouver autre chose.

Véronique Soulé / Libération / 2011

B. En quoi consisterait cet « esprit français » qui, selon certains, serait opposé à l'idée de discrimination positive ?

C. Pourquoi, selon les personnes interviewées, ne suffirait-il pas de généraliser le dispositif de Science-Po pour « en finir avec la reproduction des élites » ?

D. Quelle conception de l'école démocratique se dégage de l'ensemble de cet article ? Est-ce celle qui domine dans votre pays, est-ce la vôtre ?

4. LA SECONDE CHANCE DANS LA VIE

A. Lisez le synopsis du film *Mon pote*. Victor a pris un temps de réflexion avant de prendre sa décision. Quelles sont les questions qu'il a dû se poser ? Quels sont les préjugés auxquels on peut s'attendre dans cette situation de réinsertion ?

Les Films Du Kiosque et Wayan Productions présentent

APRÈS **LE CŒUR DES HOMMES**
LE NOUVEAU FILM DE **MARC ESPOSITO**

EDOUARD BAER   BENOÎT MAGIMEL

mon pote

Synopsis

Victor est rédacteur en chef et patron d'*Auto Magazine*. Ayant reçu une invitation pour parler de son emploi dans un centre pénitencier, Victor s'y rend et y fait la connaissance de Bruno, condamné à six ans de prison pour vols et recel de voitures. En grand amateur d'*Auto Magazine*, Bruno lui demande de l'embaucher. Après réflexion, Victor accepte de tenter le pari.

Dans le film, il est question de réinsertion, d'entraide, de mélanges sociaux, de morale. Les deux héros du film, Victor et Bruno – le patron et le taulard – ne partagent pas les mêmes valeurs, ils ont tracé leur parcours sur des voies radicalement différentes et pourtant elles finissent par se croiser. Cette rencontre leur révèle qu'ils sont moins différents qu'ils ne le croyaient.

B. Pensez-vous que la société reconnaisse facilement le droit à l'erreur ? Quels sont les exemples que vous pourriez citer ?

Piste 17

C. Écoutez les témoignages en réponse à la question « Qu'est-ce que vous ne pourriez jamais pardonner ? » Qu'en pensez-vous ? Et vous, qu'auriez-vous répondu à cette question ?

D. En groupe, fabriquez un test composé de cinq questions pour évaluer jusqu'où l'on est prêt à aller pour aider un ami. Inventez une situation ou choisissez une question, comme dans l'exemple, puis proposez différentes réponses possibles, avec les points correspondants.

Que donneriez-vous pour sauver votre ami ?

1 Vos économies → 1 point

2 Votre sang   → 2 points

…

E. Proposez le test à d'autres camarades puis analysez et commentez leurs résultats.

LE PASSÉ : SOUVENIRS, SOUVENIRS...

A. Lisez le texte et soulignez les verbes conjugués au passé composé. Quels accords reconnaissez-vous ? À quelle règle chacun correspond-il ?

Seconde vie
14-06 21:37

Ce matin, je suis entrée dans mon atelier et j'ai souri en regardant tous ces colliers en pâtes alimentaires, ces cendriers en terre cuite, ces porte-crayons confectionnés avec un pot en verre, tous ces bricolages fabriqués, et surtout reçus, voire même portés avec amour...

J'ai bien essayé d'organiser mon atelier, mais tous les objets que j'ai transformés ne sont pas savamment identifiés sur les étagères. Les boîtes de rangement ont été bien alignées certes, mais les transformations que j'ai **pu** faire n'ont pas toutes été réussies. J'ai trop accumulé parce que j'ai voulu utiliser tous mes petits rescapés de la « récup ». Je me suis **laissé** guider bien souvent par l'inspiration du moment, par la forme et la nature de l'objet destiné au recyclage.

Quoi qu'il en soit, voilà un de mes grands petits plaisirs de la vie : faire revivre un morceau de carton, un bout de ruban, une boîte de conserve ou un pot de yogourt, le temps d'une période de bricolage, le temps d'un sourire.

Tout le monde a droit à une deuxième chance, même un carton d'œufs composé de papier qui doit en être facilement à sa troisième ou quatrième vie.

B. Quelles remarques pouvez-vous faire sur les accords des deux participes passés en gras dans ce texte ? Discutez-en entre vous et donnez la règle qui vous semble les justifier.

VOIR L'ACCORD DU PARTICIPE PASSÉ PAGE 135

TOUT ÇA POURQUOI ?

A. Lisez les exemples pour repérer les marques d'intention. Cherchez d'autres exemples pour chaque catégorie.

L'expression du but

Avec les expressions :

• **Pour, afin de, de façon à, de crainte de, de peur de, en vue de, dans l'intention de** + INFINITIF

- *Pour être plus efficace, il faut trouver de nouvelles idées.*

- *Un médiateur a été nommé afin de régler ce conflit.*

- *Il a commencé à réviser en vue de réussir son examen.*

• **Pour que, afin que, de crainte que, de peur que (ne)** + SUBJONCTIF

- *Ils ont légalisé le CV anonyme afin que les minorités aient leurs chances à l'embauche.*

- *Il faudrait se mobiliser pour que l'expression « vivre ensemble » ait un sens.*

• **Que** + IMPÉRATIF (registre familier)

Viens ici que je t'explique !

Dans une **proposition relative** après un verbe principal exprimant le souhait.

On aimerait une école qui soit plus juste.

B. À partir des formes grammaticales, répondez de différentes manières à la question : « Dans quel but peut-on faire un plaidoyer ? »

VOIR LE BUT PAGE 139

C'EST ENCORE LOIN LE PÉRIPH' ?

A. Dans le titre du texte de la page 68, à quoi correspondent « Sciences-Po » et « périph » ?

B. Donnez les mots complets correspondant à ces abréviations. Comment ont-ils été formés ?

info   photo   expo   philo

C. À quels mots complets correspondent les abréviations suivantes ? En quoi leur règle de formation est-elle différente ?

apéro   frigo   intello   dico

D. Quelle est l'abréviation correspondant à ces mots complets ?

géographie   machiste   interrogation   promotion

prolétaire   alcoolique   propriétaire

L'HEURE DES CONFIDENCES...

Pour exprimer des regrets ou des reproches, on peut utiliser :

• le **conditionnel passé** dans une phrase simple.

J'aurais dû écouter mon père. (regret)
Tu aurais pu m'en parler avant. (reproche)

• le **plus-que-parfait** dans une phrase hypothétique qui commence par **si + le conditionnel** (présent ou passé).

Si tu m'en avais parlé avant, on n'aurait pas cette discussion aujourd'hui.
Si tu m'en avais parlé avant je t'aurais pardonné.

• le **gérondif** suivi d'un verbe au conditionnel passé.

Dans cette dernière construction, les deux sujets doivent être identiques.
En en parlant avant , on aurait pris la bonne décision.

A. En utilisant l'un des modèles de construction ci-dessus, imaginez des reproches que l'on pourrait entendre dans les domaines de l'amitié, de l'amour, de l'école, du travail, de l'argent.

• Si vous aviez révisé, vous auriez mieux réussi l'examen.

B. Reprenez les phrases que vous avez produites et récrivez-les en utilisant un autre des trois modèles.

UN PARI GAGNÉ

A. Relisez le texte page 68 et complétez le tableau.

Arguments	Contre-arguments
- Toutes les grandes écoles ont mis en place des dispositifs de diversité sociale. - ...	- Au final, les élèves qui se présentent proviennent toujours des « grands » lycées. - ...

B. À partir du tableau, choisissez quelques connecteurs et résumez le texte tout en veillant à bien marquer la progression.

Progression	Connecteurs utilisés
Liste d'arguments	Ainsi, toujours est-il...
Justification de l'argument	Certes, d'autant plus que...
Déduction de l'argument précédent	Quand même, or...
Réfutation de l'argument précédent	Mais, pourtant, néanmoins, toutefois...

➔ VOIR ARGUMENTER SON DISCOURS PAGE 149

C. Qui l'auteur cherche-t-il à convaincre ? Pour quelles raisons ? D'après vous, est-ce un plaidoyer ?

Un plaidoyer c'est :

▸ S'adresser à un groupe pour le persuader de prendre une décision qui concerne l'avenir.

▸ Vanter les mérites ou les défauts d'une personne ou d'une institution.

▸ Défendre ou attaquer quelqu'un pour persuader l'auditoire de son innocence ou de sa culpabilité.

5. ÉCOLE POUR TOUS

A. Lisez l'article suivant. Quel constat fait la journaliste de l'école française actuelle ?

B. Que reproche-t-elle au débat actuel sur l'école et aux mesures prises pour l'améliorer ? Quelles peuvent être à votre avis ces « propositions pour refonder l'école » ?

UNE ÉCOLE POUR L'ÉLITE ?

L'école est en plein remue-ménage. La publication le 7 décembre de l'enquête Pisa (Programme international pour le suivi des acquis des élèves) réalisée par l'OCDE est venue confirmer ce que chacun observe : l'école française est de plus en plus inégalitaire. Pourquoi gomme-t-elle moins que les autres les effets du milieu de naissance ? L'école ne tire plus les élèves vers le haut mais se contente de les trier. Historiquement élitiste, elle délaisse aujourd'hui l'éducation prioritaire et s'en tient à un système pensé pour les héritiers. On n'accompagne plus. On ne soutient plus. On évalue le potentiel d'un élève sur lequel investir comme on évaluerait une opportunité commerciale.

Ce n'est pas une fatalité mais bien un choix politique: «L'égalité des chances dans l'éducation est possible même lorsque le milieu socio-économique des élèves varie fortement », signale l'OCDE. À condition de s'en donner les moyens. Mais l'école est estourbie par les suppressions de postes, qui laissent depuis deux ans des élèves sans enseignants, sans surveillants, sans conseiller d'orientation, sans psychologue, voire sans établissement. [...]

L'école est bousculée par la réforme qui affecte la formation des maîtres et les expédie tout bleus devant les élèves depuis septembre. Il y a bien eu un débat national sur l'avenir de l'école six ans plus tôt, une consultation sur les violences scolaires, celle sur les rythmes... Et le ministre Luc Chatel tente de mettre en avant l'aménagement des rythmes scolaires, la suspension des allocations familiales en cas d'absentéisme (qui stigmatise toujours plus), l'anglais dès 3 ans. Mais qu'en est-il des contenus d'apprentissage et de formation ? De la pédagogie dans la classe? De ce qui engendre de l'échec et de l'exclusion?

Malgré ce triste constat, l'école publique et ceux qui y croient ont encore des ressources. Témoin, la mobilisation autour du collectif « L'éducation est notre avenir ». Des propositions existent pour refonder l'école, mais le débat n'a pas lieu. Pas encore.

Ingrid Merckx, politis.fr, jeudi 27 janvier 2011

C. Feriez-vous les mêmes observations sur le système scolaire de votre pays ?

6. LIBERTÉ, ÉGALITÉ ?

A. Pourquoi, à votre avis, la France a-t-elle écarté jusqu'à présent l'idée de « discrimination positive » ?

B. Écoutez la chronique et dites en quelques mots quel est le dispositif dont il est question.

Piste 18

C. Pourquoi a-t-on invité Zineb Akharraz ? Quel témoignage apporte-t-elle ? Quelles sont les difficultés qu'elle a rencontrées, dans quel domaine ? Comment a-t-elle pu les surmonter ?

LA « DISCRIMINATION POSITIVE »

La liberté sans contrôle produit des discriminations qui génèrent de l'inégalité. D'où l'idée, en soi paradoxale, d'introduire dans la société des « discrimations positives » limitant certaines libertés pour rétablir une certaine égalité.

Le handicap, le sexe, le patronyme, la couleur de la peau, le lieu de résidence sont les principaux facteurs de discrimination, les sociologues insistant sur le caractère cumulatif de certains facteurs. Les sociétés démocratiques modernes affirment l'égalité de tous devant la loi. Mais entre l'égalité de droit et l'égalité de fait, des écarts subsistent, dans des domaines comme l'accès au marché du travail, au crédit, au logement ou encore l'entrée dans certains lieux publics ou privés.

Certains pays, comme les États-Unis, pratiquent la discrimination positive (*affirmative action*), avec une politique de quotas et des droits spécifiques accordés aux minorités pour les aider à corriger les inégalités. Jusqu'à présent, la France a écarté cette option, mais la législation a évolué récemment afin de permettre aux victimes de discriminations de faire valoir leurs droits et d'obtenir réparation.

D. Existe-t-il chez vous un dispositif semblable ? Comment fonctionne-t-il ?

E. Êtes-vous favorable ou opposé à la « discrimination positive » ? Discutez-en en groupes, puis faites en classe un compte-rendu de votre débat.

7. ÉVALUER SANS NOTER ?

A. Lisez cet article. Qu'est-ce qu'une note « fiable » ? Pour les spécialistes de l'évaluation, qu'est-ce qui démontre que les notes données dans le système scolaire français ne le sont pas ?

B. Quels sont les effets négatifs de la notation dénoncés dans cet article ?

C. Êtes-vous d'accord avec l'analyse faite par le journaliste ? Selon vous, par quoi pourrait-on remplacer les notes ? Discutez-en entre vous.

Notation : **une absurde loterie**

Voilà un siècle et demi qu'on évalue les élèves de façon inefficace et arbitraire. Mais il ne faut surtout pas le dire. Les notes sont injustes. Flanquées à la tête du client, selon l'humeur du capitaine ou la vitesse du vent. Mauvaise excuse de potache ? Pas du tout : conclusion de nombreux chercheurs. Et cela ne date pas d'aujourd'hui : « Dès les années 1920, les docimologues ont mis en évidence le manque de fiabilité des notes, leur caractère souvent arbitraire », dit Sylvène Kitabgi, qui vient de réaliser une étude sur cette question pour la Chambre de commerce de Paris*. Même s'ils ont à cœur d'être impartiaux, les enseignants sont, à leur insu, influencés par toutes sortes de choses : le niveau de la classe, le sexe de l'élève, son origine sociale ou encore... l'ordre de correction des copies. Sans parler de l'effet bien connu du niveau de l'établissement, les plus élitistes mettant un point d'honneur à être particulièrement secs. C'est si vrai qu'à Paris le rectorat « pondère » selon les collèges les notes prises en compte pour affecter les élèves dans tel ou tel lycée...

« Ces biais ont été démontrés par des études scientifiques très sérieuses, mais on fait toujours comme s'ils n'existaient pas ! On ne change rien au système », constate la spécialiste. Bruno Suchaut, directeur de l'Institut de Recherche sur l'Éducation, confirme : « Cette façon d'évaluer les connaissances des élèves est aléatoire et biaisée de multiples façons. Les spécialistes le savent depuis longtemps, mais pas le grand public. Cela reste tabou. » Ce chercheur parle d'expérience. En 2008, il met discrètement en ligne une étude intitulée : « La loterie des notes au bac ». Celle-ci montre qu'une même copie du bac soumise à trente correcteurs peut voir son score varier de dix points. Et elle fait aussitôt scandale. « J'ai été très surpris !, dit son auteur. Il s'agissait juste d'une illustration très banale de faits déjà mis en évidence par de nombreux travaux. » Notamment une étude qui remonte à 1962 et qui concluait que, pour obtenir une note « juste » aux épreuves du bac, il faudrait faire la moyenne de celles

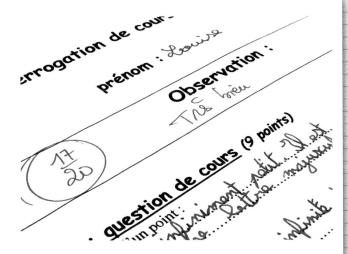

données par 13 correcteurs en maths, 78 en français et 127 en philo... Plus grave : ces notes si peu fiables que nous pratiquons sans rien y changer ou presque depuis 1880 sont le pilier même de l'orientation. « C'est absurde, on décide du devenir de jeunes en s'appuyant sur un outil obsolète, peu fiable, au lieu de s'intéresser à leurs différentes compétences, aptitudes, aspirations. Il s'agit juste de les trier », regrette Michèle Dain, directrice du Biop, le centre d'orientation de la Chambre de commerce de Paris.

Ce centre reçoit chaque année plus d'un millier de jeunes, premiers de classe ou exclus de l'école. Michèle Dain est frappée par leur désarroi grandissant : « On parle beaucoup du stress des salariés, de la souffrance au travail, de harcèlement, mais on ne réalise pas que tout cela existe plus encore à l'école. » En cause notamment ces contrôles « à l'ancienne », inefficaces, qui « ne donnent pas aux élèves des outils pour progresser », étroits dans les compétences évaluées et, de surcroît, bien plus fréquents chez nous que chez nos voisins. Dans certains pays – Finlande, Suisse, Danemark, mais oui, c'est possible ! –, on se passe tout simplement de notes !

*« L'évaluation scolaire est-elle au service de l'orientation ? »

Le Nouvel observateur, 25 mars 2010

8. REDONNER TOUTES SES CHANCES

Nous allons présenter un dispositif de réussite éducative sous forme de plaidoyer et le présenter aux autres.

A. Lisez le document. Recherchez d'autres informations sur ces différents dispositifs tels qu'ils sont mis en œuvre en France, dans d'autres pays francophones et dans votre pays, ainsi qu'éventuellement sur d'autres dispositifs de ce type.

B. Par groupes, choisissez un dispositif qui vous paraît particulièrement nécessaire et efficace. Complétez vos recherches sur ce dispositif et préparez votre plaidoyer. Pensez aux contre-arguments possibles, de manière à devancer les réserves et critiques qui pourraient vous être faites.

C. Présentez votre plaidoyer devant la classe entière.

D. Après en avoir discuté, la classe vote pour élire parmi les différents plaidoyers celui qui a le mieux respecté les lois du genre et qui a paru le plus convaincant.

1) La pédagogie différenciée

Les élèves d'une même classe travaillent systématiquement par groupes constamment rebrassés selon les niveaux, selon les objectifs ou les thèmes choisis par les uns et les autres pour la séquence de travail, etc. Mais certains enseignants – et certains élèves !... – considèrent que la justice consiste de la part de l'enseignant à proposer constamment à tous les élèves les mêmes activités avec les mêmes aides et les mêmes guidages, que les groupes de niveaux stigmatisent les élèves les plus faibles, qu'il serait injuste pour les meilleurs d'être évalués sur des travaux plus difficiles…

2) Les sessions de rattrapage

Au baccalauréat français, par exemple, lorsqu'un candidat n'est pas reçu mais est proche de la moyenne générale (entre 8 et 10/20), il a le droit de passer un « oral de rattrapage ». Dans certaines universités européennes, les étudiants ont droit à une session de rattrapage, avec un examen individualisé, éventuellement. Autre exemple : certains enseignants donnent un deuxième examen à leurs élèves si les résultats du premier sont trop mauvais…

3) Les « groupes-matières »

On regroupe les élèves non pas selon leur âge, comme c'est toujours actuellement le cas, mais par matières (mathématiques, histoire, français…) selon le niveau atteint par chaque élève dans chacune d'entre elles : c'est là une vieille revendication de beaucoup de pédagogues.

4) Les cursus différenciés

Ce dispositif se combine avec le précédent : tout au long des années du lycée, les élèves valident dès qu'ils le peuvent les matières évaluées au baccalauréat, sans attendre forcément la date de cet examen terminal.

5) Les matières optatives

Ce dispositif, qui peut aussi se combiner avec les deux précédents, permet aux élèves de composer individuellement une part de leur cursus (25 % dans certains pays européens) par des matières optatives ou un renforcement de certaines matières obligatoires.

6) Le redoublement

Un élève recommence la même classe une deuxième année s'il n'a pas atteint à la fin d'une année le niveau attendu pour passer dans la classe suivante. La France est un pays où le taux de redoublement est particulièrement élevé. Certains des pays qui ont les meilleurs résultats aux comparaisons internationales ont au contraire systématisé le principe de non-redoublement.

7) L'orientation plus précoce… ou plus tardive

Certains considèrent qu'il vaut mieux orienter le plus tôt possible les élèves selon leurs intérêts ou leurs résultats : dans des filières littéraires ou scientifiques, par exemple ; ou encore dans des études courtes débouchant sur l'apprentissage ou des études longues ouvrant les portes de l'université. D'autres considèrent que cette orientation précoce réduit les chances des élèves des milieux les plus modestes. On retrouve cette question dans les débats souvent vifs, en France, au sujet du « collège unique » ou de la « seconde indifférenciée ».

9. LUI REDONNER UNE CHANCE ?

Nous allons préparer un plaidoyer pour redonner une chance à un personnage historique.

A. En classe, le groupe sélectionne un personnage réel ou de fiction du passé qui mériterait peut-être une nouvelle chance dans l'actualité : un autre destin, une révision de son procès…

B. Un groupe choisit de défendre la seconde chance de ce personnage, un autre de la contester. Chaque groupe recherche les informations et les arguments en faveur de sa thèse.

C. La classe se réunit en tribunal. Chaque groupe plaide oralement sa cause, puis le débat s'engage entre les deux parties sous le contrôle du président (le professeur).

D. Chaque groupe se réunit à nouveau pour rédiger sa synthèse des débats.

E. Les deux synthèses sont lues et discutées en classe. Une décision finale est prise, soit par consensus, soit par vote. Avec l'aide du professeur, la classe rédige un compte-rendu synthétique de cette séance finale.

Le procès de Louis XVI. Louis XVI devant la Convention en décembre 1792, Gravure de Miller, 1802. © J.-L. Charmet

1. ENTRÉE EN MATIÈRE

Piste 19

Écoutez l'enregistrement. Classez les mots dans les domaines suivants.

Compétences dans le domaine relationnel	Compétences dans le domaine intellectuel	Qualités personnelles

2. DOSSIER DOCUMENTAIRE

Piste 20

A. Écoutez le sketch d'Anne Roumanoff et relevez tous les indices qui montrent sa préparation préalable à l'entretien.

B. Lisez le document suivant. Les conseils sont classés par ordre chronologique. Classez-les selon le degré d'importance que vous leur accordez.

Entretien d'embauche : les 7 détails qui font la différence

L'entretien d'embauche est un vrai parcours du combattant. Le seul moyen d'assurer le jour J : se préparer. Pour vous aider dans cet exercice, des recruteurs vous révèlent 7 détails décisifs pour donner une bonne impression.

1. L'heure d'arrivée
Ni trop tôt, ni trop tard. Pas la peine d'arriver une demi-heure en avance et de faire les cent pas devant la secrétaire. Mieux vaut rester dans la voiture à peaufiner l'entretien à venir. [...]

2. La tenue vestimentaire
Tout le monde le sait : on ne vient pas à un entretien d'embauche en sandales et chemise hawaïenne. Mais le costume-cravate n'est pas toujours de rigueur. [...] Les avis divergent sur le sujet. Certains estiment que le tailleur et le costume sont obligatoires mais d'autres préfèrent que le candidat reste lui-même. [...]

3. La rencontre
Ne sous-estimez jamais le tout premier contact que vous avez avec un recruteur. Il donne le ton et lui permet déjà de se faire une première opinion. Levez-vous à son arrivée, souriez amicalement et serrez-lui la main. [...]

4. Les trois premières minutes
Tous les responsables RH sont unanimes : les trois premières minutes sont cruciales. Elles suffisent parfois pour anéantir une candidature. Pour éviter de faire mauvaise impression, les recruteurs ont leurs recettes :
- Soyez positif et non sur la défensive.
- Adoptez une attitude calme et décontractée sans tomber dans la désinvolture.
- Maîtrisez votre langage corporel, faites sentir que vous gérez la situation.
- Ne répondez pas seulement par oui ou non, restez ouvert sans être trop bavard.

5. Une question qui fâche
Quelles sont vos qualités et vos défauts ? Voilà une étape quasi incontournable dans les entretiens d'embauche, « une question vouée à déstabiliser le candidat », de l'aveu même d'Audrey Blanc, « car c'est la réaction qui nous intéresse plus que la réponse. » Puisque vous ne pourrez pas y couper, autant vous y préparer. [...]

6. Délicate négociation salariale
Parler salaire. Un sujet qui angoisse et augmente le stress. Audrey Blanc a son point de vue pour faciliter la discussion : « N'en parlez pas avant le recruteur. Si votre interlocuteur ne met pas le sujet sur la table, ça peut être volontaire. Dans ce cas, parlez-en uniquement quand il vous invite à poser des questions, en fin d'entretien. Renseignez-vous au préalable et donnez un salaire très légèrement gonflé. Ne donnez pas une fourchette car les recruteurs se basent souvent sur la plus petite valeur. » [...]

7. Au moment de se dire au revoir
À la fin de l'entretien, n'hésitez pas à questionner le recruteur sur la suite du processus de recrutement. Demandez par exemple si vous devez recontacter l'entreprise ou attendre de ses nouvelles. Cela vous évitera bien des angoisses.

Enfin, n'oubliez pas de rappeler votre motivation et de remercier vos interlocuteurs pour le temps qu'ils vous ont consacré.

Le conseil en plus : RE-LA-TI-VI-SEZ

Le calme peut faire des miracles. À l'inverse, l'anxiété ruine parfois la candidature de très bons profils. Avant de se lancer dans l'arène, Julie-Isabelle Binon conseille de travailler sur son stress. [...] « Le candidat parfait n'existe pas, vous avez le droit à l'erreur », ajoute Audrey Blanc de Sodifrance.

Sylvain Luneau © Keljob – Mars 2011

C. Lisez le document suivant. Ces différents points faibles seraient-ils considérés comme tels dans votre pays ? Quel est le profil idéal du candidat en France ?

Entretien : comment parler de ses points faibles

Période de chômage, échecs, diplôme décalé... Les recruteurs ne manqueront pas de pointer du doigt les points faibles de votre parcours. Mieux vaut se préparer à leur répondre.

Vous avez échoué sur un projet

La branche que vous dirigez est en train de péricliter, vous avez changé de fonction deux fois en un an... Pas question de passer sous silence ces échecs. « Les candidats doivent en parler en étant capables de faire leur auto-critique », conseille Damien Crequer, associé du cabinet de recrutement Taste. À vous de démontrer que ces expériences vous ont aidé à mieux cerner votre projet professionnel. Désormais, vous savez ce que vous êtes en mesure d'accomplir brillamment et ce que vous ne souhaitez plus faire. Cette auto-analyse atteste de votre capacité à prendre du recul, à trancher quand il le faut et donc à être très réactif. Tout ce qu'apprécient les recruteurs.

Vous avez été au chômage

Même s'il ne faut pas se mentir, les recruteurs ne courent pas nécessairement après les demandeurs d'emploi, leur perception d'une période de chômage a évolué. À cause de la crise mais aussi des carrières en dents de scie, certains ont aussi été confrontés à des périodes d'inactivité. [...]

Vous vous êtes fait plaisir

Congé parental, tour du monde... Vous avez consacré les six derniers mois à voyager ou à pouponner. Eh bien, assumez ouvertement votre choix sur votre CV et lors de l'entretien en disant que c'était pour vous le bon timing mais que cette page est tournée. Toutefois, montrez que pendant cette pause, vous êtes resté connecté au monde professionnel. [...]

Vous avez été malade

Là encore, jouez la carte de la transparence. Si l'absence a été longue, mieux vaut l'indiquer dans le CV (« absence suite à un problème de santé »). Si elle a été de plus courte durée, l'exprimer de manière claire en entretien suffit. Attention à ne pas déballer votre dossier médical. Au contraire, dites bien que tout est rentré dans l'ordre et enchaînez sur vos compétences, rien que vos compétences.

Sylvie Laidet © Cadremploi.fr

D. Rédigez un mini-guide pratique dont le titre serait : *Réussir un entretien d'embauche*.

3. TÂCHE

A. En groupe-classe, choisissez deux profils de poste. Faites deux groupes. Les groupes A (les recruteurs) et B (les candidats) préparent leur entretien.

B. Simulez un entretien d'embauche. Un recruteur reçoit en entretien individuel trois candidats. Les groupes qui observent donneront leur opinion quant à la pertinence de la présentation puis des réponses du candidat.

C. Individuellement et d'après l'évaluation de vos camarades, faites la liste des points positifs et négatifs de votre entretien d'embauche afin de mieux vous préparer pour le jour J.

Pouvoir le dire

À la fin de cette unité, nous allons écrire une lettre ouverte et/ou faire une pétition.

responsable
dignité
sacrifier lutter
révolter
avenir
respect
changement
contre
mobilisation
refuser
exiger face
manifester
ensemble tolérer
capable agir
différent
proposer société
engagement
protester enfin
jeunesse
révolution admettre
possible

Premier contact

1. RÉAGISSONS !

A. Quels problèmes sont suggérés par ces slogans souvent repris par les contestataires ? En connaissez-vous d'autres ?

- La santé n'est pas à vendre !

- L'éducation pour tous !

- Pas d'OGM dans nos assiettes !

- Du boulot pour les jeunes, du repos pour les vieux !

- Qui sème la misère, récolte la colère.

B. Sélectionnez des mots dans le nuage et inventez d'autres slogans.

C. À votre avis, pourquoi des enfants manifesteraient-ils leur indignation ?

2. INDIGNEZ-VOUS !

A. Ce livre s'est vendu à des millions d'exemplaires. Le connaissez-vous ?

B. Lisez le titre du texte ci-dessous et faites des hypothèses sur son contenu.

C. Lisez le texte et faites-en un résumé.

⇨ **VOIR** LE RÉSUMÉ **PAGE 146**

INDIGNEZ VOUS !

STÉPHANE HESSEL

D. Relisez le texte et échangez vos opinions sur les idées exprimées par son auteur.

E. Quels sont les thèmes qui vous laissent indifférents ? Dans quelles situations concrètes avez-vous pensé : « Je n'y peux rien ! » ou « J'en ai rien à faire ! » ou « Qu'est-ce qu'on peut (bien) y changer ? »

F. Quels autres thèmes vous semblent justifier votre indignation ? Parlez-en avec vos camarades.

L'INDIFFÉRENCE : LA PIRE DES ATTITUDES

C'est vrai, les raisons de s'indigner peuvent paraître aujourd'hui moins nettes ou le monde trop complexe. Qui commande, qui décide ? Il n'est pas toujours facile de distinguer entre tous les courants qui nous gouvernent. Nous n'avons plus affaire à une petite élite dont nous comprenons clairement les agissements. C'est un vaste monde, dont nous sentons bien qu'il est interdépendant. Nous vivons dans une interconnectivité comme jamais encore il n'en a existé. Mais dans ce monde, il y a des choses insupportables. Pour le voir, il faut bien regarder, chercher. Je dis aux jeunes : cherchez un peu, vous allez trouver. **La pire des attitudes est l'indifférence**, dire « je n'y peux rien, je me débrouille ». En vous comportant ainsi, vous perdez l'une des composantes essentielles qui fait l'humain. Une des composantes indispensables : la faculté d'indignation et l'engagement qui en est la conséquence.

On peut déjà identifier deux grands nouveaux défis :

1 L'immense écart qui existe entre les très pauvres et les très riches et qui ne cesse de s'accroître. C'est une innovation des XXᵉ et XXIᵉ siècles. Les très pauvres dans le monde d'aujourd'hui gagnent à peine deux dollars par jour. On ne peut pas laisser cet écart se creuser encore. Ce constat seul doit susciter un engagement.

2 Les droits de l'homme et l'état de la planète [...] Je ne résiste pas à l'envie de citer l'article 15 de la Déclaration universelle des Droits de l'homme : « Tout individu a droit à une nationalité » ; l'article 22 : « Toute personne, en tant que membre de la société, a droit à

la Sécurité sociale ; elle est fondée à obtenir la satisfaction des droits économiques, sociaux et culturels indispensables à sa dignité et au libre développement de sa personnalité, grâce à l'effort national et à la coopération internationale, compte tenu de l'organisation et des ressources de chaque pays. » Et si cette affirmation a une portée déclarative, et non pas juridique, elle n'en a pas moins joué un rôle puissant depuis 1948 ; on a vu des peuples colonisés s'en saisir dans leur lutte d'indépendance ; elle a ensemencé les esprits dans leur combat pour la liberté.

Je constate avec plaisir qu'au cours des dernières décennies se sont multipliés les organisations non gouvernementales, les mouvements sociaux comme Attac (Association pour la taxation des transactions financières), la FIDH (Fédération internationale des Droits de l'homme), Amnesty... qui sont agissants et performants. Il est évident que pour être efficace aujourd'hui, il faut agir en réseau, profiter de tous les moyens modernes de communication.

Aux jeunes, je dis : regardez autour de vous, vous y trouverez les thèmes qui justifient votre indignation — le traitement fait aux immigrés, aux sans-papiers, aux Roms. Vous trouverez des situations concrètes qui vous amènent à donner cours à une action citoyenne forte. Cherchez et vous trouverez !

Stéphane Hessel, Indignez-vous !, Indigène Éditions, décembre 2010

3. LETTRE OUVERTE À M. LE MINISTRE

A. Qui sont les auteurs de cette lettre ouverte ? Pour quel motif l'ont-ils écrite ? Quelle réponse attendent-ils ?

LETTRE OUVERTE À M. LE MINISTRE LUC CHATEL

Monsieur le Ministre,

En tant que parents d'élèves passant le bac S, nous sommes consternés d'apprendre votre décision relative à l'annulation d'un exercice de maths.

En effet, les élèves honnêtes qui ont travaillé sur cet exercice sans tricher seront pénalisés. De plus, certains élèves ont pris connaissance de cette information juste avant leur dernière épreuve de Sciences de la vie et de la Terre. Ils sont donc partis dépités en pensant que leur bac était foutu. BRAVO M. LE MINISTRE pour votre délicate attention.

C'est nous, parents, qui devrions porter plainte contre vous dans le cas où vous maintiendriez votre décision. Nous vous demandons de punir les tricheurs et éventuellement d'organiser une nouvelle épreuve mais en aucun cas de supprimer des points aux élèves honnêtes.

Des parents d'élèves en colère

www.petitionduweb.com

B. Quels éléments habituels d'une lettre formelle retrouve-t-on dans ce document ? En quoi cette lettre est-elle différente ?

C. Repérez les différents éléments de l'argumentation mise en œuvre par les auteurs.

D. Pour quelle raison ont-ils choisi la lettre ouverte comme forme de protestation ? Quels autres moyens d'action auraient-ils pu envisager ?

4. LA MAISON RONCHONCHON

A. Lisez les paroles de la chanson et retrouvez les mots relatifs au mauvais caractère du ronchon.

La maison Ronchonchon

[Refrain] T'es ronchonchon, toi, ouais
T'es ronchonchon
Toi t'es fâché, toi t'es grincheux, toi t'es ronchon
Si t'es chafouin, fais attention

Ou je t'emmène dans la maison des ronchonchons.
C'est une maison grise, adossée à une mine de sidérurgie désaffectée
On y vient à pied, on a un peu peur
Les gens qui vivent là sont tous de mauvaise humeur
Y a Jean-Pierre Ronchonchon qui râloche sans arrêt
En cherchant la clé de la maison des ronchonchons
Et Bernard Vénère qui lui crie après : « Qu'as-tu fait de la clé de la maison, Ronchonchon ? »
Et Marie-Pierre Grognon, vraiment ça l'énerve
Quand y a Bernard qui dit à Jean-Pierre qu'a perdu un truc : « Qu'est-ce que t'en as fait ?»
Si je le savais, il ne serait pas perdu
Et ça m'énerve, ça m'énerve, ça m'énerve !

[Refrain]

Nous approchons de la maison des ronchonchons.
Jean-Pierre Ronchonchon a retrouvé la clé
Sous le paillasson de la maison des ronchonchons
Et Bernard Vénère lui dit :
« Ça, je le savais, ça ! Tu perds toujours ta clé
Sous le paillasson, hé, ronchonchon ! »
Et Marie-Pierre Grognon, vraiment, ça l'énerve
Quand y a Bernard qui dit à Jean-Pierre qu'a retrouvé un truc : « Je savais où c'était ! »
Si tu le savais, pourquoi tu l'as pas retrouvé toi-même ?
Ça m'énerve, ça m'énerve !
[bis]

[Refrain]

On va dîner dans la maison des ronchonchons
Il faut une fin à cette sombre histoire
Une grande morale à cette petite chanson
Si t'es trop grognard, si t'es trop ronchon
Tu passeras ta soirée avec des cons
– Avec des quoi ?
– Bah des ronchonchons, quoi ! Du genre fâché, grincheux et puis ronchon...

Lise Cherhal – Alexis HK (c), Éditions Raoul Breton – Abacaba Editions, extrait de l'album *Les affranchis* [p] La Familia

B. En petits groupes, faites le portrait du ronchon. Connaissez-vous quelqu'un qui puisse répondre à ce portrait ?

C. Cherchez des exemples de personnages célèbres à faire deviner aux autres.

5. FEUILLE BLANCHE

A. Qui a rédigé cette lettre ? À qui est-elle adressée ? Pourquoi ?

LETTRE OUVERTE À LA FEUILLE BLANCHE

C'est une lutte entre toi et moi. Depuis le moment où j'ai choisi de gagner ma vie par ce qu'on appelle, d'une manière un peu pompeuse « les fruits de l'esprit », tu es devenue mon ennemie, mon bourreau. Ce genre d'angoisse, ces sueurs froides, cette nervosité, je ne les éprouve pas dans ma vie que j'ai rendue paisible et calme. Je n'ai jamais eu autant la trouille devant le public que devant toi, maintenant transformée en un petit bâtonnet clignotant sur l'écran lumineux de mon ordinateur. Parfois, j'ai l'impression que tu es un immense bloc de pierre, de marbre, que je dois sculpter. Le malheur est que, moi, je n'apprécie que les chefs-d'œuvre et mes mains tremblent souvent. Il faut être précis, il faut trouver le mot juste, il faut que les mots frappent là où ma pensée vague a frôlé la vérité.

En plus, il faut que ça soit beau, que ça séduise, que ça convainque. Parfois, je réussis. Parfois, à l'aube, je mets le point final et je m'endors satisfaite, épuisée par cette lutte qui a duré des semaines, des mois entiers. Alors, je suis capable de relire des dizaines de fois mes textes, de jubiler même et de les oublier. Je sais qu'ils me réconforteront après, quand je serai à nouveau devant toi, implacable et muette. J'aurai le dernier mot.

Extrait d'un recueil de lettres ouvertes réalisé dans un atelier d'écriture mené par Danielle Auby et publié par le Centre Régional du Livre de Bourgogne (2006).

B. Notez tout ce qui caractérise l'état d'esprit de l'auteur, tout au long de son travail.

État d'esprit positif	
État d'esprit négatif	

C. Quelles sont les exigences de l'auteur vis-à-vis de ses textes ?

D. En quoi cette lettre ouverte est-elle une forme de thérapie ?

E. Quels conseils donneriez-vous à l'auteur pour remplir la feuille blanche ?

6. VIE QUOTIDIENNE : RAS LE BOL !

Piste 21

A. Écoutez ce message et dites quels sont les différents sujets de récriminations de cet usager.

B. Réécoutez le document et dites en quoi ces récriminations ne sont pas éthiquement correctes.

C. Vous plaignez-vous, vous aussi, des transports ? Des fraudeurs ? D'autres réalités de la vie quotidienne ?

CHEVAL DE BATAILLE !

A. Soulignez dans le texte suivant les pronoms et locutions pronominales indéfinis.

[note manuscrite en haut : on il elle vous nous]

[note manuscrite dans la marge : vague sub for pronouns]

> On a tous de bonnes raisons pour s'indigner. Tout le monde a son cheval de bataille : pour certains, ce sont les grèves à répétition ; pour d'autres ce sont les gaspillages, avec tout ce qui finit à la poubelle.
>
> Bien sûr, personne n'est insensible aux injustices et chacun réagit d'une façon ou d'une autre : manifestations publiques, lettres ouvertes à la presse, pétitions…
>
> Mais, aujourd'hui, ce sont aussi les inégalités que beaucoup ne supportent plus, comme le prouvent les différentes protestations organisées dans de nombreux pays. Est-il encore possible pour quelqu'un d'ignorer cette montée générale de l'indignation ?

B. Citez-en d'autres et consultez le descriptif du PRONOM ON dans le précis grammatical.

➡ **VOIR** LE PRONOM ON **PAGE 131**

C. Remplacez les mots en italique par un pronom indéfini.

[notes manuscrites : certains / beaucoup des étudiants / d'autres certains]

Vote à l'université. *Une partie des* étudiants étaient en faveur d'une nouvelle élection au sein de leur syndicat et *une autre partie* n'en voyait pas l'utilité, d'où la décision d'un vote auquel *100%* ont participé et dont les résultats seront connus très prochainement.

[note manuscrite : ça varie la répétition]

PAS CONTENTS !

Des expressions impersonnelles pour marquer son mécontentement

On peut qualifier sa réaction face à l'événement ou la situation avec des adjectifs tels que : *étonnant, stupéfiant, navrant, révoltant, décevant, inadmissible, crispant…*

Il est		de + INFINITIF
	+ ADJECTIF	
C'est		que + SUBJONCTIF

A. En utilisant l'une ou l'autre de ces constructions, reformulez quelques slogans de la page 78 ou d'autres que vous connaissez.

- Il est scandaleux que la santé soit à vendre !
- C'est inadmissible d'avoir fait ça / qu'on ait fait ça.

B. Choisissez des situations de la vie quotidienne ou de grands problèmes planétaires et exprimez votre mécontentement.

C'EST INTOLÉRABLE

A. *C'est intolérable ! C'est insupportable !* Imaginez, sur le même modèle, d'autres exclamations exprimant le mécontentement. Comment sont formés ces adjectifs ?

B. Donnez le contraire lexical des mots suivants soit en leur ajoutant un préfixe (**ir-**, **in-**, **il-**, **im-**, **mé-**, **dés-**) soit en changeant le préfixe, comme dans l'exemple.

importer	exporter
responsable	
possible	
légal	
espoir	
acceptable	
bienveillance	
réfléchi	
imaginable	
content	

C. Formez des adjectifs à l'aide des préfixes : **sur-**, **anti-**, **extra-**, **pré-**, **ultra-**, **archi-**, **super-**. Vérifiez ensuite avec votre professeur ou à l'aide d'un dictionnaire si ces adjectifs existent vraiment.

PROBLÈMES SUR LA LIGNE B DU RER ?

A. Lisez le texte. De quoi l'internaute se plaint-il ?

forum du mag
vos coups de cœur et vos coups de gueule

mag_forum_2012.vo

actualité | logement | transport | sorties | contacts

J.P.
le 9 mars
2012

RER B

Je suis estomaqué en lisant les propos de la directrice du STIF dans le numéro de ce mercredi. Ainsi donc, en 2011, toutes les lignes ont eu des difficultés sauf le RER B. Mais, chère madame, il y a tous les jours des problèmes sur le RER B !!! Et, scoop : en 2012 c'est pire qu'en 2011... *Avant de subir les projets du Grand Paris, les Français aimeraient que le RER soit entretenu et fonctionne normalement.* Mais cela semble mal parti...

B. Observez la phrase en italique, puis remplacez le verbe *aimer* par le verbe *espérer* au présent et terminez la phrase. Que remarquez-vous ?

C. En groupes, choisissez un thème de mécontentement et construisez un texte de quelques phrases réutilisant un maximum de ces constructions.

↪ **VOIR** LE SUBJONCTIF **PAGE 137**

Quelques emplois des différents modes dans les phrases complexes.

• On utilise **le subjonctif** après les verbes et expressions verbales qui traduisent le désir, le regret, l'étonnement, l'opinion (à la forme négative), les sentiments, l'appréciation, le doute, ainsi que dans la plupart des constructions impersonnelles.
J'aimerais que tu agisses rapidement.

✋ On utilise **l'indicatif** après le verbe *espérer*.
J'espère qu'il agira rapidement.

• On utilise **l'infinitif** au lieu du subjonctif si le sujet du 2ème verbe est le même que celui du premier.

DESCENDRE DANS LA RUE !

On manifeste pour obtenir quelque chose : « pour plus de justice sociale », par exemple (*expression du but*). Mais avant, il y a toujours une raison, un motif à l'origine de la manifestation (*expression de la cause*) : « parce que les inégalités sociales s'accroissent ».

La cause	parce que, puisque, comme, car, en effet, étant donné (que), du fait de/que, en raison de, suite à, à la suite de, en réaction à...

A. Imaginez ce que pourraient déclarer à un journaliste des manifestants qui scandent les slogans de la page 78.

• Nous sommes furieux de l'autorisation donnée à la culture des OGM, en raison du danger qu'ils représentent pour la biodiversité.

B. Justifiez votre mécontentement sur des questions que vous considérez comme importantes.

↪ **VOIR** LA CAUSE **PAGE 139**

7. MÉDIATEUR DE LA RÉPUBLIQUE

A. La fonction de médiateur existe-t-elle chez vous, dans l'éducation ou ailleurs ? Comment le citoyen peut-il contester une décision administrative ?

Le Médiateur de la République est un homme chargé d'aider les personnes qui contestent en vain une décision ou un comportement de l'administration française. Il est nommé par le Président de la République en conseil des ministres (Loi du 3 janvier 1973). La « médiation » est une technique procédurale de solution des conflits pour tenter de parvenir à une solution et ne peut s'exécuter qu'avec le consentement des parties. Il dispose d'un réseau de délégués qui orientent les particuliers vers les administrations.

 Piste 22 **B.** Écoutez la première partie de l'enregistrement. Qui est la personne interviewée ? Pourquoi est-elle invitée régulièrement dans cette émission ?

 Piste 23 **C.** Écoutez la deuxième partie de l'émission. En quoi consistait le conflit présenté ce jour-là ? Comment s'est déroulée l'affaire et comment s'est-elle terminée ?

 Piste 24 **D.** Écoutez la troisième partie de l'émission. Quels principes généraux ont été appliqués pour régler ce conflit particulier ?

8. AMNESTY INTERNATIONAL FÊTE SES 50 ANS

A. Connaissez-vous Amnesty International ? Résumez l'évolution et les luttes de cette organisation depuis 1961.

En 1961, deux étudiants portugais sont jetés en prison pour avoir porté un toast à la liberté. Pour l'avocat britannique Peter Benenson, c'est le déclic pour donner du sens à son indignation. Il lance le 28 mai 1961 un « Appeal for Amnesty » dans lequel il exhorte ses concitoyens à écrire aux autorités des lettres de protestation contre le sort de six prisonniers d'opinion et donne ainsi naissance à Amnesty International.

Ces 50 dernières années ont permis à l'organisation de grandir et se transformer. Au début, Amnesty s'engageait principalement en faveur de prisonniers et prisonnières d'opinion, enfermé(e)s pour avoir exprimé leur avis. Par la suite, son engagement a aussi englobé la lutte contre la peine de mort, la torture et les disparitions forcées. Au fil des années, les priorités d'Amnesty ont continué de s'élargir, pour comprendre de nos jours le droit des femmes, la lutte contre l'impunité, le respect des droits humains dans

les conflits armés, le droit des réfugié(e)s, les droits économiques, sociaux et culturels...

La campagne mondiale « Exigeons la dignité » vise à lutter contre les discriminations qui enferment les gens dans la pauvreté et les y emprisonnent.

www.amnesty.ch/fr/sui-amnesty/50-ans-c-amnesty-international/intro

B. En groupes, trouvez des exemples d'actions menées par des ONG telles qu'Amnesty International.

C. Si vous pouviez participer à la campagne mondiale « Exigeons la dignité ! », quelle serait votre priorité ? Pour quelles raisons ?

D. Y a-t-il aussi des mobilisations sociales chez vous ? Pour quelles causes ? Sous quelles formes ?

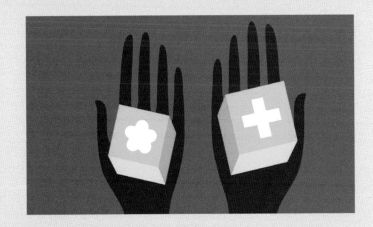

9. CONTESTER À L'ÉCOLE

A. Dans chaque école, en France, il existe un « délégué de classe » élu par ses camarades. En quoi peut consister son rôle ?

B. Lisez le document. Vos hypothèses sont-elles confirmées ?

C. Quels sont les moyens d'action du délégué de classe ? Pensez-vous qu'il écrive des lettres ouvertes et des pétitions ? Pourquoi ? Comparez son rôle avec celui du Médiateur de la République.

D. Que pensez-vous de cette fonction de délégué de classe ? Quelles qualités doit-il avoir à votre avis ? Par groupes, rédigez un petit « Guide du parfait délégué de classe ». Comparez ensuite vos productions.

E. En classe entière, imaginez quelques cas concrets où le délégué de classe va devoir intervenir. En petits groupes, imaginez comment il va pouvoir le faire. Discutez-en ensuite tous ensemble.

Ils avaient peu de pouvoir en 1945, en France, lorsqu'ils ont commencé à participer à la vie de l'établissement scolaire. Ils s'appelaient alors « responsables de classe » ou « chefs de classe ». Depuis 1968, ce sont des « délégués de classe ». Ils exercent désormais des responsabilités et ils participent activement à la vie de leur établissement.

Ils sont élus tous les ans par les élèves de leur classe, de sorte qu'ils ont une légitimité pour agir au nom des autres, dans une démarche citoyenne. Ils participent aux conseils de classe, ils sont réunis par le chef d'établissement chaque trimestre pour examiner les problèmes de la vie scolaire et ils participent au dialogue entre les différents partenaires de l'institution scolaire.

Le mandat du délégué de classe se termine à la fin de l'année scolaire. Son rôle est d'être le porte-parole des élèves de sa classe. Il est chargé de demander l'avis de ses camarades sur des points concernant l'ambiance et la vie de la classe, de transmettre les plaintes et/ou les suggestions au professeur principal ou aux professeurs concernés. Si cela s'avère nécessaire, il joue également le rôle de médiateur entre les élèves et les professeurs.

10. MOBILISEZ-VOUS !

Nous allons faire une pétition en ligne pour faire connaître notre opinion.

A. En groupes, choisissez une cause actuelle qui vous semble mériter votre engagement collectif.

B. Mettez en commun vos idées et décidez ensemble du thème de la pétition et de la taille de son texte (il ne devra pas dépasser 150 mots).

C. Chaque groupe rédige son texte en fonction du ton qu'il veut lui donner (humour, colère...).

D. La classe entière choisit l'un des textes, en y apportant au besoin quelques modifications.

E. Vous pouvez présenter votre pétition collective dans votre école ou votre ville. Vous pouvez aussi la déposer sur un site Internet spécialisé.

11. IL FAUT RÉAGIR !

Nous allons écrire une lettre ouverte pour faire part de notre indignation.

A. Lisez la brève du 1er avril dernier parue dans un journal français. Quelle est la raison de la prise de décision du maire de Paris ?

LA TOUR EIFFEL VA DISPARAÎTRE

Monsieur le maire de Paris vient de donner son feu vert pour la démolition de la tour Eiffel. Les travaux ont déjà commencé. Les raisons principalement invoquées sont d'ordre économique. En effet, pour la repeindre tous les 7 ans, il faut 60 tonnes de peinture et, bien évidemment, recruter de nombreux peintres insensibles au vertige. Le coût de l'opération, aux alentours de 4 millions d'euros, ne peut plus être financé par la capitale.

B. Faites une liste des personnes touchées par sa disparition.

C. Par groupes, choisissez dans cette liste quelques exemples et cherchez les arguments que pourraient avancer les personnes concernées.

- Le vendeur de souvenirs ne pourra plus s'installer sous la tour Eiffel. Il sera obligé de partir ailleurs ou bien il se retrouvera au chômage.

D. Chaque groupe rédige le texte de la lettre ouverte à Monsieur le maire et la présente à la classe qui décide laquelle sera finalement envoyée.

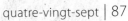

8

S'engager

À la fin de cette unité, nous allons rédiger un recueil de poèmes engagés et/ou nous allons créer une association farfelue et en rédiger son texte fondateur.

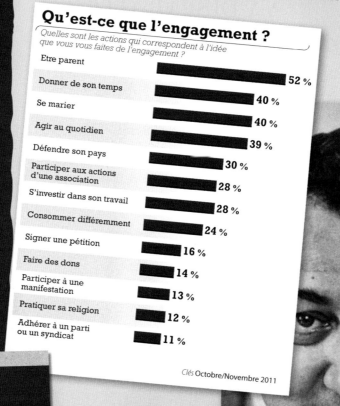

armée- mariage contrat
lutte enrôler **militer** amitié
associatif
humanitaire **individu**
association faire
promesse militantisme religieux
recrutement politique position vœux
faveur prendre travail milieu

Qu'est-ce que l'engagement ?

Quelles sont les actions qui correspondent à l'idée que vous vous faites de l'engagement ?

Etre parent	52 %
Donner de son temps	40 %
Se marier	40 %
Agir au quotidien	39 %
Défendre son pays	30 %
Participer aux actions d'une association	28 %
S'investir dans son travail	28 %
Consommer différemment	24 %
Signer une pétition	16 %
Faire des dons	14 %
Participer à une manifestation	13 %
Pratiquer sa religion	12 %
Adhérer à un parti ou un syndicat	11 %

Clés Octobre/Novembre 2011

SANS LUI,
ÇA N'EXISTERAIT PAS,
SANS VOUS,
ÇA N'EXISTERAIT PLUS...

5 - 6 MARS

COLLECTE NATIONALE DES RESTOS DU CŒUR

NOS BESOINS

Produits pour bébés
(petit-pots, lait 1er et 2e âges, biberons, bavoirs, couches, lingettes, etc.)

Eaux minérales pour bébés

Produits alimentaires secs et conserves
(légumes, fruits, potages, etc.)

Produits d'hygiène
(shampoing, dentifrice, coton-tiges, mouchoirs, etc.)

Les Restos lors de la campagne 2008-2009 :

• 100 millions de repas distribués
• 800 000 personnes aidées
• 2 028 centres et antennes
• 70 Restos Bébés du Cœur
• 6 000 personnes abritées
• 1 250 personnes en difficulté logées
• 1 200 personnes en contrats aidés dans les chantiers d'insertion Restos

LES RESTOS DU CŒUR
75515 Paris Cedex 15
+d'infos sur
www.restosducoeur.org

Premier contact

1. S'ENGAGER

A. Observez les documents suivants. Qu'évoque pour vous le mot « engagement » ? À quoi l'associez-vous ?

B. Lisez les réponses des personnes interrogées et comparez-les avec votre conception de l'engagement.

C. En vous appuyant sur ces documents, rédigez votre définition de l'engagement.

2. POURQUOI S'ENGAGER ?

A. Prenez connaissance des documents suivants. Quelles sont les raisons pour lesquelles les gens s'engagent dans une association ? Les bénévoles ne sont pas payés, mais que gagnent-ils à s'engager ?

QU'EST-CE QUI FAIT COURIR LES BÉNÉVOLES ?

Quelles sont les raisons qui font que l'on devient membre d'une association ? De leur côté, les organisations du domaine social (humanitaire, solidarité internationale, jeunesse, santé et secourisme) mettent en avant l'adhésion à une cause, le sentiment d'être utile, l'appartenance à une équipe, une expérience valorisante ou encore la possibilité de voir concrètement le résultat de son action. Du côté des bénévoles […], les motivations sont affichées dans un ordre presque inverse : être utile à la société et faire quelque chose pour les autres, rencontrer d'autres personnes, s'épanouir, défendre une cause, pratiquer un sport, etc. Pour certains, la motivation principale peut même être plus prosaïque : recherche de relations sociales, substitut à l'emploi pour les chômeurs ou les retraités, moyen d'échapper à l'ennui… Contradiction ? Pas vraiment : l'adhésion d'individus au projet collectif de l'association nécessite du temps. Il faut apprendre à se connaître pour s'apprécier… ou parfois pour se séparer. Il arrive aussi qu'on choisisse son organisation selon l'image qu'on s'en est faite. Par exemple, il n'est pas rare d'entendre des bénévoles avouer qu'ils ont rejoint le Secours populaire avant tout parce qu'il est « non confessionnel ». Cela ne les empêche pas d'y côtoyer ensuite des croyants, des agnostiques et des athées.

Laurent Urfer, Convergence,
magazine édité par le Secours populaire français

B. Et vous, pour quelles causes vous êtes-vous déjà engagé(e) ou seriez-vous prêt(e) à le faire ?

C. Quels sont les trois profils qui se dessinent ? Décrivez-les.

QUEL EST VOTRE DEGRÉ D'ENGAGEMENT ?

Vous apprenez qu'une manifestation est prévue pour une cause qui vous paraît juste :

- ☐ Je me procure des affiches et je parcours la ville pour les coller.
- ☐ Je diffuse l'appel à manifester sur Internet.
- ☐ Je garde l'information pour moi.

Vous avez décidé de participer à une manifestation en faveur d'une cause :

- ☐ Avec des camarades, je fabrique des pancartes pour les manifestants.
- ☐ Je me rends individuellement sur le lieu de la manifestation à l'heure prévue.
- ☐ Au dernier moment, je me trouve quelque chose de plus urgent à faire.

Un ami vous envoie une pétition en ligne à signer :

- ☐ Je la signe aussitôt et je la fais suivre à tout mon carnet d'adresses.
- ☐ Je ne la signe pas mais je lis l'appel à pétition pour m'informer de la cause.
- ☐ Je ne la lis même pas.

Vous trouvez certaines situations inacceptables (les sans-abri, les mendiants dans la rue, etc.) :

- ☐ Je milite activement dans une association et je participe à ses activités.
- ☐ Je donne régulièrement de l'argent à une association.
- ☐ Je considère que c'est à l'État de s'en occuper et que je paie déjà des impôts pour cela.

3. S'ASSOCIER POUR S'ENGAGER

A. Quels peuvent être les buts d'une association ?

B. À quelles différentes « visions du monde » renvoient les deux formes d'engagement décrites ? Comment peut s'analyser cette évolution ? Celle-ci vous paraît-elle favorable ou non au développement des associations et de leurs actions ? Y a-t-il la même évolution dans votre pays ?

C. La loi de 1901 présente la liberté d'association comme une liberté individuelle. Mais qu'est-ce qu'une vie associative très intense et diversifiée apporte de positif à une société dans son ensemble ? Discutez-en en classe.

D. Est-il nécessaire de s'associer pour s'engager ? Débattez-en entre vous.

L'histoire des associations

AUX ORIGINES

Les hommes et les femmes ont toujours eu besoin de s'associer. Ainsi, on retrouve, en Égypte à l'époque de la construction des pyramides, des structures qu'on peut considérer comme les ancêtres des associations de secours mutuel. De même, la vie économique et politique du Moyen-Âge a largement reposé sur des formes d'organisation à caractère associatif (communes, confréries, monastères, corporations…).

La IIIᵉ République établira en 1901 la liberté d'association. Cette loi est fortement marquée par les idées libérales : c'est la liberté qui prévaut et notamment celle du contrat.

La loi de 1901 reconnaît la liberté pour tout citoyen d'être ou non membre d'une association. […]

L'article 1 est toujours en vigueur. Il définit l'association comme : « La convention par laquelle deux ou plusieurs personnes mettent en commun d'une façon permanente leurs connaissances ou leurs activités dans un but autre que de partager les bénéfices. Elle est régie, quant à sa validité, par les principes généraux du droit applicables aux contrats et obligations ». […]

LE PAYSAGE ASSOCIATIF CONTEMPORAIN

[…] Aujourd'hui, on estime à 1 million le nombre d'associations en activité et, chaque année, 70 000 associations nouvelles se créent (contre 20 000 dans les années 70).

La répartition des associations par secteur est la suivante : .

Le secteur culturel est parmi les plus dynamiques avec près d'1/4 de créations, notamment par des jeunes. Le sport, avec 15 % de créations nouvelles, est en seconde position.

Le secteur de la santé et de l'action sociale occupe la 3ᵉ place. Il est à l'origine de plus de 8 % des créations, mais la part des associations de ce secteur dans le monde associatif est en diminution.

Enfin, l'éducation, la formation et le logement conservent des parts stables dans le classement, avec 7 et 8 % des créations annuelles.

www.associations.gouv.fr

DE NOUVELLES FORMES D'ENGAGEMENT

Les jeunes s'engagent-ils sur des projets de manière différente de celle des plus âgés ? La réponse à cette question pourrait s'en tenir à souligner les écarts entre les jeunes et leurs aînés ou à relever des changements entre les jeunes d'aujourd'hui et ceux d'hier, les nouvelles générations ne s'engageant pas comme celles qui les ont précédées. Elle peut aussi considérer que c'est toute la société qui est en pleine évolution dans sa manière de s'engager, même si l'on est plus sensible à cette évolution chez les jeunes, qui seraient une sorte d'avant-garde de cette mutation. […]

Quel est le modèle d'engagement proposé par ces jeunes et en quoi les combinaisons mises en œuvre diffèrent-elles de la pratique des autres générations ?

Un premier modèle, celui du « militant professionnel », s'est sédimenté en particulier dans l'histoire du syndicalisme. Il est remis en question aujourd'hui par toutes les études sur la fin du militantisme. Le second modèle, celui du « militant libéral », mis en relief par les sociologues, met en avant de nouvelles formes de vie associative dans une société individualiste. Un troisième type, celui du « militant pragmatique », semble, quant à lui, donner priorité à l'action dans le cadre d'une société de réseaux. Ces trois figures présentent ainsi une typologie, qui permet des agrégats de pratiques (recrutement, parcours, organisation, rapport à l'expertise, entrée en politique) structurés par des visions du monde distinctes.

www.ceras-projet.org, Pierre Martinot-Lagarde et Bertrand Hériard Dubreuil, Juillet 2008

4. MILITANTS D'HIER ET D'AUJOURD'HUI

A. Lisez les textes suivants. Quelle thèse défendent-ils ?

Quand les jeunes s'engagent.

Valérie Becquet et Chantal De Linares (dir.),
L'Harmattan, collection Débats Jeunesses, Paris, 2005

Entre expérimentations et constructions identitaires

Cet ouvrage collectif rassemble plusieurs études qui ont été présentées lors de l'activité réalisée en août 2003 à l'université d'été du ministère de la Jeunesse, de l'Éducation nationale et de la Recherche intitulée **Comprendre, accompagner et favoriser l'engagement des jeunes**. Les chercheurs se questionnent sur les enjeux, les redéfinitions et les évolutions liés à l'engagement des jeunes. La première définition que l'on donne habituellement à l'engagement fait référence aux pratiques sociales dans les secteurs politiques et civils et est reliée à des formes de participation structurées comme le bénévolat ou le militantisme. Les auteurs soulignent qu'il ne faut cependant pas se limiter à cette définition car l'engagement peut toucher d'autres domaines de la vie sociale comme la famille, la vie amoureuse, amicale, professionnelle, etc.

S'intéressant aux différents lieux et contextes de l'engagement chez les jeunes comme les institutions scolaires, les conseils de jeunes et les diverses associations, les chercheurs et les experts montrent que l'engagement des jeunes évolue et continue d'exister en empruntant des voies différentes. Les jeunes d'aujourd'hui préfèrent s'impliquer au quotidien dans des activités parfois de courte durée et davantage individualisées. Selon Jacques Ion, les différents modes d'engagement dans l'espace public sont entre autres labiles, s'inscrivent dans des collectifs moins structurés et moins structurants et ont un caractère concret et une visée réformatrice. Bref, les différentes formes d'engagement que les jeunes préconisent sont une réponse à un monde incertain auquel ils doivent faire face. Ainsi, les modes d'engagement adoptés par les jeunes peuvent contribuer à la construction de leur identité sociale. Cette dernière pourrait se développer par un encadrement de ces jeunes, la mise en place d'un dialogue entre eux et les institutions ainsi qu'un repérage des embûches qui limitent la portée de l'engagement chez certains jeunes.

www.mjc-cmjcf.asso.fr

Un «nouveau militantisme»? À propos de quelques idées reçues

Que, par un magnifique mouvement circulaire, les journalistes considèrent comme les plus efficaces, comme les plus sympathiques et surtout comme les plus dignes d'intérêt les mouvements dont les actions sont directement réalisées à leur intention — ce que Patrick Champagne appelle des « manifestations de papier », conçues pour la presse et qui n'existent qu'à condition de trouver un écho dans la presse — ne sera pas au centre de notre propos. Ce que l'on souhaite interroger est une série de traits fréquemment associés au « nouveau » et spécialement l'un d'entre eux qui contribuerait à rendre les jeunes générations militantes supérieures à leurs aînées : le caractère « informel » ou « horizontal » de leur (in)organisation interne. Au temps des structures rigides, hiérarchisées et bureaucratisées — et dont les partis se revendiquant du communisme ou les syndicats seraient le paradigme et la triste survivance — aurait succédé celui des « collectifs », des « réseaux », marqués par l'égalité des statuts et le libre choix de ses modalités et intensités d'engagement. Il ne s'agit pas seulement d'une idée de journalistes : certains sociologues ont eux-mêmes développé cette thèse d'une mutation des formes de l'engagement. Telle qu'elle est par exemple exposée par Jacques Ion, elle oppose un militantisme « total » du passé au militantisme « distancié » du temps présent.

Le premier se caractériserait par un investissement intense dans la cause, à laquelle une large part de la vie familiale et des loisirs serait sacrifiée : réunions plusieurs soirs par semaine, distributions de tracts et vente du journal le dimanche, auxquels s'ajouteraient cotisations élevées, docilité à l'égard de la hiérarchie et fort attachement identitaire au mouvement (parti, syndicat...).

Le second se singulariserait, à l'opposé, par les fluctuations de l'engagement, conçu comme « à la carte » : chacun choisirait ses propres rythmes, degrés et modalités de participation au groupe, et se méfierait comme de la peste des structures bureaucratiques hiérarchisées perçues comme menaçantes pour son autonomie et sa liberté. De même, ces nouveaux militants n'hésiteraient pas à passer d'une cause à une autre au gré de leurs envies et disponibilités (de la défense d'un site menacé à celle des sans-papiers, par exemple). Au militantisme total correspondrait le timbre de la carte d'adhérent (qui suppose qu'on adhère fortement au groupe militant auquel on appartient), tandis que le militantisme distancié serait symbolisé par le post-it, que l'on peut successivement apposer sur une multiplicité de supports et qui, facilement décollable, ne suppose pas un attachement solide et durable.

www.contretemps.eu | Lilian Mathieu

B. Retrouvez-vous des formes de militantisme équivalentes dans votre pays ? Comment les jeunes militent-ils ? Discutez-en en petits groupes.

EN TOUTE LOGIQUE…

A. Lisez le texte suivant et repérez les éléments qui permettent de le structurer.

MENACE SUR LA LIBERTÉ D'ASSOCIATION EN FRANCE

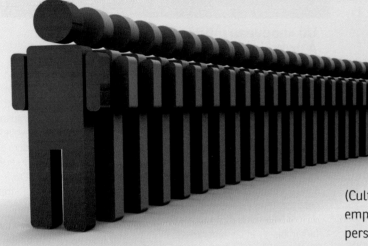

Dans la plus grande discrétion, le Premier ministre français François Fillon a signé, le 18 janvier 2010, une circulaire qui fragilise des centaines de milliers d'associations. En effet, en affirmant que « la majorité des activités exercées par [celles-ci] peuvent être considérées comme des activités économiques », la décision gouvernementale étend la réglementation européenne des aides aux entreprises à l'ensemble des subventions attribuées, quel que soit l'objet. [...] L'initiative du gouvernement touche particulièrement les cent trente mille structures qui emploient entre un et neuf salariés, et au total cent quatre-vingt mille personnes. Lesquelles sont loin de toutes mener des activités économiques : la gestion d'un foyer rural, la défense du patrimoine ou le soutien à des malentendants ne consistent pas à « vendre régulièrement des produits sur un marché ». Il s'agit souvent d'un travail désintéressé effectué par des bénévoles. En outre, la circulaire met en place un modèle unique de convention avec les pouvoirs publics qui paraît extrêmement lourd pour les petites associations et celles de taille intermédiaire. Cela correspond à la volonté de concentration de plusieurs ministères (Culture, Affaires sociales). Les trois mille structures qui emploient plus de cent salariés (trois cent soixante mille personnes au total) peuvent, en revanche, trouver leur compte dans le dispositif gouvernemental. En effet, elles fonctionnent souvent comme des entreprises, même si leurs dirigeants ont parfois conservé leurs convictions de départ. Face à la crise économique, ces grosses associations s'attachent d'abord à leurs propres intérêts et recherchent le compromis avec les pouvoirs publics, au détriment de leurs consœurs plus modestes. Mais cette stratégie ne paie pas toujours : les subventions notifiées au mois d'août 2010 se révèlent catastrophiques pour nombre d'organisations, avec des réductions de parfois 50 %, voire une suppression totale des aides. [...] En signant cette circulaire, le gouvernement franchit une nouvelle étape, décisive, dans une politique qui vise à affaiblir et à banaliser les associations : multiplication des appels d'offres, mise en place de critères d'évaluation totalement inadaptés à travers la révision générale des politiques publiques (RGPP), réduction drastique des financements publics... Comme la réforme des collectivités territoriales, la remise en cause des libertés associatives participe de l'affaiblissement de tous les contre-pouvoirs.

Didier Minot, *Le Monde diplomatique*, janvier 2011

B. Repérez les trois parties de ce texte : introduction, développement, conclusion. Comment les idées sont-elles organisées dans le développement ?

C. Par petits groupes, rédigez un argumentaire sur le sujet de votre choix.

➔ VOIR **ARGUMENTER SON DISCOURS** PAGE 149
➔ VOIR LES CONNECTEURS LOGIQUES PAGE 144

UN PEU DE RHÉTORIQUE

A. Lisez le poème. De quoi parle-t-il ? Que vous évoque ce poème ?

Ce cœur qui haïssait la guerre...

Ce cœur qui haïssait la guerre, voilà qu'il bat pour le combat et la bataille !

Ce cœur qui ne battait plus qu'au rythme des marées, à celui des saisons, à celui des heures du jour et de la nuit,

Voilà qu'il se gonfle et qu'il envoie dans les veines un sang brûlant de salpêtre et de haine

Et qu'il mène un tel bruit dans la cervelle que les oreilles en sifflent

Et qu'il n'est pas possible que ce bruit ne se répande pas dans la ville et la campagne

Comme le son d'une cloche appelant à l'émeute et au combat.

Écoutez, je l'entends qui me revient renvoyé par les échos.

Mais non, c'est le bruit d'autres cœurs, de millions d'autres cœurs battant comme le mien à travers la France.

Ils battent au même rythme pour la même besogne tous ces cœurs

Leur bruit est celui de la mer à l'assaut des falaises

Et tout ce sang porte dans les millions de cervelles un même mot d'ordre :

Révolte contre Hitler et mort à ses partisans !

Pourtant ce cœur haïssait la guerre et battait au rythme des saisons

Mais un seul mot : Liberté a suffi à réveiller de vieilles colères

Et des millions de Français se préparent dans l'ombre à la besogne que l'aube proche leur imposera.

Car ces cœurs qui haïssaient la guerre battaient pour la liberté au rythme des saisons et des marées, du jour et de la nuit.

Robert Desnos, « Ce coeur qui haïssait la guerre » in *Destinée arbitraire*, 1975, Éditions Gallimard

B. Relevez les anaphores et les répétitions dans ce poème. Quel effet produisent-elles sur le lecteur ? À votre avis, quel message a voulu faire passer ainsi Robert Desnos ?

C. En groupes, rédigez un poème de quelques vers en utilisant les figures de style suivantes.

L'hyperbole consiste à exagérer l'expression.
Dire « un géant » en parlant d'un homme de très grande taille.
Dire « c'est à mourir de rire » pour dire que quelque chose est vraiment très drôle.

L'euphémisme consiste à adoucir l'expression. C'est le contraire de l'hyperbole.
« Elle nous a quittés » au lieu de « elle est morte. »
« On l'a remercié hier » au lieu de « on l'a renvoyé hier. »

L'oxymore consiste à réunir deux termes opposés.
« Cette obscure clarté qui tombe des étoiles. » (Corneille, *Le Cid*)
« Mon luth constellé porte le soleil noir de la mélancolie. » (Gérard de Nerval, «El desdichado»)
« Un silence assourdissant. » (Albert Camus, *La Chute*)

⟶ **VOIR** LES FIGURES DE STYLE **PAGE 142**

VIVE LES SONS DE L'ARGUMENTATION !

A. Lisez les vers suivants. Que remarquez-vous ? Que recherchent ainsi les poètes ?

*« Pour qui **s**ont **c**es **s**erpents qui **s**ifflent **s**ur vos têtes ? »* (Racine, *Andromaque*)
*« Il do**r**t dans le soleil, la main sur sa poitrine / **T**ranquille. Il a deux **t**rous **r**ouges au côté d**r**oit. »* (Rimbaud, *Le Dormeur du val.*)
*« Je f**ai**s souv**en**t ce r**ê**ve **é**tra**n**ge et p**é**né**tran**t. »* (Verlaine, *Mon rêve familier*)

L'allitération est la répétition expressive d'une ou de plusieurs consonnes.

L'assonance est la répétition expressive d'une ou de plusieurs voyelles.

Ces deux procédés stylistiques :
· donnent un rythme particulier,
· suggèrent des idées, des sentiments...

B. En pensant à l'effet que vous voulez produire, inventez quelques phrases en recourant à l'un ou l'autre de ces procédés stylistiques.

5. L'ÉCRITURE, UNE FORME D'ENGAGEMENT ?

A. Connaissez-vous des auteurs francophones dits « engagés » ? Pouvez-vous citer et situer quelques-unes de leurs œuvres ?

B. Repérez tous les auteurs cités dans le texte. Dites en quelques mots ce que vous savez d'eux et de leur engagement, ou recherchez ces informations.

C. Relevez dans ce texte les arguments en faveur de la littérature engagée. Êtes-vous d'accord avec ces arguments ? Choisissez l'une des citations et réagissez en présentant votre point de vue personnel.

D. Présentez à la classe une œuvre ou un auteur engagé de votre pays.

LA LITTÉRATURE ENGAGÉE

On voit traditionnellement dans l'affaire Dreyfus, l'origine de la naissance de l'intellectuel et de l'engagement en littérature. L'auteur engagé, à l'image de Zola, est celui qui va se servir de sa qualité d'homme public, la mettre en gage pour s'opposer et accuser. Mais on peut alors faire rayonner la notion d'engagement à rebours : Montesquieu et Voltaire, les auteurs des Lumières et des Utopies, Sade et Germaine de Staël, Jules Vallès et Victor Hugo ne sont-ils pas aussi des écrivains engagés dans un sens moins restreint, en tant qu'ils ont tous défendu une cause et choisi d'exposer leur personne ?

« Je tiens Flaubert et Goncourt pour responsables de la répression qui suivit la Commune parce qu'ils n'ont pas écrit une ligne pour l'empêcher. » (Sartre)

L'engagement consiste donc à rendre visible l'invisible, à forger en dénonçant une connivence avec le lecteur, le menant à l'action, ou du moins à la réflexion. La littérature engagée postule donc une parole transparente et éclairante, parole-conscience, mot-action. Sartre va plus loin encore, établissant une responsabilité de l'écrivain en tant qu'homme public. Sortir de l'anonymat pour être lu rend les mots nécessairement pesants : « La littérature vous jette dans la bataille [...] si vous avez commencé, de gré ou de force vous êtes engagé » écrit Sartre. On est de son temps, on doit en parler, on est coupable de se taire. Mais toute parole est-elle pour autant subversive ?

« L'écrivain 'engagé' sait que la parole est action : il sait que dévoiler c'est changer et qu'on ne peut dévoiler qu'en projetant de changer. » (Sartre)

Se pose en effet la question du contenu de ces textes. Faut-il représenter des personnages modèles auxquels s'identifier ? Ou choisir satire et critique en dépeignant des situations révoltant le lecteur, par exemple contre la guerre dans *À l'Ouest rien de nouveau* de Erich Maria Remarque ou la société d'information dans *1984* d'Orwell ? Quel sera le ton d'un texte engagé : la puissance carnavalesque du rire, le masque de l'ironie, la vigueur du pamphlet, la discrétion de l'écriture blanche de la nouvelle, le chant de la poésie ? Comment convaincre le lecteur, échapper à la censure et contester un pouvoir ? Où trouver la forme adéquate ? L'essai, de la tribune au manifeste, se donne pour l'émanation immédiate de la pensée de l'écrivain. Le roman à thèse offre un espace fictionnel à ses idées. Il fut cependant rapidement condamné pour son monolithisme, comme si finalement on ne pouvait que penser l'engagement et non l'écrire.

« Le théâtre doit cesser d'être magique pour devenir critique, ce qui sera pour lui encore la meilleure façon d'être chaleureux. » (Barthes)

Depuis l'Antiquité et la convocation de la *polis*, c'est peut-être le théâtre qui constitue le genre privilégié de l'engagement. Ainsi Sartre ou Camus se firent-ils dramaturges et Brecht en fit le genre insurgé par excellence, écrivant « tout comme la transformation de la nature, la transformation de la société est un acte de libération et ce sont les joies de la libération que devrait transmettre le théâtre d'une ère scientifique ». Des metteurs en scène comme Mnouchkine ou Sobel s'en souviendront, perpétuant par le spectacle vivant cette tradition, songeant au beau pour changer le monde.

Dominik Manns, www.cercle-enseignement.com

6. S'ENGAGER COLLECTIVEMENT

A. Lisez ce texte. Résumez les différentes démarches à effectuer en France pour créer une association. À votre avis, pourquoi a-t-on imposé toutes ces formalités ? Comparez avec celles exigées dans votre pays.

B. Êtes-vous engagé ou vous engageriez-vous dans une association ? De quel type ? Échangez entre vous.

C. En 2011, la France compte un million d'associations en activité et ce nombre ne cesse d'augmenter. 13 millions de bénévoles consacrent ainsi chaque jour et de manière désintéressée du temps à leur engagement. La situation est-elle la même dans votre pays ?

LES FORMALITÉS DE CRÉATION D'UNE ASSOCIATION DÉCLARÉE

Un simple échange de consentements entre les membres fondateurs suffit à former le contrat d'association.

Plus formelle, une Assemblée Générale Constitutive permet d'instaurer un véritable débat où les aspirations de chacun sont précisées. La décision de création prise, les membres fondateurs rédigent les statuts et élisent les dirigeants. Vient ensuite la déclaration préalable à la préfecture ou à la sous-préfecture du siège social (pour Paris, à la préfecture de police). Dans les cinq jours qui suivent le dépôt, l'administration délivre un récépissé de déclaration.

Dans un délai de 30 jours suivant la déclaration, il convient de demander la publication de l'association au Journal officiel.

Cette formalité nécessite :

• un formulaire de demande d'insertion au Journal officiel à se procurer à la préfecture ou à la sous-préfecture,

• un règlement de 43,00 €.

La parution au Journal officiel donne naissance à la capacité juridique de l'association et fait preuve. Réclamée par de nombreux organismes (banques, collectivités territoriales...), il est recommandé de la conserver soigneusement et d'en faire des photocopies.

LES STATUTS

Ils sont obligatoires et nécessaires juridiquement. Déterminés par les fondateurs, ils établissent les règles d'organisation et définissent les droits et obligations de chacun. En cas de litige, ils servent de référence.

RefAsso vous propose un modèle de statuts types. Leur contenu est libre. Toutefois, il est bon de préciser les différentes modalités de fonctionnement (mode de convocation des organes, de modification...) tout en gardant une certaine souplesse.

Ils sont à rédiger et à signer, en originaux, au moins en deux exemplaires. Un exemplaire doit être joint à la déclaration de création de l'association.

Certaines associations se voient imposer des statuts types (associations communales et intercommunales de chasse agréées, fédérations sportives, associations reconnues d'utilité publique, certaines associations professionnelles...).

www.refasso.com

7. S'ENGAGER POUR LE FRANÇAIS

A. Connaissez-vous des associations de professeurs de langue française ? Écoutez l'interview et résumez les motifs de l'engagement de cette personne.

B. Et vous, vous engageriez-vous pour la défense de la langue française ? Que proposeriez-vous ?

Piste 26

8. QUAND LA PAROLE EST ACTION
Nous allons rédiger un recueil de poèmes engagés.

A. Individuellement ou en groupes, choisissez un thème sur lequel vous avez envie de faire partager votre engagement.

B. Rédigez votre poème.

C. En classe entière, après la lecture des poèmes, choisissez le titre de votre recueil.

D. Rédigez la préface de votre recueil et décidez de son mode de diffusion (ouvrage imprimé, lectures enregistrées, mise en ligne…).

E. Reprenez maintenant la définition de l'engagement que vous aviez proposée au début de cette unité (p. 88). A-t-elle évolué et, si oui, pourquoi ? Quelle serait votre définition actuelle ?

Mélancholia

Où vont tous ces enfants dont pas un seul ne rit ?

Ces doux êtres pensifs que la fièvre maigrit ?

Ces filles de huit ans qu'on voit cheminer seules ?

Ils s'en vont travailler quinze heures sous des meules ;

Ils vont, de l'aube au soir, faire éternellement

Dans la même prison le même mouvement.

Accroupis sous les dents d'une machine sombre,

Monstre hideux qui mâche on ne sait quoi dans l'ombre,

Innocents dans un bagne, anges dans un enfer,

Ils travaillent. Tout est d'airain, tout est de fer.

Jamais on ne s'arrête et jamais on ne joue.

Aussi, quelle pâleur ! La cendre est sur leur joue.

Les Contemplations, Victor Hugo, 1856

9. ASSOCIATION D'IDÉES !

Nous allons créer notre association farfelue (par exemple : une association de mangeurs de mie de pain, une association des empêcheurs de tourner en rond...).

A. En groupes, mettez-vous d'accord sur l'association farfelue que vous voulez créer.

B. Définissez ses objectifs, les adhérents visés et choisissez son nom, son sigle et son logo.

C. Rédigez le texte fondateur de votre association sous forme d'un poème (en prose ou en vers !).

D. Présentez votre association à la classe en argumentant en sa faveur dans le but de recueillir le maximum d'adhésions immédiates parmi vos camarades de classe. Faites enfin la lecture publique de votre texte fondateur.

ASSOCIATION DES EMPÊCHEURS DE TOURNER EN ROND

1. ENTRÉE EN MATIÈRE

Piste 27

Écoutez l'enregistrement. Quels mots connaissez-vous ? Donnez des exemples concrets liés aux mots que vous avez reconnus.

2. DOSSIER DOCUMENTAIRE

A. Prenez connaissance du document suivant. Quelle est l'originalité de ce type de tribunal ? Qu'en pensez-vous ? Avez-vous un dispositif équivalent dans votre pays ?

LES PRUD'HOMMES FÊTENT LEURS 200 ANS

Le terme « prud'hommes » est apparu au XIe siècle pour désigner les hommes de valeur, prudents, de bon conseil. Il s'appliquait alors aux « défenseurs du métier », le principe étant qu'un conflit entre artisans était tranché par leurs pairs. Mais son histoire remonte véritablement au XIXe siècle. En mars 1806, afin de favoriser la conciliation entre les fabricants de soie et les ouvriers lyonnais, une loi napoléonienne crée le premier conseil de prud'hommes. C'est la loi de 1848 qui lui confère sa forme actuelle avec l'apparition du paritarisme entre conseillers employeurs et salariés. En 1907, une loi met en place une véritable juridiction sociale, reconnue compétente en matière de contentieux individuels du travail. La section encadrement est créée en 1979, destinée aux cadres et aux salariés assimilés, relevant de conventions collectives particulières. En 2005, le nouveau Code de procédure civile instaure la médiation.

lejournaldunet.com

B. Lisez le texte et faites la liste des conseils donnés aux employeurs et aux employés. En ajouteriez-vous d'autres ?

Prud'hommes, mode d'emploi
Employeurs, comment bien se préparer ?

Gérer un litige avec un salarié devant les prud'hommes est un dossier toujours délicat à traiter pour un chef d'entreprise. Comment s'y préparer ? Quelle attitude adopter ? Faut-il se faire assister ? Réponses.

Comme tout litige, une attaque aux prud'hommes par un salarié est un moment toujours difficile dans la vie d'un employeur. Dans la plupart des cas, la plainte fait suite à un licenciement. Voici quelques conseils pratiques d'une avocate spécialisée en droit social pour appréhender au mieux le problème et éviter les écueils, coûteux en termes d'argent, de temps et d'image.

1. PRENDRE LES DEVANTS
Pour éviter ou, à défaut, bien se préparer à une confrontation aux prud'hommes, mieux vaut soigner la démarche de licenciement. […]

2. SE FAIRE ASSISTER
La législation n'oblige pas l'employeur à se faire assister d'un avocat. Elle lui permet cependant, s'il le souhaite, de faire appel à lui, à un membre de l'entreprise (DRH...) ou à un représentant d'une organisation professionnelle ou patronale. L'assistance d'un spécialiste du droit est un plus. […]

3. ÊTRE PRÉSENT AUX AUDIENCES
La loi permet de se faire représenter lors des audiences de conciliation et de jugement par son avocat ou un membre de son entreprise détenteur du pouvoir de représentation, matérialisé par une lettre écrite de l'employeur et un extrait du K-bis de son entreprise. Néanmoins, il est conseillé au dirigeant d'être présent lui-même aux audiences. […]

4. ÉTUDIER LES COMPROMIS POSSIBLES
La procédure des prud'hommes encourage les solutions de conciliation entre l'employeur et le salarié. C'est l'objectif de la première audience mais un compromis peut être trouvé à tout moment de la procédure. Il est courant que la conciliation ait déjà eu lieu avant même la première audience, ce qui explique en partie le taux d'échec des négociations à cette étape. Un compromis peut également être trouvé après avoir fait appel du jugement rendu. […]

5. NE PAS SOUS-ESTIMER LE COÛT DE L'APPEL
[…] Il faut bien réfléchir avant de se lancer dans cette procédure longue, coûteuse et parfois risquée. Il faut ainsi garder à l'esprit que les jugements sont exécutoires pour les décisions qui concernent la rémunération, dans la limite de neuf mois de salaire. L'exécution pour les dommages et intérêts peut être également demandée.

Prud'hommes, mode d'emploi
Salariés, mettez toutes les chances de votre côté.

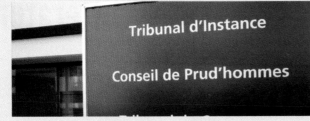

Avoir recours aux prud'hommes pour régler un litige avec son employeur est une démarche délicate qui s'avère souvent longue et éprouvante pour le salarié. Voici cinq conseils pour bien se préparer. […]

1. ACCUMULER LES PREUVES

La constitution d'un dossier complet est la première étape à suivre. Elle permet de mieux cerner le problème, de mesurer les chances de succès et de calculer ce qui peut être demandé. « Dans le cas où le salarié est encore dans l'entreprise, mieux vaut adresser préalablement à son employeur un courrier pour lui faire part de ses réclamations », explique Eliane Fromentel, conseillère en droit du travail pour les adhérents de la CFDT… […] Des attestations de collègues doivent également être ajoutées. Il est souvent difficile de les recueillir, les salariés en poste étant généralement réticents à l'idée d'entrer en conflit ouvert avec l'employeur. […]

2. SE FAIRE ASSISTER

Le recours devant les prud'hommes n'oblige pas le salarié à faire appel aux services d'un avocat : il a le droit de se défendre seul. Une assistance est néanmoins souhaitable. […]

3. PRÉSENTER LES FAITS AVEC SIMPLICITÉ

Le conseil de prud'hommes est une juridiction à part, composée de juges non professionnels, membres eux aussi, d'une entreprise. Il faut donc s'adresser à eux en tenant compte de cette spécificité. […]

4. NE PAS REFUSER TOUTE CONCILIATION

Une procédure devant les prud'hommes peut prendre de nombreux mois, voire plusieurs années, en fonction de la charge de travail de la juridiction dont on dépend. La conciliation doit donc être considérée comme une option à part entière, même si les torts sont du côté de l'employeur. « La conciliation relève du donnant-donnant, note Eliane Fromentel. Le salarié touche l'argent tout de suite et l'employeur limite sa prise de risque. » […]

5. BIEN RÉFLÉCHIR AVANT DE SE LANCER

Porter son affaire aux prud'hommes est, pour le salarié, une solution pour régler un conflit dans lequel il s'est senti lésé. Obtenir réparation lui semble alors le moyen de tourner la page. Il ne faut pourtant pas sous-estimer la lourdeur de la procédure. Souvent longue, elle est également pénible pour le salarié qui se focalise pendant des mois sur une situation conflictuelle passée.

lejournaldunet.com

C. Avez-vous déjà eu recours à ce genre de dispositif ou connaissez-vous quelqu'un qui a dû le faire ? Racontez.

3. TÂCHE

A. Recherchez toutes les raisons possibles pour avoir recours aux prud'hommes du point de vue d'un employeur et d'un employé.

B. Choisissez un cas qui vous semble intéressant. Donnez un nom à l'entreprise. Créez le scénario du conflit.

C. Faites trois groupes : le groupe A (l'employé) et le groupe B (l'employeur) préparent leur argumentaire. Le groupe C (les juges) prépare des questions pertinentes pour pouvoir statuer à la fin.

D. Les groupes A et B lisent et présentent leurs arguments. Le groupe C prend des notes tout au long de la présentation et peut intervenir pour poser des questions ou demander des précisions.

E. Après une courte délibération, le groupe C informe les autres groupes de sa décision.

F. Pour terminer, rédigez la conclusion de ce recours.

9

Créer

À la fin de cette unité, nous allons concevoir le volet culturel d'un séjour dans un pays francophone et/ou mettre en scène deux artistes qui veulent voir leurs œuvres figurer dans un musée imaginaire.

modèles auteurs paysages chef d'orchestre héritage langues **histoire** musique **arts** créatifs **culturel** traditions tourisme **musée** plastiques **peintres** chef-d'œuvre cliché exposition architecture cinéma **design** gastronomie vernissage **littérature** musical

« Il n'y a pas d'homme cultivé, il n'y a que des hommes qui se cultivent. » Ferdinand Foch

« La pratique culturelle sert à différencier les classes et les fractions de classe, à justifier la domination des unes par les autres. » Pierre Bourdieu

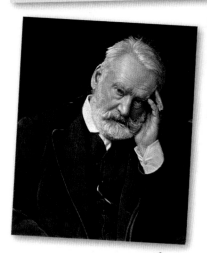

« La culture ne s'hérite pas, elle se conquiert. » André Malraux

Premier contact

1. CULTURES, CULTURES

A. Qu'est-ce qui constitue la culture d'un pays ? Donnez des exemples à partir des mots du nuage.

B. Quelle est la citation qui vous séduit le plus ? Pourquoi ?

C. Regardez les images : quels autres clichés connaissez-vous de la culture française ? Quelle relation y a-t-il entre clichés et culture ?

« Je n'hésite pas à le déclarer, le diplôme est l'ennemi mortel de la culture. » Paul Valéry

« La culture, c'est ce qui reste quand on a tout oublié. » Édouard Herriot

2. PATRIMOINE IMMATÉRIEL

A. Écoutez le document sonore et lisez le texte. Comprenez-vous cette décision ?

B. Donnez d'autres exemples de patrimoine culturel immatériel qu'il vous paraîtrait important de protéger et de valoriser, et expliquez pourquoi.

L'UNESCO adopte la Convention pour la sauvegarde du patrimoine culturel immatériel

Le patrimoine culturel immatériel – Qu'est-ce-que c'est ?

Le patrimoine culturel immatériel constitue, selon la définition qui en fut donnée par l'Unesco en 2002, « un ensemble vivant et en perpétuelle recréation de pratiques, de savoirs et de représentations », qui permet ainsi aux individus et aux communautés d'exprimer leurs manières de concevoir le monde, à travers des systèmes de valeurs et des repères éthiques. Traditionnel, contemporain et vivant à la fois, le patrimoine culturel immatériel ne comprend pas seulement les traditions héritées du passé mais aussi les pratiques rurales et urbaines contemporaines, propres à divers groupes culturels. Le patrimoine culturel immatériel contribue à la cohésion sociale, stimule un sentiment d'identité qui aide les individus à se sentir partie d'une ou plusieurs communautés et de la société au sens large. Il comprend donc des pratiques comme les danses, les médecines ou la pharmacopée traditionnelle, les arts de la table et les savoir-faire qui les accompagnent mais aussi les langues, les festivités, les rituels, par exemple.

1] **Il est fondé sur les communautés** : reconnu comme tel par les communautés, groupes et individus qui le créent, l'entretiennent et le transmettent, personne (individus extérieurs, comités ou institutions) ne peut décider à leur place si une expression ou pratique donnée fait partie de ce type de patrimoine.

La gastronomie française inscrite au patrimoine de l'Unesco :

Effectivement, ça aurait été dommage de s'en priver.

CATOUNE

2] **Il est inclusif** : il n'est pas essentiel que les expressions de notre patrimoine culturel immatériel soient différentes de celles pratiquées par d'autres. Qu'elles viennent du village voisin, d'une ville à l'autre bout du monde, elles font partie du patrimoine culturel immatériel car elles ont été transmises de génération en génération et elles contribuent à nous procurer un sentiment d'identité et de continuité entre notre passé et, à travers le présent, notre futur.

3] **Il est représentatif** : ce patrimoine culturel immatériel ne doit pas seulement être estimé pour son caractère exclusif ou sa valeur exceptionnelle. Il se développe en effet à partir de son enracinement dans les communautés et dépend de ceux dont la connaissance des traditions est transmise au reste de la communauté, de génération en génération, ou à d'autres communautés.

Ce patrimoine, fondé sur la tradition et transmis oralement ou par imitation, présente tout à la fois un caractère intangible mais également un renouvellement constant dans ses formes d'expression. Il est l'affirmation d'une culture traditionnelle et populaire et le garant de la diversité culturelle. Ce patrimoine est, en raison de sa précarité, soumis à un risque de disparition élevé ; d'où l'enjeu que constitue, pour les générations à venir, les inventaires, les travaux de recherche ou encore sa valorisation permanente.

3. VOUS AVEZ DIT « CULTURE » ?

A. Lisez la définition suivante. Quelles caractéristiques de la culture vous paraissent les plus importantes ? En proposeriez-vous d'autres ? Discutez-en entre vous.

AU FAIT, LA CULTURE, QU'EST-CE QUE C'EST ?

La culture est un éventail de connaissances, de conceptions et de comportements, appris et partagés par un groupe, qui facilitent l'existence au quotidien. C'est une grille de lecture à travers laquelle nous interprétons les situations vécues. Elle permet de fixer des repères pour la vie en commun, de communiquer et de mieux s'adapter à l'environnement sans avoir à expliquer constamment la signification des choses qui nous entourent. La plupart du temps, nous ne sommes pas vraiment conscients de l'influence de notre culture au quotidien.

La culture est souvent représentée par un iceberg : une partie est observable, externe à l'individu (ex. : modes de vie, tenue vestimentaire, langage) et l'autre est invisible, interne et souvent inconsciente (ex. : croyances, valeurs, conception du temps, vision du monde). Ce qu'on ne voit pas est souvent plus important et a une composante émotive plus forte. Ce sont des principes fortement ancrés en nous et qui conditionnent nos comportements.

La culture n'est pas monolithique. En effet, toute personne est porteuse d'identités multiples et appartient simultanément à plusieurs groupes à la fois. On parle de culture nationale mais aussi de culture régionale, de culture professionnelle, de culture générationnelle, etc. La personne immigrante possède elle aussi une culture qui correspond à l'ensemble des composantes de son identité et non seulement en fonction de son origine ethnique.

www.diversite.gouv.qc.ca

B. Donnez maintenant votre propre définition de la culture.

4. J'AURAIS AIMÉ ÊTRE UN ARTISTE...

Piste 29

A. Écoutez les témoignages. Qu'est-ce qu'un artiste selon les personnes interrogées ? Qu'en pensez-vous ?

B. Selon cet article, en quoi l'image de l'artiste a-t-elle changé et pourquoi ? Partagez-vous son analyse ? Est-elle valable dans votre pays ?

Pressuré par le marché, réduit parfois au rôle d'animateur culturel, le comédien ou le danseur a glissé de son piédestal. Qu'est-ce qui le singularise encore ? À l'occasion d'un colloque à Rennes organisé par *Télérama* les 12 et 13 novembre, penchons-nous sur la vie d'artiste.

Nous avons longtemps regardé l'artiste avec des certitudes. Nous avions raison puisque le monde nous paraissait stable. Il y avait du progrès, des utopies possibles et désirables, l'Est d'un côté, l'Ouest de l'autre. Les classes moyennes se voyaient au centre du jeu social et politique. Elles avaient conscience d'un avenir pour elles. Chaque décennie, de nouvelles avant-gardes ouvraient de nouveaux territoires. L'artiste rebelle choquait le bourgeois. Parfois même, il ébranlait l'ordre établi. Il y avait des maîtres. Qu'ils fussent presque toujours contestés faisait partie du jeu. Dans chaque discipline, on pouvait les identifier sans grand risque de se tromper. [...]

Une autre époque émerge, beaucoup plus incertaine et friable. Tout s'accélère. La technologie et, avec elle, notre rapport au temps. Nous entrons dans un autre âge du capitalisme. La consommation de biens immatériels – sons, images, signes, marques, jeux, tendances, réseaux sociaux, forfaits téléphoniques... – occupe chaque année une place de plus en plus importante dans notre quotidien. Elle bouleverse nos pratiques culturelles, redistribue de fond en comble nos dépenses et nos loisirs.

« Qu'est-ce qu'un artiste », Daniel Conrod, *Télérama*, 23 octobre 2010

5. TOURISME CULTUREL

A. Qu'évoque pour vous l'association des mots « tourisme » et « culturel » ? Présentez des exemples.

B. D'après les documents suivants, en quoi consiste le tourisme culturel et qu'est-ce qui le motive ?

1. Le tourisme culturel est un déplacement d'au moins une nuitée dont la motivation principale est d'élargir ses horizons, de rechercher des connaissances et des émotions au travers de la découverte d'un patrimoine et de son territoire. Par extension, on y inclut les autres formes de tourisme où interviennent des séquences culturelles. Le tourisme culturel est donc une pratique culturelle qui nécessite un déplacement d'au moins une nuitée, ou que le déplacement va favoriser.

(Claude Origet du Cluzeau, *Le Tourisme culturel*, PUF, « Que Sais-je », 2007)

2. Le tourisme culturel est une forme de tourisme centré sur la culture, l'environnement culturel (incluant les paysages de la destination), les valeurs et les styles de vie, le patrimoine local, les arts plastiques et ceux du spectacle, les industries, les traditions et les ressources de loisirs de la communauté d'accueil. Il peut comprendre la participation à des événements culturels, des visites de musées et monuments et la rencontre avec des locaux. Il ne doit pas seulement être considéré comme une activité économique identifiable, mais plutôt comme englobant toutes les expériences vécues par les visiteurs d'une destination au-delà de leur univers de vie habituel ; cette visite doit durer au moins une nuitée et moins d'un an, se passer dans un hébergement privatif ou marchand de la destination.

(Organisation Mondiale du Tourisme)

www.tourismeculturel.net

C. Comment s'explique le développement de ce type de tourisme ? Partagez-vous cet engouement ?

CRÉER SOUS LA CONTRAINTE

A. Découvrez ces quelques contraintes de l'Oulipo. Inventez-en d'autres.

Qu'est-ce que l'Oulipo ?

L'Oulipo (Ouvroir de littérature potentielle) est une association fondée en 1960 par le mathématicien François Le Lionnais avec, comme co-fondateur, l'écrivain et poète Raymond Queneau. Les membres de l'Oulipo se réunissent régulièrement pour réfléchir sur la notion de « contrainte » et produire de nouvelles structures destinées à encourager la création.

Quelques contraintes oulipiennes sont présentées ici

Abécédaire : Texte où les initiales des mots successifs suivent l'ordre alphabétique.
À brader : **c**inq **d**anseuses **e**n **f**roufrou (**g**russouillettes), **h**uit **i**ngénues (**j**oueuses) **k**leptomanes **l**e **m**atin, **n**euf (**o**nze **p**eut-être) **q**uadragénaires **r**abougries, **s**ix **t**ravailleuses, **u**ne **v**aleureuse **w**alkyrie, **x y**uppies (**z**élées).

Contrainte du prisonnier : Un prisonnier veut envoyer un message mais ne dispose que d'un papier minuscule. Pour gagner de la place, il formule son message en évitant toutes les lettres à jambages.
Ne restent que a, c, e, m, n, o, r, s, v, w, x, z.
Si le prisonnier dispose d'un peu plus de papier, il pourra se permettre d'utiliser le i.

S+7 (créée en 1961 par Jean Lescure) : La méthode S+7 consiste à remplacer chaque substantif (S) d'un texte préexistant par le septième substantif trouvé après lui dans un dictionnaire (+7) donné.

Dans *La Disparition*, roman de Georges Perec, le lecteur suit les péripéties des amis d'Anton qui sont à sa recherche, dans une trame proche de celle d'un roman policier. À travers la disparition du personnage principal, au nom lui-même évocateur : Anton Voyl, c'est aussi la lettre « e » qui aura disparue tout au long de ce livre qui constitue un jeu et un défi technique, au service d'une écriture extrêmement souple et littéraire. Membre de l'Oulipo, c'est une des contraintes que s'est imposée l'auteur, et qui passera inaperçue pour la majorité de ses lecteurs.

« Anton Voyl n'arrivait pas à dormir. Il alluma. Son Jaz marquait minuit vingt. Il poussa un profond soupir, s'assit dans son lit, s'appuyant sur son polochon. Il prit un roman, il l'ouvrit, il lut ; mais il n'y saisissait qu'un imbroglio confus, il butait à tout instant sur un mot dont il ignorait la signification. »
La Disparition, Georges Perec, 1969

B. Rédigez quelques lignes sur un thème culturel de votre choix (« la mort de la culture », « la vie d'artiste », etc.), en choisissant une des contraintes oulipiennes.

EXPRIMER UNE APPRÉCIATION SUBJECTIVE

A. Relevez des expressions de la subjectivité dans les documents présentés dans « À la recherche de l'information ».

B. Choisissez l'un des documents de la section « À la recherche de l'information » et appliquez au texte la contrainte suivante :

LA CONTRAINTE DU SUBJONCTIF (CRÉÉE EN 2011 PAR FAFA LE MANTAIS)

La méthode consiste à remplacer chaque verbe conjugué d'un texte préexistant par un subjonctif, en cherchant à modifier le moins possible la structure du texte.

Exprimer une appréciation subjective, un jugement de valeur

C'est appréciable…	**de** + VERBE À L'INFINITIF
Il est normal…	
Il est inacceptable…	**que** + VERBE AU SUBJONCTIF

↪ **VOIR** LE SUBJONCTIF **PAGE 137**

L'OPPOSITION ET LA CONCESSION

A. Dans cette transcription d'une table ronde sur la culture, notez les points sur lesquels les deux critiques se rejoignent et ceux sur lesquels ils s'opposent.

JEAN-RENÉ LEROIX, CRITIQUE D'ART À LA REVUE NATIONALE DES ARTS ET DES LETTRES

Alors que le XVIIe siècle s'achève, s'annonce un siècle culturel riche comme la France en a rarement connu, le XVIIIe siècle, contrairement à ce que vous semblez croire, va inspirer les baroques qui vont témoigner de la fantaisie et de la virtuosité des artistes. Les écrivains refuseront la codification des genres, joueront sur les métamorphoses du monde et des êtres. Cela n'empêche pas un autre courant, le classicisme, de revendiquer, à l'inverse et peut être par réaction, un style simple et naturel dans lequel l'écrivain classique instruit quant à lui le lecteur ou le spectateur. Il cherche à retrouver le naturel des sentiments et des passions. Il aime peindre l'individu en opposition avec les contraintes sociales, morales, et politiques. Vous prétendez que le siècle le plus riche d'un point de vue culturel est le XIXe ; permettez-moi de ne pas partager votre avis. En dépit des manifestations sublimes de cette époque, pensez à la richesse d'un Racine, d'un Molière ou d'un Descartes qui prendra quand même le contre-pieds des méthodes scolastiques... Et n'oublions pas Pascal, qui va se rallier au jansénisme, Corneille ou La Bruyère, qui ont illustré ce siècle culturellement bouillonnant. Encore que j'aurais pu aussi évoquer la musique baroque, un vrai régal des sens.

LOUISE RENODEAU, CRITIQUE POUR LA REVUE DES ARTS NOUVEAUX

Certes, mais il n'empêche que vous semblez minimiser l'importance de ce XIXe siècle, qui va marquer un véritable tournant dans notre culture. Je partage votre point de vue, mais que je nuancerais néanmoins au regard de ce que fut la production littéraire dans une période définie par deux dates repères : 1799, date du coup d'État de Bonaparte qui instaure le Consulat et met fin d'une certaine façon à la période révolutionnaire, et 1899, moment de résolution des tensions de l'affaire Dreyfus et de la menace du boulangisme, et où s'imposent finalement les valeurs de la IIIe République. Alors que la modernité s'affirme, des courants marquants vont toucher tous les arts, comme le romantisme, le réalisme, le naturalisme ou le symbolisme. Je concède que la plupart des créateurs vont échapper à cet étiquetage étroit et offriront des œuvres multiples dans le domaine de la poésie (avec Lamartine, Vigny, Musset, Hugo, Baudelaire, Rimbaud, Verlaine, Mallarmé...) comme dans le domaine du roman (avec Stendhal, Balzac, Dumas, Hugo, Flaubert, Zola, Maupassant, Verne...) et dans une moindre mesure au théâtre avec le drame romantique et ses épigones (avec Musset, Hugo, Edmond Rostand...).

Je reste convaincue que ce siècle reste, pour la littérature, un âge d'or de la poésie et du roman. J'ai beau avoir un penchant pour l'écriture, ce siècle marquera aussi l'apogée de l'opéra, les concerts (Liszt, Paganini), mais on pourrait aussi évoquer la musique de chambre qui se développe. Néo-classicisme, romantisme, impressionnisme, cubisme, vont marquer, eux aussi, ce siècle de peinture. Contrairement à la période que vous affectionnez, ce siècle sera aussi, et ce n'est pas anodin selon moi, celui d'inventions marquantes comme celle du premier vaccin contre la rage (Louis Pasteur) ou de la révolution des communications et des transports qui affecteront artistes et créations artistiques.

B. Soulignez les conjonctions et les locutions conjonctives qui expriment l'opposition et la concession. En connaissez-vous d'autres ?

C. Relevez les expressions de l'opinion.

D. Sur le même modèle de débat culturel, opposez vos points de vue sur l'un ou l'autre des sujets suivants, en utilisant les procédés d'opposition et de concession, ainsi que des expressions d'opinion.

- La peinture figurative / abstraite
- La tragédie / La comédie
- La Renaissance / Le Moyen-Âge
- L'architecture classique / L'architecture moderne
- La peinture / La photographie
- Etc.

➡ VOIR MODALISATION **PAGE 138**
➡ VOIR L'OPPOSITION ET LA CONCESSION **PAGE 140**

6. NUITS BLANCHES À PARIS

A. En quoi consiste l'événement présenté dans cet article ? Avez-vous déjà assisté à une manifestation de ce type ? Qu'en pensez-vous ?

B. Si vous deviez organiser une « Nuit blanche » dans votre ville, que proposeriez-vous ?

Les artistes se plient en quatre

Placée cette année sous le signe du « temps », la 10e édition de la Nuit blanche transformera les rues de la capitale en terrain de jeu pour trente-cinq artistes audacieux. Dans la nuit de samedi à dimanche, quatre quartiers seront les théâtres d'installations de projection et de performances spectaculaires.

1. Nostalgie dans le Marais

Dans un décor rappelant un plateau de tournage, les visiteurs sont invités à déambuler un parapluie à la main sous une pluie artificielle et violette imaginée par Pierre Andouvin. Avec le projet *Purple Rain*, l'artiste participe pour la troisième nuit à la Nuit blanche. Son œuvre onirique suscite une certaine nostalgie. (Hôtel d'Albert 31,rue des Francs-Bourgeois, Paris 4e)

À voir aussi : La sculpture en parpaing de Vincent Ganivet dans la cour de la Bibliothèque historique de Paris.

2. Gigantisme à Saint-Lazare

Deux projections monumentales se complètent et se répondent sur deux façades de la rue de Rome. Les images diffusées ont été réalisées par onze étudiants de Christophe Domino (professeur au Beaux-Arts du Mans) et deux artistes confirmés réunis sous le nom de «Grande image Lab» (Murs pignons, face au 82 et 85 rue de Rome, Paris 8e)

À voir aussi : Le film *Ex* de Jacques de Monory (1968) projeté dans la cour du lycée Chaptal. (45 boulevard des Batignolles)

3. Humour à Pigalle

Sur le terre-plein du métro Anvers *La concentration des services* réunit en un seul objet plusieurs services présents dans l'espace urbain : horloge, parking à vélo, poubelle... Réalisée par Julien Berthier, cette œuvre hybride pleine d'humour interroge notre rapport à la ville. (Terre-plein métro Anvers, Paris 9e)

À voir aussi : La performance de l'artiste japonaise Sachilko Abe dans l'atrium de l'école Esmold (12 rue de la Rochefoucauld).

4. Poésie à Montmartre

À partir de ses vidéos performances, l'artiste finlandais Antti Laitinen embarque les visiteurs dans un voyage absurde des rames (*It is my island*) et une autre, artificielle posée, au milieu de la mer Baltique (*Voyage*). (Jardin du musée Montmartre, 12-14 rue Cortot, Paris 18e)

À voir aussi : L'installation de Christian Boltanski présentée au Théâtre de l'Atelier. (1 place Charles-Dullin)

10e Nuit blanche, demain à partir de 19h et jusqu'à 7h du matin (nuitblanche.paris.fr).

Direct matin, octobre 2011

7. CULTURE ET POLITIQUE

A. Dans votre pays, quels sont les types d'événements culturels français les plus fréquemment organisés ?

B. Quelles sont les actions menées par votre pays pour promouvoir sa culture à l'étranger ?

Peut-on penser la culture hors de ses enjeux politiques et la politique hors de ses déterminants culturels ? Peut-on abstraire la culture des rapports de pouvoir ? Est-il même besoin aujourd'hui de solliciter les analyses de Gramsci quant au rôle de la culture dans la détermination du rapport d'hégémonie politique, ou celles des philosophes de l'école de Francfort quant au poids politique des industries culturelles ? L'opinion profane elle-même paraît désormais convaincue que les médias de masse et les industries de l'imaginaire (P. Flichy, *Les Industries de l'imaginaire*. PUG, 1980) constituent, conjointement, le plus puissant vecteur des représentations culturelles et des représentations politiques. Les acteurs politiques, de leur côté, manifestent régulièrement un tropisme d'assimilation entre les choix politiques qu'ils opèrent et la réception culturelle de ces choix par les citoyens-consommateurs auxquels ils s'adressent, comme s'ils souscrivaient sans le savoir à la théorisation althussérienne des « appareils idéologiques d'État ». Cette éventuelle confusion entre culture et communication est elle-même au cœur des enjeux politiques contemporains : les industries culturelles tendent à réduire la culture à une simple « industrie des loisirs » dont les articles sont « consommés par la société comme tous les autres objets de consommation » (A. Arendt, *La Crise de la culture*, Gallimard, 1972, p. 263). S'interroger sur les enjeux politiques contemporains de la culture, ou sur la culture comme enjeu politique, implique donc d'abord d'identifier la culture ici en cause selon un questionnement empirique, émancipé de toute prétention théoriciste. La distinction, désormais classique, oppose d'une part une conception « savante » de la culture, celle de la culture légitime, correspondant à une conception esthétique de celle-ci, et, d'autre part, une conception anthropologique, relative à l'ensemble des pratiques sociales, des manières de vivre d'une société déterminée (P. Bourdieu, *La Distinction*. Ed. de Minuit, 1979 ; Grignon et Passeron, *Le Savant et le Populaire, misérabilisme et populisme en sociologie et en littérature*, Seuil-Gallimard, 1989).

La première conception, la plus exigeante, relative à la fréquentation des œuvres d'art, correspond à des enjeux politiques spécifiques et, d'abord, à celui, essentiel, de l'accès aux œuvres du plus grand nombre des citoyens. Problématique classique de la « démocratisation de la culture ».

La deuxième conception ne paraît guère poser de problème spécifique en termes d'articulation entre culture et politique :

l'ensemble des « us et coutumes » d'une société, façonnés par l'histoire, le territoire, la langue, la religion... participe, génériquement, de la culture de ladite société, qui peut, indifféremment, manifester ou non des signes démocratiques. La culture n'y paraît guère dissociable de l'identité « politique » des groupes concernés. La question politique est alors celle de la « diversité culturelle », c'est-à-dire de la cohabitation des cultures, hors de toute hégémonie de l'une d'entre elles. La controverse surgit cependant quant à la délimitation de la « zone grise », sinon de la frontière, entre culture légitime et culture anthropologique, et d'aucuns pourraient soutenir que la question des langues se situe précisément dans ladite zone.

Serge Regourd, « La Culture comme enjeu politique »,
Hermès n° 40, 2004

C. Que pensez-vous des liens entre politique et culture, tels qu'ils sont présentés dans le document ci-dessous ?

D. Cette analyse vous semble-t-elle applicable à votre pays ?

8. LA CULTURE AUX PORTES DE L'ÉCOLE

A. Lisez la présentation de ce programme officiel du gouvernement du Québec. Qu'en pensez-vous ?

B. Quel artiste (écrivain, chanteur, personnalité locale...) auriez-vous aimé rencontrer dans le cadre de votre centre d'enseignement ? Pourquoi ?

Le programme : La culture à l'école

Objectifs du programme

L'objectif général du programme « La culture à l'école » est de former des citoyens actifs sur le plan culturel en multipliant les expériences vécues par les élèves, grâce à la collaboration entre, d'une part, le personnel enseignant et, d'autre part, les artistes, les écrivains et les organismes culturels professionnels inscrits dans le *Répertoire de ressources culture-éducation*.

Chaque année, des centaines d'enseignants, d'artistes, d'écrivains et d'organismes culturels professionnels d'ici collaborent à la réalisation d'une multitude d'ateliers de création ou de sorties en milieu culturel couvrant un large éventail de pratiques culturelles. Ainsi, le programme « La culture à l'école » atteint son objectif principal qui est de former des citoyens culturellement actifs en multipliant les expériences culturelles vécues par les élèves.

Référence incontournable associée au programme « La culture à l'école », le Répertoire réunit des renseignements sur des centaines d'artistes, d'écrivains et d'organismes culturels disposés à offrir des ateliers de nature artistique et culturelle aux jeunes du préscolaire, du primaire et du secondaire. Disponible sur Internet seulement, il est mis à jour tous les deux ans.

Le programme vise particulièrement :

· à favoriser la prise en compte de la dimension culturelle dans la vie de la classe et de l'école, en conformité avec le Programme de formation de l'école québécoise ;

· à fournir aux élèves de multiples occasions de vivre des expériences culturelles qui ont une incidence sur leurs apprentissages et qui leur permettent de développer leur ouverture, leur curiosité ainsi que leur sens critique et esthétique ;

· à développer chez les élèves le goût et l'habitude de fréquenter des lieux culturels professionnels ;

· à favoriser davantage la concertation entre les acteurs des milieux scolaire et culturel, tout en tenant compte de la diversité des réalités régionales ;

· à valoriser et à promouvoir les professions rattachées aux domaines des arts et de la culture.

Écoles visées

Le programme s'adresse à l'ensemble des élèves québécois du préscolaire, du primaire et du secondaire (secteur des jeunes) des écoles francophones et anglophones, publiques ou privées.

http://www.mels.gouv.qc.ca

9. PARCOURS CULTURELS

Vous allez prévoir le volet culturel d'un séjour dans un pays francophone. Pour cela, vous allez rechercher, en fonction de l'orientation culturelle choisie (culture anthropologique, patrimoniale, culinaire…), les lieux et caractéristiques de votre parcours.

A. Choisissez un pays francophone dont vous aimeriez faire connaître la diversité culturelle.

B. En groupes, faites des recherches. Choisissez un aspect que vous voulez présenter et le type de support sur lequel vous allez le diffuser.

C. Chaque groupe présente son programme. La classe entière décide du moyen de diffuser l'ensemble des productions.

Type de parcours-découverte	Types de supports
Gastronomie	Blog
Patrimoine	Réseaux sociaux
Musée	Affiches
Nature	Dépliants
	Page web
	Exposition
	Etc.

10. RENCONTRES IMPROBABLES

Vous allez mettre en scène deux personnages culturels (architecte, écrivain, peintre…) qui veulent voir leurs œuvres figurer dans un musée.

A. Un musée imaginaire ouvre un concours pour offrir à un artiste un espace permanent d'exposition. En classe entière, choisissez deux personnages culturels francophones qui défendront leur candidature (architecte, écrivain, peintre…).

B. Deux groupes se chargent de faire des recherches sur chacun de ces personnages et sur leurs œuvres afin de rédiger un argumentaire convaincant. Le troisième groupe, qui joue le rôle du jury du musée, prépare l'audition des deux candidats (organisation de la séance, questions à poser, critères d'évaluation…).

C. En classe entière, chaque groupe défend son candidat. Après une courte délibération, le jury annonce le résultat du concours en justifiant sa décision.

➡ **VOIR LA CONCLUSION PAGE 146**

LA FONTAINE

FABLES

Édition de Marc Fumaroli

Le Livre de Poche

La Pochothèque

LES FABLES DE LA FONTAINE

CITADELLE VAUBAN DE BESANÇON

Les cloches

C. Debussy

Andantino quasi allegretto

p et léger

Les feuil - les s'ou - vraient sur le bord des

Dé - li - ca - te - ment.

CLAUDE DEBUSSY

LE PENSEUR, RODIN

10

Circuler

À la fin de cette unité, nous allons rédiger un récit d'expériences de notre apprentissage de la langue française et/ou rédiger un récit de voyage métaphorique.

libre | monde | destination | oasis | **quête** | ailleurs | **rêve**
migration | imaginaire | périple | mobilité
chercher | **nomade** | découverte | eldorado
changer | seul | **sauvage** | errer | **lieux** | soi | Aventure
paysage | transports | Aventure
voyager | plaisir | **partir** **exode**
temps | dépaysement

Carole Saturno

Enfants d'ici, parents d'ailleurs

Histoire et mémoire de l'exode rural et de l'immigration

TERRE URBAINE
GALLIMARD JEUNESSE

Nicolas Vanier
L'ODYSSÉE
SIBERIENNE

bleu

Premier contact

1. POURQUOI PARTIR ?

A. Comment aimez-vous voyager ?

B. Comparez les trois documents. Qu'est-ce qui peut pousser les hommes à partir ?

C. Imaginez le texte de l'une des quatrièmes de couverture en utilisant des mots du nuage.

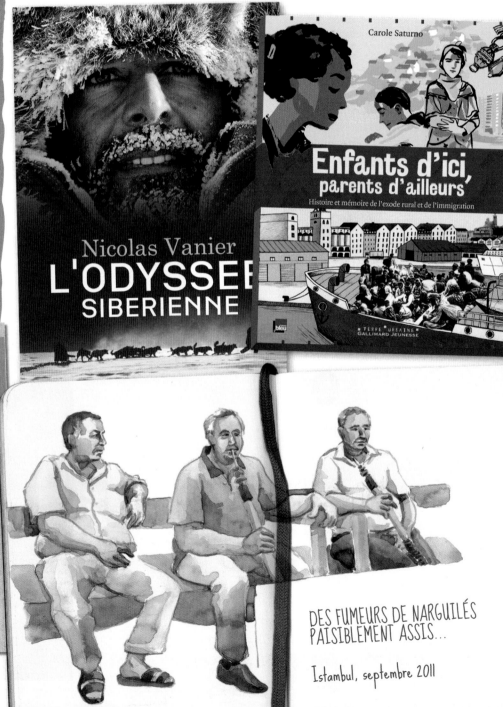

DES FUMEURS DE NARGUILÉS PAISIBLEMENT ASSIS...

Istambul, septembre 2011

2. ICI ET AILLEURS

A. Lisez les commentaires du forum. Quelles sont les motivations que vous partagez ? En avez-vous d'autres ?

POURQUOI VOYAGEZ-VOUS ?

RÉPONSE DE **MARIE**
POSTÉ LE 05/03/2011 06:46

On peut trouver des tas de bonnes raisons de voyager, les unes poétiques, les autres à notre propre gloire, célébrant nos exploits ou notre ouverture d'esprit, mais en fait, comme disait R. Kipling « Tout bien considéré, il n'y a que deux sortes d'hommes dans le monde : ceux qui restent chez eux et les autres », les autres, les nomades, ceux pour qui le chemin est plus important que la destination.

RÉPONSE DE **CATHY** ET **PHILIPPE**
POSTÉ LE 05/03/2011 09:33

Une dose de découverte et d'émerveillement, une touche de curiosité, une envie de rencontrer des gens d'autres cultures. Et puis surtout pour les photos !

RÉPONSE DE **PIERRE**
POSTÉ LE 05/03/2011 23:28

Pour moi, le voyage, c'est la connaissance du monde et la rencontre avec l'autre. Pas besoin de gros moyens financiers. Je recherche aussi la contemplation de paysages sublimes et l'esthétisme des réalisations humaines.

RÉPONSE DE **ÉLO** ET **HERVÉ**
POSTÉ LE 06/03/2011 10:02

Les motivations sont multiples : s'enrichir culturellement et socialement, élargir sa vision du monde, pratiquer les langues étrangères avec plaisir et sans complexe.
Nous aimons les voyages à la carte, que nous organisons le plus souvent nous-mêmes. La période de préparation est aussi très intéressante car elle permet d'approfondir des thèmes en amont et d'augmenter notre culture générale.

B. Réagissez à la citation de R. Kipling : « Tout bien considéré, il n'y a que deux sortes d'hommes dans le monde : ceux qui restent chez eux et les autres. ».

3. RENCONTRE AVEC L'AUTRE

A. Lisez cet extrait de roman. Quel regard les trois « chibanis » portent-ils sur les Parisiens et la société française en général ?

Bartolo, Zalamite et Bonbon sont trois personnes âgées nées en Algérie, trois « chibanis » (« vieux » en parler pied-noir). Arrivés en France dans les années 50, ils ont toujours travaillé. Aujourd'hui à la retraite, ils finissent leur vie dans le quartier de la « Goutte d'Or », près de la Gare du Nord qui les attire irrésistiblement...

Chaque jour, ils croisaient des gens de tous les pays, de toutes les couleurs, des touristes en short ou sous un parapluie qui grimpaient avec leurs appareils photo vers le Sacré-Cœur et la place du Tertre. Il y avait aussi les clients empressés des magasins, des pickpockets, des dealers, des prostitués des deux sexes, des flâneurs avec leurs chiens, des badauds, des employés avec le sandwich à la bouche.

Les trois vieux ne mangeaient jamais dans la rue. Ils pensaient que cela ne se faisait pas, que ce n'était pas bien. Ils ne comprenaient pas non plus pourquoi les chiens et les chats étaient aussi choyés. Plus gâtés que des enfants de riches, nourris comme des rois, ils se répandaient partout, sur les trottoirs et au pied des platanes. Ils avaient des salons de beauté, des garde-robes, de très jolis colliers, des cliniques, des cimetières rien que pour eux. Les plus veinards partaient en vacances à l'étranger. Vaccinés et pomponnés, ils prenaient l'avion ou le bateau dans une cage bien douillette.

Hadj Fofana Bakary leur avait raconté qu'une jeune dame était venue le voir, les larmes aux yeux et la voix délicate comme le doux foulard de soie noué autour du cou. Elle lui avait proposé une forte somme uniquement pour lui ramener son caniche nain disparu depuis une semaine près de l'église de la Madeleine. Elle y tenait beaucoup, il lui avait été offert par son amoureux, un haut fonctionnaire un peu susceptible. Bakary ne pouvait rien pour elle. Il ne maîtrisait pas bien les ondes des bêtes de la ville. Il comprenait mieux la mentalité des animaux de la savane et de la jungle, lui avait-il avoué sincèrement.

Abdelkader Djemaï, *Gare du Nord*, Éditions du Seuil

B. Comment expliquer que ces trois immigrés soient encore surpris par certaines réalités de la société française après tant d'années passées en France ?

C. Avez-vous déjà été surpris par les us et coutumes d'un pays dans lequel vous êtes allé ? Racontez une anecdote à la classe.

4. « NOUS SOMMES TOUS DES ENFANTS D'IMMIGRÉS »

A. Lisez le témoignage de cet immigré comorien. Faites un résumé de ses motivations et de son parcours.

Partir, c'est une tradition des Comoriens, une habitude. Il y a toujours du va-et-vient. On s'en va pour les études, pour travailler, c'est la continuité des générations. [...]

Classe d'âge

Donc moi, je suis né dans ce village [Dijoni], tout près d'une grande ville appelée Foumbouni. Même si c'est la campagne, il y a beaucoup d'intellectuels. C'est comme ça que nous étions dix copains du même âge à passer le bac et c'est plutôt exceptionnel pour un si petit village. Dans ma famille, on est cinq enfants, mais quand j'étais petit, on ne faisait pas vraiment de distinction entre celui qui est né de tel ou tel, frères, cousins, copains. La vie est communautaire : tu te lèves le matin et tu te débrouilles, tu n'attends pas que ta mère s'occupe de toi. On se connaît tous, on peut aller manger chez l'un ou l'autre sans problème. Il n'y a pas de souci comme ici avec les enfants. On grandit avec ceux de sa classe d'âge. Il n'y avait pas d'école sur place, donc on allait en ville à pied, tous ensemble, plus de 14 kilomètres tous les jours, chaque matin et chaque soir. [...]

Le grand lycée Saïd Mohamed Cheikh

[...] On avait décidé d'aller passer le bac à Moroni, au grand lycée Saïd Mohammed Cheikh, pour mettre toutes les chances de notre côté. Un monsieur du village, qui avait fait l'armée en France et possédait un terrain à Moroni, nous a permis de construire une cabane sur une petite parcelle. On a vécu tous là une année. Moi, j'étais très fort en histoire et j'avais décidé que j'irais en France pour devenir histo-rien. Mais cette année de terminale a été décrétée année blanche, alors on est tous allé passer le bac à Madagascar. Comme chacun de nous désirait étudier, on devait de toute façon partir à l'étranger, puisqu'il n'y a pas d'université aux Comores.

Terre promise

[...] J'ai eu mon bac sans problème et je me suis préparé pour rejoindre en France ma sœur aînée, mes cousins et mon père. On échangeait souvent des nouvelles, par les Comoriens qui allaient et venaient. Ça a demandé un peu de temps, mais j'ai obtenu un visa de touriste. Ma famille de France m'a aidé à acheter le billet, je crois que c'était 7 000 francs à l'époque. Je suis arrivé le 14 décembre 1995, dans le froid. Je n'avais sur moi qu'un petit tricot. Ma sœur avait envoyé des parents de la région parisienne à l'aéroport, parce qu'il n'y avait pas de transports, il n'y avait rien, avec les grèves. Ils m'ont prêté des vêtements. Le train ne marchait pas, tout était bloqué, je ne comprenais rien. Finalement, j'ai trouvé un avion pour Marseille.

Sans papiers

C'est là que j'ai perdu toutes mes illusions. Je ne connaissais rien et je m'étais fait beaucoup d'idées, comme quoi j'allais tout de suite commencer à étudier à l'université. Mais à chaque fois que je me présentais dans un établissement, on me demandait le visa d'étudiant que je n'avais pas. Finalement, j'ai compris que je ne pouvais rien faire et je suis tombé dans le désespoir. Je n'avais aucun moyen d'entrer à la fac et je ne pouvais pas travailler non plus, alors que j'avais emprunté à beaucoup de monde pour arriver ici. De fin 95 à 97, je suis resté dans un trou. J'avais peur de quitter la maison, je vivais à droite ou à gauche, chez ma sœur ou chez mon père. Je ne voulais plus sortir, par peur de me faire arrêter et expulser. J'étais comme une ombre, un fantôme. Souvent, je pensais au suicide comme la seule solution. J'aurais pu aussi retourner chez moi. Mais comment expliquer que je rentre sans rien, seulement avec des dettes ?

La face cachée de l'émigration

C'est la face cachée de l'émigration, celle qu'on découvre seulement quand on est ici. Si on m'avait prévenu quand j'étais encore aux Comores, je pense que je ne l'aurais pas cru, je n'aurais pas voulu écouter. Parce que là-bas, tu as la nostalgie, tu as envie de voir ce que tu ne peux pas voir. Et de toute façon, tu te dis que tu n'as pas le choix, parce que le pays s'enfonce. La première cause de départ, bien sûr, c'était les études, mais après, on sait très bien, on part pour changer sa vie.

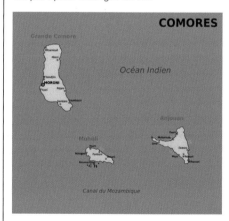

Atelier du Bruit (atelierdubruit-net), Houssen Mze Hamadi

B. Définissez le mot « immigration ». Expliquez les raisons qui poussent les personnes à immigrer et les conséquences pour les pays d'accueil. Discutez-en avec vos camarades.

 Piste 30 **C.** Écoutez l'enregistrement sonore. Pourquoi l'interviewé commence-t-il son récit par : « Je ne voudrais pas oublier de vous dire. » ?

D. En quoi le départ du grand-père vers un autre pays a-t-il été un « arrachement » et, en même temps, « un acte d'amour extraordinaire » ?

5. LE VOYAGEUR IMMOBILE

A. Qu'est-ce que c'est, pour vous, « voyager » ?

B. Lisez cet extrait de roman. En quoi peut-on comparer l'expérience vécue par ce petit garçon à un voyage ?

Voilà l'épicerie-mercerie de Mlle Alloison. Ah ! Mlle Alloison ! Un long piquet avec une charnière au milieu. Ça se ployait en deux, ça se frottait les mains, ça disait : « Ah ! Janot, on est venu chez la tante, alors ? » Ça avait la taille serrée dans la boucle d'une cordelière de moine et un large ciseau de couturière lui battait le mollet. Elle était tout en soupirs et en exclamations. Un soir on avait dit, sans se méfier de moi, qu'elle avait été jolie en son jeune âge. Elle était l'entrepositaire du Bulletin paroissial. Elle savait par cœur ce que je venais chercher ; elle rentrait dans sa cuisine et elle me laissait seul dans l'épicerie. Il n'y avait qu'une lampe à pétrole pendue dans un cadran de cuivre. On semblait être dans la poitrine d'un oiseau : le plafond montait en voûte aiguë dans l'ombre. La poitrine d'un oiseau ? Non, la cale d'un navire. Des sacs de riz, des paquets de sucre, le pot de la moutarde, des marmites à trois pieds, la jarre aux olives, les fromages blancs sur des éclisses, le tonneau aux harengs. Des morues sèches pendues à une solive jetaient de grandes ombres sur les vitrines à cartonnages où dormait la paisible mercerie, et, en me haussant sur la pointe des pieds, je regardais la belle étiquette du « fil au Chinois ». Alors, je m'avançais doucement ; le plancher en latte souple ondulait sous mon pied. La mer, déjà, portait le navire. Je relevais le couvercle de la boîte au poivre. L'odeur. Ah ! cette plage aux palmiers avec le Chinois et ses moustaches. J'éternuais. « Ne t'enrhume pas, Janot. – Non, mademoiselle. » Je tirais le tiroir au café. L'odeur. Sous le plancher l'eau molle ondulait : on la sentait profonde, émue de vents magnifiques. On n'entend plus les cris du port. Dehors, le vent tirait sur les pavés un long câble de feuilles sèches. J'allais à la cachette de la cassonade. Je choisissais une petite bille de sucre roux. Pendant que ça fondait sur ma langue, je m'accroupissais dans la logette entre le sac des pois chiches et la corbeille des oignons ; l'ombre m'engloutissait : j'étais parti.

Jean Giono, « Le voyageur immobile »,
in La Rondeurs des jours,

C. Qu'est-ce qui fait voyager le petit garçon ? Où est-il parti ? Qu'est-ce que l'auteur nous fait partager dans ce récit ?

D. Observez le dessin et, en petits groupes, imaginez le type de voyage entrepris par le cavalier, son but et sa destination. Partagez avec la classe.

EUGÈNE DELACROIX, *ALBUM DE VOYAGE* (ESPAGNE, MAROC, ALGÉRIE, JANVIER-JUIN 1832), CONSERVÉ AU MUSÉE CONDÉ, CHANTILLY

6. LE TOURISME, UN VOYAGE ?

A. Partagez-vous cette opinion : « Le voyage est, de nos jours, un produit de consommation » ? Pourquoi ? Discutez-en entre vous.

Piste 31

B. Écoutez l'enregistrement. Comparez vos idées avec celles exprimées par la personne interviewée et discutez-en entre vous.

C. Quelles sont les différences entre le voyage, le tourisme et le nomadisme ?

D. Rédigez l'introduction d'un exposé qui présentera deux conceptions opposées du voyage : le voyage évasion et le voyage comme produit de consommation.

➡ **VOIR L'INTRODUCTION PAGE 146**

ARTICULATEURS DE TEMPS

Réécrivez le passage suivant du témoignage de l'immigré comorien, en explicitant les relations temporelles.

VOIR LES CONNECTEURS TEMPORELS **PAGE 145**

Là, on s'est dispersé, certains allant à Tananarivo, tandis que j'étais inscrit à Majunga, où j'avais de la famille. Mais on s'est tous retrouvés en France. Avec ces amis-là, des fois, on s'appelle, mais petit à petit, on se perd de vue. Deux seulement sont retournés au pays. J'ai eu mon bac sans problème et je me suis préparé pour rejoindre en France ma sœur aînée, mes cousins et mon père. On échangeait souvent des nouvelles, par les Comoriens qui allaient et venaient. Ça a demandé un peu de temps, mais j'ai obtenu un visa de touriste. Ma famille de France m'a aidé à acheter le billet, je crois que c'était 7 000 francs à l'époque. Je suis arrivé le 14 décembre 1995, dans le froid. Je n'avais sur moi qu'un petit tricot. Ma sœur avait envoyé des parents de la région parisienne à l'aéroport, parce qu'il n'y avait pas de transports, il n'y avait rien, avec les grèves. Ils m'ont prêté des vêtements. Le train ne marchait pas, tout était bloqué, je ne comprenais rien. Finalement, j'ai trouvé un avion pour Marseille.

SI TU ME PRENDS PAR LES SENTIMENTS...

Piste 32

A. Écoutez les enregistrements et repérez le sentiment qui y est exprimé.

	Audio n°...
1. Agacé : qui est nerveux et irrité.	
2. Nostalgique : qui regrette le passé et y pense avec émotion.	
3. Révolté : qui est en opposition, qui refuse la situation.	
4. Stupéfait : qui est très surpris et étonné.	
5. Enthousiaste : qui ressent et manifeste une grande adhésion et une vive satisfaction.	
6. Émerveillé : qui éprouve un sentiment d'admiration mêlé de surprise.	
7. Captivé : qui est tellement intéressé que toute son attention est retenue.	
8. Déçu : qui n'est pas satisfait parce qu'il attendait mieux.	

B. En groupes, établissez une liste d'adjectifs qualificatifs permettant d'exprimer un sentiment, une émotion vécue au cours d'un voyage.

C. Racontez les circonstances pendant lesquelles vous avez ressenti l'un de ces sentiments.

LANGAGE ET IMAGE

A. Relisez le texte de Jean Giono et relevez les mots de la mer ainsi que ceux de l'exotisme.

Le champ lexical : c'est un ensemble de mots qui ont un point commun, par exemple d'être synonymes (*agacé, énervé, nerveux*) ou d'appartenir à la même famille (*imaginer, imagination, imaginaire, inimaginable*), au même domaine (*la mer, le port, le bateau, la croisière*), à la même notion (*le voyage, le tourisme, le nomadisme, l'errance*).

La comparaison : elle rapproche au moins deux termes
1) un comparé : ce que l'on compare.
2) un comparant : ce à quoi l'on compare.
Ces termes sont reliés par une expression de comparaison : *comme, tel, semblable à, pareil à, ainsi que, de même que...*
Ce petit village est accroché à la falaise comme un nid à sa branche.

La métaphore : une métaphore est une comparaison dont on aurait supprimé le comparant.
Le flot des voyageurs grossissait.

La métaphore filée est une série de métaphores dont les comparants appartiennent tous à un même champ lexical et qui s'enchaînent les unes aux autres.
Le flot des voyageurs grossissait. Il inondait la gare et ce raz-de-marée m'angoissait.

VOIR LES FIGURES DE STYLE **PAGE 141**

B. Quelle est la métaphore que file Jean Giono dans l'extrait du *Voyageur immobile* ? Quel effet cette figure de style vise-t-elle à provoquer chez le lecteur ?

LES TEMPS DU RÉCIT

A. Lisez le document suivant et repérez les verbes au passé simple.

L'envie de voyager

Il était une fois une pauvre femme dont le fils n'avait qu'une idée en tête : voyager.

- Mais comment le pourrais-tu ? disait sa mère. Il te faudrait avoir de l'argent et tu sais bien que nous n'en avons pas !

- Je vais me débrouiller, pensa le fils. Je serai honnête et partout je dirai : pas beaucoup, pas beaucoup, pas beaucoup.

Et pendant un certain temps, il se promenait en répétant sans arrêt : pas beaucoup, pas beaucoup, pas beaucoup. Il arriva ainsi vers un groupe de pêcheurs et les salua :

- Que Dieu vous garde ! Pas beaucoup, pas beaucoup, pas beaucoup.

- Qu'est-ce que tu racontes, chenapan, pourquoi « pas beaucoup » ? se fâchèrent les pêcheurs.

Et quand ils sortirent les filets, quelques poissons seulement y frétillaient, vraiment pas beaucoup. Ils chassèrent le jeune homme avec leurs bâtons.

- Tiens ! Et tiens ! Tu l'as bien mérité ! crièrent-ils.

- Que dois-je dire alors ? demanda le jeune homme.

- Bonne pêche, tu devais dire, attrapez-en le plus possible !

Et le jeune homme continua son voyage en répétant sans arrêt : « Bonne pêche, attrapez-en le plus possible », jusqu'à ce qu'il arrive à une potence. On était juste en train de pendre un malheureux pêcheur.[…]

L'envie de voyager, Conte de Grimm, 1857

↪ **VOIR** LE PASSÉ SIMPLE **PAGE 135**

B. Le passé simple est proche, par son sens, du passé composé avec lequel il alterne souvent dans les récits littéraires au passé. Dans l'extrait suivant : « Tiens ! Et tiens ! Tu l'as bien mérité ! crièrent-ils. », quelle différence y-a-t-il entre le passé simple et le passé composé ?

C. Sur ce modèle, écrivez la suite du conte en imaginant deux autres rencontres successives, puis proposez une fin à cette histoire.

↪ **VOIR** LES TEMPS DU PASSÉ **PAGE 134**

Emploi du passé simple

Le passé simple indique une action brève située dans un passé révolu, c'est-à-dire sans lien avec la situation de l'énonciation, celle du moment où le récit est rédigé.

C'est le temps privilégié du récit littéraire : on ne l'utilise que très rarement à l'oral. À la différence de l'imparfait, qui marque la durée ou introduit la description, le passé simple présente les événements qui font progresser l'histoire (les actions).

C'était un jeune homme timide et frileux. Pourtant, il décida de tout quitter du jour au lendemain pour partir en Afrique.

La succession de verbes d'action au passé simple permet de construire la chronologie des événements.

7. QUEL VOYAGEUR ÊTES-VOUS ?

A. Répondez aux questions individuellement.
Quel est votre profil de voyageur ?

> **Quelques types de voyages :**
> le voyage organisé / le voyage à l'aventure ; le voyage individuel / le voyage collectif ; la découverte de la culture patrimoniale (visite des musées, des monuments…) / la découverte de la culture anthropologique / le voyage de divertissement (sport, plage…).

1. Vous avez participé à une émission de télévision et vous avez gagné un voyage en groupe. Vous pensez :

☐ Chouette ! Je ne l'ai jamais fait !
☐ Oh non, en groupe ? Quelle galère !
☐ Super, ce sera l'occasion de rencontrer des gens !

2. En vacances, vos amis vous proposent la visite de la cathédrale. Vous répondez :

☐ Quand on en a vu une, on les a toutes vues, non ?
☐ Ok, mais ensuite, on aura le temps d'aller à la plage ?
☐ Très bonne idée ! J'ai lu pas mal de choses sur cette cathédrale : elle possède un magnifique retable du XVIe siècle !

3. Ce matin, après un super petit déjeuner sur la terrasse dominant la mer, vous vous sentez dans une forme olympique. Dans quelle activité allez-vous vous lancer ?

☐ Un peu de shopping pour garder la forme.
☐ Une randonnée en montagne.
☐ La découverte des musées de la ville.

4. Vous êtes dans un pays dont vous ne connaissez pas la langue. À la terrasse d'un café, un habitant essaie de discuter avec vous. Que faites-vous ?

☐ Vous vous excusez poliment et vous partez. Vous ne vous comprendriez pas, de toute façon !
☐ Vous répondez avec enthousiasme à l'invitation : vous trouverez bien tous les deux un moyen de vous comprendre !
☐ Vous essayez de discuter un petit moment, mais vous renoncez rapidement. Vous êtes déjà en retard pour la visite du musée d'Art moderne.

5. Quel est l'objet absolument indispensable à vos vacances ?

☐ Un couteau suisse.
☐ Un bon guide de voyage.
☐ Un maillot de bain.

6. Lequel de ces événements serait susceptible de vraiment gâcher votre voyage ?

☐ Des vacances en solitaire.
☐ Trois jours de randonnée en terrain difficile.
☐ Un groupe de touristes qui s'installe près de votre tente.

7. Indiana Jones vous demande de le suivre au bout du monde.

☐ Vous y aller de suite :-) Vous aimez bien Harrison ;-)
☐ Vous lui demandez s'il y aura beaucoup de moustiques et de serpents.
☐ Vous refusez tout net : c'est l'hôtel 3 étoiles tous les soirs ou rien !

8. Votre modèle de vacances, c'est plutôt :

☐ Le treck au Népal.
☐ Le farniente aux Maldives.
☐ La découverte de la Rome antique.

B. Comparez vos résultats avec vos camarades. Rédigez une description des profils des voyageurs de la classe.

8. LE FRANÇAIS AVENTURIER ?

A. Lisez ce document. Quelles seraient les particularités du voyageur français ? Cela vous surprend-il ?

Selon une idée reçue assez répandue, les Français ne sont pas les rois des vacances internationales. Casaniers et maîtrisant mal les langues étrangères, ils se sentent bien chez eux et ne s'enflamment pas à l'idée de découvrir des mondes différents. En 2007, 63,6 % des Français (15 ans et plus) partaient en vacances (voyages de quatre nuitées et plus) et 73 % partaient au moins une journée... mais seulement 23 % choisissaient comme destination l'étranger (**Chiffres clés du tourisme 2008**, ministère de l'Économie). C'est peu en comparaison de leurs voisins allemands, néerlandais, belges ou britanniques, dont plus de 50 % de la population se rend régulièrement en villégiature à l'étranger. Pourquoi une telle disparité ? L'histoire apporte un éclairage. Il semblerait que la France, plus profondément rurale jusqu'en 1960 n'éprouvait pas le besoin de voyager pour fuir les villes. En Angleterre, berceau du tourisme (les aristocrates partent dès le XVIIe siècle faire **The Tour** en Europe pour parfaire leur éducation), la révolution industrielle développe les villes dès le milieu du XIXe siècle et déjà en 1934 la moitié des Londoniens partent en vacances en dehors de leur domicile. Alors qu'à la même époque, les Français occupent leur temps libre à pêcher, jardiner, bricoler, aller au café ou faire de petites excursions aux alentours. [...] La raison principale qui incite les Français à demeurer dans leurs frontières est à peu près la même que celle qui pousse certains étrangers, et notamment des Européens, à venir en France. La France est un beau et grand pays (le plus vaste de l'Union européenne) qui permet des vacances variées à la mer, à la montagne, à la campagne ou dans des villes riches d'histoire et de monuments. Le tout sous un climat agréable. Les Français comprennent donc parfaitement que certains Européens qui habitent des pays soit exigus, soit trop urbanisés, soit dépourvus de paysages spectaculaires et où le soleil parfois brille surtout par son absence, veuillent changer d'air. Mais eux, qui disposent de tout à domicile, pourquoi iraient-ils voir ailleurs ? Trop d'abondance nuirait à la curiosité. Et la France n'est-elle pas la première destination touristique au monde avec près de 82 millions de touristes internationaux en 2007 ? (**Chiffres clés du tourisme 2008**, ministère de l'Économie). Donc les Français sortent moins de chez eux que leurs voisins européens. Mais ces derniers, qui voyagent en nombre hors de chez eux, ne vont pas tous en France, loin s'en faut. Contrairement aux Français, ils sont adeptes d'un tourisme de masse qu'ils ont eux-mêmes implanté quasiment ex-nihilo dans certains pays en finançant hôtels-clubs sur hôtels-clubs : la Costa del Sol pour les Britanniques, les Canaries pour les Allemands, par exemple. Ils filent donc en rangs bien serrés vers des destinations ensoleillées où tout est calibré, quand les Français réputés individualistes sont les adeptes d'un tourisme plus personnalisé qui ne fait pas exploser les statistiques. Ils picorent de-ci, de-là, s'entichent d'une nouvelle destination, raffolent de voyages différents centrés sur des visites culturelles ou des activités physiques (randonnées à pied, en VTT ou à cheval). Bronzer idiot, non merci ! Les vacances des Français à l'étranger se conjuguent avec les découvertes les plus pointues : des touropérateurs ont mis sur pied des circuits pour aller observer les gorilles au Rwanda, grimper sur des volcans, marcher dans un désert, observer les aurores boréales dans le Grand Nord, vivre avec des peuples autochtones au Laos... Cette résistance généralisée au départ a tout de même été écornée par l'apparition des 35 heures combinée avec l'essor des compagnies aériennes à bas coûts et des petites compagnies charters. Plus de temps libre et des prix cassés, il devenait difficile de résister. Les Français profitent d'un week-end prolongé, d'un pont bien négocié, pour partir trois ou quatre jours dans une capitale européenne ou vers le Maghreb. Les voyagistes ont vite compris la nouvelle tendance et ont multiplié les offres de courts séjours pour s'adapter à l'émiettement des vacances. Internet a favorisé le phénomène en permettant de comparer toutes les offres et de se décider au dernier moment.

www.lecavalierbleu.com

B. D'après vous, pourquoi le Français est-il considéré par certains comme « le pire touriste au monde » ? Êtes-vous d'accord ?

C. Comparez avec les pratiques des voyageurs de votre pays.

9. LES VOYAGES FORMENT LA JEUNESSE

Piste 33

A. Écoutez ces témoignages. Décrivez ce qu'ont fait ces personnes. Quelles ont été leurs motivations ?

B. Si vous deviez partir, quelle formule choisiriez-vous, et pourquoi ? Échangez avec vos camarades.

10. APPRENDRE LE FRANÇAIS, UN SACRÉ VOYAGE !

Tout au long de notre parcours d'apprentissage avec Version Originale 4, nous avons vécu individuellement et collectivement un certain nombre d'expériences qui nous ont marqués. Nous allons donc élaborer le carnet de route collectif de notre apprentissage de la langue française en regroupant nos récits d'expériences personnelles.

A. Individuellement, rappelez-vous un cours, un moment de vie de classe, un texte, un auteur, une discussion de classe, une activité, etc. dont vous gardez un souvenir précis. Que s'est-il passé à ce moment-là ? Qu'avez-vous ressenti ?

B. Partagez vos souvenirs en groupes. Répartissez-vous les souvenirs et la forme que vous souhaitez leur donner (poème, nouvelle, interview imaginaire…).

C. Rédigez individuellement votre texte.

D. En classe entière, mettez en forme votre carnet de route collectif et donnez-lui un titre.

E. Lisez ce carnet de route et partagez vos impressions avec les autres.

LE RÉCIT D'EXPÉRIENCE

L'expérience s'éloigne, devient incertaine. Elle se fait encore entendre, mais de loin. Que va-t-il subsister ? Des traces visuelles ou sonores, écrites ou figurées. Et les innombrables récits que les participants peuvent en faire. Comment faire venir au jour – à fleur de connaissance – une réalité que chacun a vécu sur un mode si personnel ? Toute expérience inaugure une possibilité indéfinie de commentaires et de narrations, de descriptions et d'analyses, que l'éloignement et la perte ne cessent d'attiser et de stimuler. […]

Sans preuve à apporter, ni solution à proposer, le récit suit son cours et déploie son intrigue. L'enjeu n'est pas tant de savoir ce qu'il est sensé recouvrir (un témoignage fiable ou une expression authentique), que de découvrir ce qu'il est capable d'amorcer, d'agencer ou de fabriquer. Qu'est-ce qu'il nous fait partager ? Dans quel questionnement nous entraîne-t-il ? À quoi nous fait-il penser ? Et fondamentalement : de quelle autre expérience nous rapproche-t-il ? […] À travers lui, de multiples expériences s'interpellent, se sollicitent ou se surprennent. À travers lui, nous faisons l'expérience d'un « commun ». Le récit d'expérience est un dispositif qui inaugure une communauté de sensibilité et de questionnement.

Pascal Nicolas-Le Strat,
Expérimentations politiques, éd. Fulenn, rééd. 2009

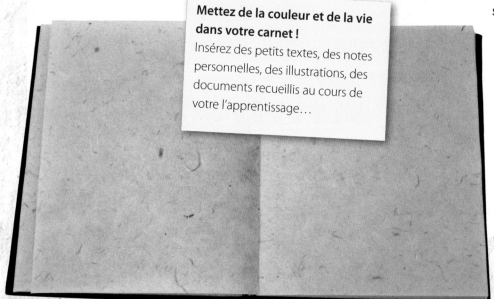

Mettez de la couleur et de la vie dans votre carnet !
Insérez des petits textes, des notes personnelles, des illustrations, des documents recueillis au cours de votre l'apprentissage…

11. UN VOYAGE EXTRAORDINAIRE !

Nous allons écrire un récit de voyage métaphorique. À la manière du texte Voyageur immobile *de Jean Giono, nous allons rédiger un voyage immobile.*

A. Individuellement, cherchez un élément (lieu, objet, personne, odeur…) qui pourrait faire vagabonder votre imagination. Fermez les yeux quelques instants. Où êtes-vous allé ?

B. Individuellement, rédigez votre expérience Utilisez la métaphore filée.

C. Faites une lecture publique de votre récit. Puis en classe entière, votez pour l'histoire qui vous a fait le plus rêver.

Parfum exotique

Quand, les deux yeux fermés, en un soir chaud d'automne,
Je respire l'odeur de ton sein chaleureux,
Je vois se dérouler des rivages heureux
Qu'éblouissent les feux d'un soleil monotone ;

Une île paresseuse où la nature donne
Des arbres singuliers et des fruits savoureux ;
Des hommes dont le corps est mince et vigoureux,
Et des femmes dont l'œil par sa franchise étonne.

Guidé par ton odeur vers de charmants climats,
Je vois un port rempli de voiles et de mâts
Encor tout fatigués par la vague marine,

Pendant que le parfum des verts tamariniers,
Qui circule dans l'air et m'enfle la narine,
Se mêle dans mon âme au chant des mariniers.

Charles Baudelaire, *Les Fleurs du mal,* 1857

Et l'or de leurs corps, Paul Gauguin, 1892

1. ENTRÉE EN MATIÈRE

Piste 34

Écoutez l'enregistrement. Utilisez les mots du nuage sonore pour définir ce qu'est un appel d'offres.

2. DOSSIER DOCUMENTAIRE

A. Lisez le document suivant. La définition de l'appel d'offres correspond-elle à celle que vous avez donnée ?

Un appel d'offres est une procédure qui permet à un acheteur (le commanditaire, le maître d'ouvrage) de demander à différents offreurs de faire une proposition commerciale chiffrée en réponse à la formulation détaillée (cahier des charges) de son besoin (réalisation d'une prestation de travaux, fournitures ou services). Le but est de mettre plusieurs entreprises en concurrence. Les appels d'offres sont principalement utilisés dans le cadre des marchés publics. Des appels d'offres peuvent également être passés, en dehors du cadre légal spécifique, par des entreprises pour la recherche de fournisseurs. Il existe des règles de concurrence très strictes en France.

Tous les secteurs sont concernés, que ce soit dans l'organisation d'un festival, un projet informatique, une commande de matériel industriel. Pour réussir un appel d'offre, il faut cibler les bons fournisseurs, les convaincre de l'attractivité de la collaboration proposée et préparer les analyses d'offres et les négociations avec les futurs partenaires.

Les sources de diffusion officielles sont le BOAMP et le JOUE, mais de nombreux marchés sont diffusés uniquement sur les sites web de certaines collectivités. Le ministère de l'économie n'ayant pas encore trouvé de solution unique pour diffuser les appels d'offres encourage les offreurs à utiliser des solutions de veille sur les marchés publics. Les offreurs peuvent également faire appel à des sociétés intermédiaires chargées de réaliser de la veille sur les multiples sources (Presse, MAPA, sites web, délibérations...) diffusant les appels d'offres ; le but étant d'optimiser les chances de détecter des marchés potentiels.

Appel d'offres

B. Lisez le document suivant. Quelles sont les étapes pour organiser une manifestation culturelle dans son entreprise ou son institution ?

Une manifestation culturelle est un projet collectif, voire une aventure collective. L'organisation doit être millimétrée, tant pour le succès de l'évènement que pour pouvoir séduire les partenaires.

Ce qu'il faut pour organiser une manifestation culturelle :

Une équipe
Afin de s'assurer de la cohérence du projet, il faudra que l'équipe s'entende, soit complémentaire et travaille en concertation.

Un cadre
Il faut penser aux contraintes extérieures dues à la situation du site. Le cadre sous-entend le domaine dans lequel s'inscrit la manifestation (musique, théâtre, cinéma) et le parti pris artistique. Le cadre déterminera la programmation.

Une programmation
La programmation représente le caractère et la spécificité de votre manifestation culturelle. La programmation devra tenir compte de vos envies mais aussi des contraintes temporelle, spatiale, technique et financière.

Un budget prévisionnel
Établir un budget prévisionnel est nécessaire pour solliciter des partenaires financiers. Le budget comprend la location de la salle, la nourriture, les frais induits par la manifestation (cachet

des artistes, URSSAF, cotisations sociales, frais de déplacement, d'hébergement, de repas...], la publicité, etc.

Des partenaires financiers

Chaque partenaire a ses motivations propres. Il faut donc trouver un compromis entre vos intérêts et ceux de votre interlocuteur. Pour lever des fonds, il faut pouvoir fournir une présentation de l'évènement et un budget prévisionnel qui répondront aux deux questions principales que se posera votre interlocuteur : combien et pourquoi ?

Une fois la manifestation organisée, vous pouvez entamer vos démarches administratives. C'est le dernier point mais aussi le plus important.

Respecter scrupuleusement les réglementations

Différentes déclarations et autorisations sont à demander pour organiser une manifestation en toute légalité comme l'autorisation du maire, de la préfecture (pour les spectacles occasionnels), la déclaration au commissariat de police ou à la gendarmerie... Les billets doivent être issus d'un carnet à souche, qui peut être demandé à n'importe quel moment par le service des impôts. Il faut souscrire une assurance.

fr.vox.ulule.com/comment-organiser-manifestation-
culturelle-555/

3. TÂCHE

A. Faites des recherches. En classe entière, déterminez ce dont votre entreprise ou institution a besoin pour promouvoir sa mobilité dans un pays francophone et choisissez la manifestation culturelle adéquate (exposition, spectacle, etc.).

B. Fixez les échéances et établissez les critères de sélection. Évoquez la manière dont se déroulera l'ensemble du processus de travail, les modalités générales et en combien de temps le travail doit être achevé. Rédigez un appel d'offres pour votre manifestation culturelle. Choisissez le mode de diffusion de votre appel d'offres puis diffusez-le.

COMMENT PRÉSENTER SON APPEL D'OFFRES

Voici les rubriques types d'un appel d'offres :

I - Identification de l'organisme

II - Nom ou raison sociale et adresse

III - Objet du marché (= description du projet)
   a. Objet
   b. Type de marchés
   • travaux (exemple : Exécution / Conception-réalisation, etc.).
   • fournitures (exemple : Achat / Location / Location-vente...)
   • services

IV – Lieu d'exécution ou de livraison

V – Caractéristiques principales
   a. Quantités (fournitures et services), nature et étendue (travaux)
   b. Options : description des achats complémentaires

VI - Calendrier
   a. L'invitation aux éventuelles réunions d'informations et un plan d'accès
   b. Durée du marché ou délai d'exécution
   c. Justifications à produire
   d. Date limite de réception des offres
   e. Délai minimum de validité des offres

VII - Règles du déroulement du processus de choix (= Critères d'attribution)
   a. Qualité artistique (cohérence et qualité de la programmation, renommée des artistes)
   b. Qualité de l'organisation (stratégie d'animation et de pilotage, moyens humains, moyens techniques)
   c. Qualité du plan de communication
   d. Prix des prestations

VIII - Média planning
Diffusion de l'information, contacts presse, etc.

Vous devez répondre à des questionnaires de compréhension portant sur deux documents enregistrés. Les documents peuvent être des interviews, des bulletins d'information, des discours, des émissions de radio… Cette épreuve dure 25 minutes environ.

Vous allez entendre deux documents sonores.

Pour le premier enregistrement, vous aurez :
• 1 minute pour lire les questions ;
• puis 3 minutes pour répondre aux questions ;

Pour le deuxième enregistrement, vous aurez :
• 1 minute pour lire les questions ;
• une première écoute ;
• puis 3 minutes pour commencer à répondre aux questions ;
• une deuxième écoute, puis 5 minutes de pause pour compléter vos réponses.

Répondez aux questions en cochant la bonne réponse, ou en écrivant l'information demandée.

25 points

QUELQUES CONSEILS POUR L'EXAMEN

• Les documents peuvent être complexes et parfois assez longs. Vous n'êtes pas obligé de tout comprendre pour répondre aux questions.
• Lisez attentivement les questions avant l'écoute des documents, cela vous permettra de bien cibler votre écoute.

• Concentrez-vous sur le document. Ne cherchez pas à prendre de notes.

EXERCICE 1

Piste 35

1. Les oiseaux migrateurs traversent :
☐ la mer du Nord deux fois par an.
☐ les mers deux fois par an.
☐ la mer du Nord une fois par an.

2. Les oiseaux meurent car :
☐ les plateformes *offshore* polluent.
☐ les plateformes *offshore* sont trop éclairées.
☐ les installations des plateformes *offshore* les blessent.

3. Une plateforme peut tuer jusqu'à :
☐ 6 000 oiseaux par an.
☐ 60 000 oiseaux par an.
☐ 600 000 oiseaux par an.

4. Quel est le pays qui a décidé de soulever ce problème ?

....

5. Les Britanniques souhaitent parler sérieusement de ce sujet devant la commission Ospar.

☐ Vrai ☐ Faux ☐ On ne sait pas

6. L'Allemagne a obtenu des résultats satisfaisants :

☐ en réduisant la lumière.
☐ en interdisant l'atterrissage d'hélicoptères.
☐ en supprimant les éclairages.

EXERCICE 2

Piste 36

1. Combien y a-t-il de travailleurs illettrés en France ?

....

2. Quel est le montant de l'enveloppe débloquée par la ministre ?

....

3. Qui est interviewé ?

....

4. D'après la personne interviewée, quelle est la définition d'une personne en situation d'illettrisme ?

....

5. Les emplois sur le marché du travail actuel exigent de plus en plus de compétences orales.
☐ Vrai ☐ Faux
Justifiez votre réponse :

....

6. Comment ces personnes parviennent-elles à accomplir leurs tâches au travail ? Donnez deux exemples.

....

....

7. La personne interviewée souhaite sensibiliser les chefs d'entreprise à ce problème. Quelles sont les deux démarches que les chefs d'entreprise, les DRH ou la médecine du travail doivent adopter ?

....

....

8. Complétez le numéro Indigo :
08 ....

9. La personne interviewée est assez pessimiste quant à la solution proposée.
☐ Vrai ☐ Faux
Justifiez votre réponse :

Lors de cette épreuve de compréhension des écrits, vous devrez répondre en 1 heure à des questionnaires de compréhension portant sur deux documents écrits : un texte à caractère informatif concernant la France ou l'espace francophone et un texte argumentatif.

25 points

QUELQUES CONSEILS POUR L'EXAMEN

- Les documents peuvent être complexes et parfois assez longs. Vous n'êtes pas obligé de tout comprendre pour répondre aux questions.

- Les premières questions sont d'ordre général et portent essentiellement sur le sujet du texte. Vous pouvez y répondre en vous aidant des mots-clés du texte. Les suivantes vous demandent de repérer des informations spécifiques dans le texte.

- Vous devez répondre soit en recopiant un passage du texte soit en utilisant vos propres mots.

EXERCICE 1

1. L'idée principale du texte est que :

☐ le mail est un outil dépassé dans les entreprises.
☐ le mail a simplifié la communication dans les entreprises.
☐ le mail professionnel va disparaître.
☐ le mail accapare les salariés.

2. Le chercheur Emmanuel Kessous dit que « La rareté ne réside plus dans la recherche d'information mais dans la capacité à la traiter. » Expliquez cette phrase (4 lignes maximum).

....
....
....
....

3. Pourquoi les salariés se sentent-ils parfois coupables ?

....

4. Expliquez en quoi le mail « freinerait la productivité » (3 lignes maximum).

....
....
....

5. Gérard Kesztenbaum, directeur du département de droit social du cabinet d'avocat Fidal, dénonce un « **totalitarisme rampant des nouvelles technologies au bureau** ». Cela signifie que :

☐ les nouvelles technologies ont amélioré nos conditions de travail.
☐ les nouvelles technologies ont amélioré la communication au sein des entreprises.
☐ les salariés profitent des nouvelles technologies au bureau pour consulter leurs mails personnels.
☐ la vie professionnelle a tendance à empiéter sur la vie privée.

6. Quel était l'objectif de « la Journée sans mail » ?

....
....

7. Afin d'améliorer l'utilisation du mail, des entreprises ont mis en place des règles. Citez-en quatre.

....
....
....

L'entreprise peut-elle se passer des e-mails ?

« Zéro e-mail d'ici à trois ans ! » En février dernier, Thierry Breton n'y est pas allé par quatre chemins. Il a affirmé sa volonté d'éradiquer les mails internes de ses 50 000 salariés au profit d'autres outils, notamment collaboratifs. Il a décrit les courriels comme des « données massives » qui « polluent notre environnement de travail » et « empiètent sur nos vies privées ».

Et pour cause ! Le courrier électronique s'est glissé sur nos écrans sans crier gare. Certes, face aux lettres, aux fax, au téléphone, les « courriels » permettent de gagner du temps « mais, dans ce monde de l'immédiateté, il devient urgent de réfléchir pour ne pas se laisser envahir. »

Outre-Atlantique, un salarié sur cinq s'avoue dépassé dès lors qu'il doit traiter plus de 50 courriers électroniques quotidiens. La France n'est pas en reste. Fin 2010, la messagerie électronique restait le premier usage sur Internet, d'après Médiamétrie. Et si, dans les entreprises, le paysage est plus contrasté, entre grands groupes et PME notamment, quelque 12 millions d'actifs – soit près d'un sur deux – ont recours à un PC pour travailler. « Nous sommes entrés dans une économie de l'attention. La rareté ne réside plus dans la recherche d'information mais dans la capacité à la traiter », souligne un article du chercheur Emmanuel Kessous, paru dans la revue *Sociologie du travail* en 2010.

Stress et culpabilité

« C'est un gâchis de temps », estime Jacques Cosnefroy, senior vice-président, chargé des transformations chez Atos Origin. Et d'espace, car certaines pratiques courantes (e-mails en copie, arrosage systématique de collaborateurs, allers et retours de courriels portant la mention « RE, RE, RE, RE »...) n'épargnent ni les serveurs ni les équipes, en proie à un stress croissant, voire à la culpabilité de ne pas traiter leur courrier en temps réel.

Et que dire du dépit de collaborateurs restés sans nouvelle d'un supérieur malgré une missive électronique ? Nombre d'études le démontrent : pianoter pour communiquer effiloche le lien social. Car « le mail est un outil. Mais les gestes, l'intonation de la voix... rien ne peut remplacer un face-à-face », déclare Anca Boboc, sociologue chez Orange Labs. Et pourtant, les dérives sont légion. « L'autre jour, un salarié énervé a envoyé un mail à un collègue en lettres rouges et capitales, avec des personnes en copie. Quelle agression ! Dans un bureau à haute voix, cela aurait été inacceptable », raconte un dirigeant.

En outre, la réception de mails en pagaille freinerait la productivité : un salarié français ne passerait que 12 minutes, en moyenne, concentré sur son travail sans être interrompu par un courriel ou autre SMS, selon une enquête menée à l'automne par Sciforma. Pis, 75 % d'entre eux avouent arrêter une tâche en cours pour découvrir le contenu d'un message entrant. De quoi bouleverser les règles des 1 280 pages du Code du travail. « À l'heure où les salariés équipés de BlackBerry peuvent gérer des mails depuis n'importe où, cela a des effets négatifs sur la durée du travail. Les frontières entre le temps de travail et de loisirs comme entre la vie privée et la vie professionnelle tendent à s'effacer », observe Gérard Kesztenbaum, directeur du département de droit social du cabinet d'avocat Fidal, qui dénonce un « totalitarisme rampant des nouvelles technologies au bureau ».

« Journée sans mails »

Il n'empêche. Certains employeurs souhaitent contrer ces phénomènes. Pour favoriser le bien-être de ses 1 800 salariés, Canon France, où 30 000 courriels circulent au quotidien, a déjà organisé deux « Journées sans mails ». Le groupe invite alors ses équipes à privilégier le téléphone ou les face-à-face, histoire de « recréer du lien social ».

Pour autant, peut-on se passer de mails ? Pas sûr. D'autant que, « en matière d'usages de l'Internet, le grand public a souvent montré la voie, or la messagerie électronique reste, de loin, le premier usage de Français qui ont souvent plusieurs adresses », rappelle Marc Jalabert, directeur du marketing et des opérations de Microsoft France. Et, selon Marc Jalabert, « le mail reste formidable pour transmettre de l'information déstructurée... ».

À défaut de bannir les courriels, nombre d'employeurs souhaitent mieux les encadrer. Ainsi, 3M a élaboré des règles d'or quant à leur usage : « Une charte invite, entre autres, les salariés à privilégier le contact direct par rapport au mail, à rester courtois dans la rédaction des courriels car ils s'adressent à une personne, non à un ordinateur, à ne pas céder à l'instantanéité et à savoir se déconnecter », raconte Valérie Guichard, directeur acquisition et développement des compétences chez 3M. De son côté, Microsoft France redouble de vigilance : « Nous tentons de minimiser les volumes et la longueur des mails envoyés, le nombre de leurs destinataires et il est recommandé de ne pas envoyer de mails en dehors des heures de bureau et les week-ends », précise Marc Jalabert.

Laurance N'Kaoula, *Les Echos*, 13 avril 2011

Vous allez présenter et défendre un point de vue construit et argumenté à partir d'un court texte déclencheur. S'en suivra un débat avec l'examinateur.

Vous dégagerez le problème soulevé par le document. Vous présenterez votre opinion sur le sujet de manière argumentée et vous la défendrez si nécessaire.

La passation dure 20 minutes. Vous disposez de 30 minutes de préparation.

25 points

QUELQUES CONSEILS POUR L'EXAMEN

- Lisez attentivement le document.
- Cherchez des arguments pertinents et solides ainsi que des exemples. L'objectif est de convaincre l'examinateur.
- Structurez votre discours.

- Votre attitude peut influencer le jugement de l'examinateur. Voici quelques conseils : souriez, posez votre voix, ne chuchotez pas mais ne hurlez pas non plus, regardez l'examinateur, ayez une tenue vestimentaire correcte…

EXERCICE 1

Vous dégagerez le problème soulevé par le document.
Vous présenterez votre opinion sur le sujet de manière argumentée et vous la défendrez si nécessaire.

LE LIVRE NUMÉRIQUE OU E-BOOK VA-T-IL SUPPLANTER LE LIVRE PAPIER ?

À l'ère d'Internet, de plus en plus de livres numériques ou d'e-books sont présents sur la toile. Dans le même temps, des milliers de livres papiers sont édités chaque mois.

Faut-il faire un choix entre livres numériques et livres papiers ? Ces deux supports sont-ils incompatibles entre eux ?

Ce qui est assez surprenant c'est qu'il se vend chaque jour des livres papiers, des revues, surtout maintenant que les fêtes de fin d'année arrivent à grands pas. Pourtant, beaucoup disent que les livres sont chers, qu'ils ont de plus en plus de mal à en acheter. Toutefois, une grande majorité de Français reste attachée à ses livres papiers et un certain nombre d'entre eux s'est constitué une bibliothèque très fournie. [….] Dans le même temps, certaines personnes ont pris l'habitude de télécharger des livres numériques ou des e-books sur Internet. Il peut d'ailleurs s'agir de ces mêmes personnes qui achètent régulièrement des livres papiers. […] Toutefois, peut-on réellement envisager que le livre numérique remplacera un jour le livre papier ?

www.articlesenligne.com, Isabelle Brunet, 2011

EXERCICE 2

Vous dégagerez le problème soulevé par le document.
Vous présenterez votre opinion sur le sujet de manière argumentée et vous la défendrez si nécessaire.

LUTTER CONTRE LA FAIM ET LE GASPILLAGE

L'objectif fondamental des Banques Alimentaires consiste à lutter contre la faim et le gaspillage, en collectant auprès de l'industrie agro-alimentaire et de la grande distribution les surplus et/ou les invendus, dont elles font bénéficier les démunis.

Ce sont les surplus dont les producteurs et les distributeurs doivent se débarrasser d'une façon ou d'une autre. Pour éviter ce gaspillage, la Banque Alimentaire de Liège récolte ces produits encombrants pour les uns et indispensables pour les autres.

Au vu de la conjoncture actuelle, nous sommes de plus en plus confrontés à une demande toujours plus importante provenant de nos associations caritatives agréées, le nombre de démunis ainsi que les personnes vivants sous le seuil de pauvreté ne cessent d'augmenter de façon alarmante, le but est donc d'arriver à changer certaines mentalités et à mieux sensibiliser les entités concernées en passant par le producteur jusqu'au consommateur.

Lutter plus efficacement contre ce gaspillage est un enjeu de société majeur qui doit engager la responsabilité de tous.

Nous devrions considérer que cette lutte ne vise pas seulement à diminuer tacitement son existence, mais à miser sur sa suppression car elle est indigne de notre société soi-disant développée.

Les Banques Alimentaires sont un outil essentiel en ce qu'elles permettent aux personnes à revenus modestes d'avoir accès à une alimentation régulière. Cette lutte contre le gaspillage s'inscrit donc d'une manière plus large dans la lutte contre les excès de consommation ou de surconsommation.

La Banque Alimentaire de Liège, via ses associations caritatives, distribue, assure une mesure concrète d'aide. La distribution, qui répond à un besoin vital, doit être assurée dans le respect de la dignité humaine.

Pour de plus amples informations ou pour nous soutenir dans notre élan de générosité, vous pouvez consulter notre site Internet à cette adresse: http://www.foodbank-liege.be.

D'avance merci pour votre aide.

www.articlesenligne.com, Banque alimentaire de Liège, 2011

Lors de cette épreuve de production écrite, vous devrez rédiger en 1 heure un texte exprimant une position personnelle argumentée.

On peut vous demander d'écrire une lettre formelle, un article critique, une contribution à un débat…

25 points

QUELQUES CONSEILS POUR L'EXAMEN

- Lisez attentivement la consigne et demandez-vous quel est le type d'écrit proposé.
- Cherchez des arguments qui sauront convaincre votre lecteur. Basez-vous sur des expériences vécues, des exemples observés. Partez de faits particuliers et transformez-les en vérités générales.

- On attend de vous un raisonnement construit. La division en paragraphes marque les étapes de votre raisonnement. Utilisez des connecteurs logiques. Les premières phrases annoncent le thème et l'orientation choisie. Les dernières phrases reprennent le thème et concluent le déroulement du discours.

- Relisez votre production écrite et corrigez les erreurs.
- Le correcteur ne pourra en aucun cas vous juger par rapport à la position que vous aurez adoptée ; il devra en revanche évaluer la façon avec laquelle vous menez votre argumentation.

EXERCICE 1 : ARTICLE CRITIQUE

Le journal *La Tribune* révèle qu'une ancienne salariée au sein du pôle médical d'Agfa, Valérie Amsellem, a été prestement licenciée en février dernier. Motif invoqué par son employeur : elle passait trop de temps sur Facebook. « Je constatais souvent des ralentissements sur mon ordinateur et me demandais pourquoi », y explique la jeune femme. En clair, son employeur aurait contrôlé l'historique de sa navigation sur le web, à son insu.
LaTribune.fr invite les internautes à s'exprimer et à réagir sur cet article. Vous décidez de vous exprimer.
Vous écrirez un article construit et cohérent (250 mots environ).

EXERCICE 2 : ARTICLE CRITIQUE

Vous venez de lire un article qui explique que les associations risquent de distribuer 130 millions de repas en moins en 2012 car certains pays européens ne veulent plus maintenir le programme d'aide alimentaire aux pauvres, tiré de fonds agricoles.

Le journal invite les internautes à s'exprimer et à réagir sur cet article. Vous décidez de vous exprimer.

Vous écrirez un article construit et cohérent (250 mots environ).

EXERCICE 3 : LA LETTRE FORMELLE

Le directeur de votre entreprise veut prendre des mesures pour surveiller l'historique de connexion Internet des salariés. Vous et vos collègues contestez cette mesure. Vous écrivez au directeur une lettre au nom de tous les salariés pour lui présenter les raisons de votre indignation et les conséquences que de telles mesures auraient dans l'entreprise.
(250 mots environ).

L'ALPHABET PHONÉTIQUE

VOYELLES ORALES

[a]	Anne [an]
[ɛ]	frais [fʀɛ] , mère [mɛʀ] ; même [mɛm]
[e]	préparer [pʀepaʀe] ; les [le] ; vous allez [vuzale]
[ə]	le [lə]
[i]	riz [ʀi] ; Yves [iv]
[y]	tu [ty]
[ɔ]	or [ɔʀ]
[o]	mot [mo] ; beau [bo] ; chaussure [ʃosyʀ]
[u]	tour [tuʀ]
[ø]	jeu [ʒø]
[œ]	cœur [kœʀ] ; acteur [aktœʀ]

VOYELLES NASALES

[ã]	an [ã] ; mentir [mãtiʀ]
[ɛ̃]	féminin [feminɛ̃] ; imposer [ɛ̃poze]
[ɔ̃]	bon [bɔ̃]
[œ̃]	un [œ̃]

SEMI-CONSONNES

[j]	rien [ʀjɛ̃]
[w]	fois [fwa]
[ɥ]	puis [pɥi]

CONSONNES

[b]	belge [bɛlʒ]
[p]	pain [pɛ̃] ; apparaître [apaʀɛtʀ]
[t]	table [tabl] ; attendre [atãdʀ]
[d]	dé [de] ; addition [adisjɔ̃]
[g]	galette [galɛt] ; guerre [gɛʀ]
[k]	qui [ki] ; casser [kase] ; accorder [akɔʀde] ; kilo [kilo]
[f]	front [fʀɔ̃] ; difficile [difisil] ; phrase [fʀaz]
[v]	vert [vɛʀ]
[s]	ça [sa] ; sac [sak] ; masse [mas] ; action [aksjɔ̃]
[z]	base [baz] ; zéro [zeʀo]
[ʃ]	château [ʃato]
[ʒ]	janvier [ʒãvje] ; Gérard [ʒeʀaʀ]
[m]	mer [mɛʀ] ; grammaire [gʀamɛʀ]
[n]	nature [natyʀ] ; bonne [bɔn]
[ɲ]	peigner [peɲe]
[l]	lac [lak] ; illégal [ilegal]
[ʀ]	serre [sɛʀ] ; partie [paʀti]

LE NOM

LA NOMINALISATION

L'utilisation de suffixes (terminaisons à ajouter à la fin d'un radical) permet de changer la classe grammaticale d'un mot. Les suffixes **-age, -ement, -tion** permettent de créer des noms à partir du radical de verbes :

-age : <u>tourner</u> un reportage ▸ le tournage d'un reportage

-ement : <u>lancer</u> un nouveau magazine ▸ le lancement d'un nouveau magazine

-tion : <u>diminuer</u> le nombre de journaux ▸ la diminution du nombre de journaux

 Les noms en **-tion** sont féminins.
Les noms en **-age** et **-ement** sont masculins.

LES PRONOMS PERSONNELS

sujets	ATONES compléments réfléchis	compléments d'objet direct	compléments d'objet indirect	TONIQUES
je / j'	me / m'	me / m'	me / m'	moi
tu	te / t'	te / t'	te / t'	toi
il	se / s'	le / l'	lui	lui
elle	se / s'	la / l'	lui	elle
nous	nous	nous	nous	nous
vous	vous	vous	vous	vous
ils	se / s'	les	leur	eux
elles	se / s'	les	leur	elles

◢ En français, les pronoms sujets sont obligatoires devant le verbe conjugué (sauf à l'impératif).

◢ **je, me, te, se, le / la** deviennent **j', m', t', s', l'** devant une forme verbale commençant par une voyelle.

◢ On utilise les formes toniques des pronoms après une préposition.

◢ Quand on veut mettre en relief un pronom sujet ou l'opposer à un autre, on utilise une forme tonique devant le pronom sujet.

LA DOUBLE PRONOMINALISATION

Quand il y a un pronom COD et un pronom COI dans une même phrase :
- le COD de 3e personne précède le COI.
- le COD des autres personnes suit le COI.

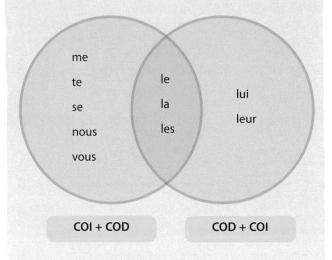

● Tu **me la** prêtes, cette robe ?
● Je **le leur** ai déjà dit mille fois, mais ils ne m'écoutent pas.

LE PRONOM ON

Le pronom **on** s'utilise toujours comme sujet. Le verbe se met alors à la troisième personne du singulier mais l'adjectif ou le participe passé prend les marques du nombre et du genre des personnes désignées par le contexte.

Il y a accord au masculin singulier lorsque **on** est « indéterminé ».

En France, **on** est habitué à... (on « indéterminé »)

Il y a accord obligatoire avec le sens lorsque **on = nous**.

● Nous, en France, on n'est jamais content**s**.

● Nous les filles, on est travailleu**ses** !

Selon le contexte, **on** peut signifier :

- **tout le monde :** Autrefois, **on** écrivait des lettres.
- **quelqu'un : On** a sonné. Va voir qui c'est.
- **nous :** Ce soir, **on** va au cinéma.

Précis de grammaire

LE PRONOM Y

Y est un pronom qui remplace un groupe nominal introduit par **à, chez, dans, en, sur**.

- Vous allez au Québec pendant les vacances ?
- Oui, nous **y** allons deux semaines.

- Tu habites dans le Sud maintenant ?
- Oui, j'**y** vis déjà depuis plus d'un an.

- Et tu habites chez ta mère ?
- Oui, tu sais, j'**y** suis bien !

LE PRONOM EN

On emploie le pronom **en** pour remplacer un nom :

◢ COD, accompagné d'un quantifiant (indéfini, partitif, numéral).
- Des musées ? J'**en** ai visité trois en une journée !
- Quel livre de Sartre veux-tu lire ? Je te souhaite d'**en** lire beaucoup.

◢ COI, introduit par la préposition **de**.
- Tu me parleras de la fête ?
- Je t'**en** parlerai demain.

Ce pronom se place toujours avant le verbe.

LES PRONOMS RELATIFS QUE, QUI, OÙ, DONT

Le pronom **que** peut représenter une personne, un objet ou une idée. Il assure la fonction de COD.

- J'ai vu à la télé le jeune acteur **que** tu m'as présenté hier.
  (Tu m'as présenté <u>un jeune acteur</u> hier.)
  COD

Le pronom **qui** peut aussi représenter une personne, un objet ou une idée. Il assure la fonction de sujet.

- J'ai vu à la télé la jeune actrice **qui** habite près d'ici.
  (<u>La jeune actrice</u> habite près d'ici.)
  Sujet

Le pronom **où** représente un lieu ou un moment. Il a donc la fonction de complément.

- J'ai vu à la télé le restaurant de Toulouse **où** on a dîné l'an dernier.
  (L'an dernier, on a dîné <u>dans ce restaurant de Toulouse</u>.)
  Complément de lieu

- Ils sont arrivés le jour **où** je suis partie.
  (Je suis partie <u>ce jour-là</u>.)
  Complément de temps

Le pronom **dont** représente une personne, un objet ou une idée. Il remplace un complément précédé de la préposition **de**.
Il est complément :
- d'un verbe (*parler de*)
- d'un nom
- d'un adjectif (*être fier de...*)
- Vous avez une autre qualité **dont** je parlerai tout à l'heure.
- J'ai un ami **dont** la mémoire est exceptionnelle.
- J'ai fait des choses **dont** je ne suis pas vraiment fier.

LES PRONOMS RELATIFS COMPOSÉS

On les forme à partir d'une préposition (**de, à, par, avec, sans, au sujet de, grâce à...**) + un pronom (**lequel, laquelle, lesquels, lesquelles**).

à + le = auquel
à + les = auxquel(le)s
de + le = duquel
de + les = desquel(le)s

Les pronoms relatifs composés sont utilisés après une préposition.

	Masc. singulier	Fém. singulier	Masc. pluriel	Fém. pluriel
avec toutes les prépositions sauf « de » et « à »	lequel	laquelle	lesquels	lesquelles
avec la préposition « de » et les locutions prépositionnelles composées de « de » (*à côté de, près de...*)	duquel	de laquelle	desquels	desquelles
avec la préposition « à » et les locutions prépositionnelles composées de « à » (*grâce à...*)	auquel	à laquelle	auxquels	auxquelles

LA NÉGATION

La conjonction **ne… ni** s'utilise quand la négation porte sur plusieurs termes à l'intérieur d'une proposition négative :

• Comme il **n'**est pas reconnu travailleur handicapé, il ne peut bénéficier **ni** d'un temps de travail aménagé, **ni** de stage de rééducation professionnelle.

« **Ni ni** » coordonne toujours des éléments de même nature. Dans l'exemple ci-dessus, « **ni ni** » coordonne des groupes nominaux. Notez que dans la construction « **ni ni** », **pas** est absent.

Ni peut correspondre à la forme négative de **et** ou de **ou** :

• Les classifications de ce site ne couvrent **ni** tous les critères de discrimination **ni** tous les secteurs où elles peuvent se produire. (Les classifications de ce site ne couvrent pas tous les critères de discrimination **et** tous les secteurs où elles peuvent se produire.)

• Il ne veut entendre parler **ni** de quotas **ni** de CV anonyme. (Il n'accepte pas de parler de quotas **ou** de CV anonyme.)

Autres usages :

- On trouve la négation **ne** devant chaque verbe lorsque les éléments coordonnés sont des verbes conjugués.

• Le directeur **ne** veut **ni ne** peut m'accorder d'augmentation (Le directeur **ne** peut pas m'accorder d'augmentation et **ne** le veut pas non plus.)

- Lorsque la phrase négative est construite avec **plus** ou **jamais**, la conjonction **ni** peut être éventuellement répétée devant chaque élément.

• Fabrice ne parle jamais **ni** de ses enfants **ni** de ses loisirs au travail. (Fabrice ne parle jamais de ses enfants **ni** de ses loisirs au travail.)

La conjonction **ni** s'utilise sans **ne** :

- Dans des propositions sans verbe.

• Que penses-tu de cette nouvelle mesure anti-discrimination ?

○ **Ni** pour **ni** contre.

- Dans des locutions avec **sans** ou **sans que** (+ subjonctif).

• Il me traite **sans** considération **ni** respect.

• Christian est parti **sans que** toi **ni** moi le sachions.

LE VERBE

En français, lorsque le verbe est conjugué (sauf à l'impératif), il est toujours accompagné d'un sujet. On distingue les verbes personnels et les verbes impersonnels :

◢ les verbes personnels se conjuguent à toutes les personnes et s'accordent avec elles.

  • Je joue et tu me regardes, d'accord ?

◢ les verbes impersonnels ne se conjuguent qu'à la troisième personne du singulier et toujours avec le pronom **il**, avec lequel ils s'accordent.

  • Il pleut des cordes.

Il existe des expressions impersonnelles pour marquer son mécontentement.

On peut qualifier sa réaction face à l'événement ou la situation avec des adjectifs tels que : **étonnant**, **stupéfiant**, **navrant**, **crispant**…

C'est appréciable…	**de** + VERBE À L'INFINITIF
Il est intolérable…	
Il est inacceptable…	**que** + VERBE CONJUGUÉ

• **C'est / Il est intolérable que** des enfants n'**aient** pas accès à l'éducation.

• **C'est / Il est intolérable de voir** que des enfants n'ont pas accès à l'éducation.

• **C'est / Il est intolérable de** ne pas **avoir** encore accès à l'éducation.

LE PRÉSENT DE NARRATION

Le présent peut être utilisé dans une narration à la place du passé pour rendre le récit plus « vivant » en donnant une impression de vivre les événements en direct.

• C'est en 2003 que Mark Zuckerberg crée Facebook. Il est alors étudiant à Harvard.

LE PASSÉ COMPOSÉ

Il exprime un fait ponctuel du passé ou un fait qui a une durée limitée dans le passé. Il sert aussi à expliquer le résultat d'un fait passé ou d'une situation présente.

Il se forme avec les auxiliaires **avoir** ou **être** au présent de l'indicatif + le participe passé du verbe.

- J'ai compris, je suis parti(e)

▸ Les verbes qui se conjuguent avec l'auxiliaire **être** s'accorde avec le sujet. Tous les verbes pronominaux se conjuguent avec l'auxiliaire **être** mais leur accord est plus complexe. (Cf. Participe passé ,cas particuliers)

▸ Les verbes de mouvement ou exprimant un état (**aller, entrer, mourir,..**) se conjuguent avec **être**.

▸ Quelques verbes intransitifs se conjuguent soit avec **avoir** lorsqu'ils expriment une action, soit avec être lorsqu'ils définissent un état ou un résultat (**demeurer, passer…**)

▸ Quelques verbes de mouvement peuvent être suivis d'un complément d'objet direct et, dans ce cas, se conjuguent avec avoir (**monter, descendre, rentrer, sortir, retourner, passer**) + les verbes composés de ces verbes (**revenir, repartir…**)

- J'ai monté les escaliers en courant / Je suis monté(e) par les escaliers.

▸ Le participe passé employé avec l'auxiliaire **avoir** ne s'accorde jamais avec le sujet mais il peut s'accorder avec le complément d'objet direct si celui-ci est placé devant le verbe.

- J'ai rencontré tes amis et je ne les ai pas reconnus.

L'IMPARFAIT DE L'INDICATIF

L'imparfait se forme en ajoutant les terminaisons **ais, ais, ait, ions, iez, aient** au radical de la 1re personne du pluriel du présent de l'indicatif.

	-er	-ir	-re
présent	parlons	finissons	prenons
je	parl**ais**	finiss**ais**	pren**ais**
tu	parl**ais**	finiss**ais**	pren**ais**
il / elle / on	parl**ait**	finiss**ait**	pren**ait**
nous	parl**ions**	finiss**ions**	pren**ions**
vous	parl**iez**	finiss**iez**	pren**iez**
ils / elles	parl**aient**	finiss**aient**	pren**aient**

Seul le verbe **être** est irrégulier.

j'**étais**, tu **étais**, il **était**, nous **étions**, vous **étiez**, ils **étaient**

Comme le passé composé, l'imparfait situe l'action dans le passé. Il permet de décrire un objet, une personne, des circonstances du passé.

- Il n'**était** pas bon élève. Il **était** très intelligent, mais il n'**aimait** pas l'école et s'**ennuyait** en classe.
- Dans le temps, on **voyageait** différemment.

Précédé de **et si**, l'imparfait exprime une suggestion.

- **Et si** on allait au cinéma ce soir ?

L'OPPOSITION PASSÉ COMPOSÉ - IMPARFAIT

Dans les récits au passé :

- le passé composé présente les actions comme commencées et terminées ;
- l'imparfait présente les états ou les actions en cours de déroulement.

- Hier, il **pleuvait** très fort quand **je suis arrivé** à la maison.

LE PLUS-QUE-PARFAIT

Le plus-que-parfait indique qu'une action se déroule avant le moment où l'on parle et avant une autre action passée.

- Quand tu es arrivée, j'**étais** déjà **allée** vider la poubelle et j'**avais rangé** toute la maison.

MOMENT
DE L'ÉNONCIATION

étais allée   es arrivée
avais rangé

Le plus-que-parfait se forme avec l'auxiliaire **avoir** ou **être** à l'imparfait de l'indicatif, suivi du participe passé du verbe.

RANGER	ALLER
j'avais rangé	j' étais allé(e)
tu avais rangé	tu étais allé(e)(s)
il / elle / on avait rangé	il / elle / on était allé(e)
nous avions rangé	nous étions allé(e)s
vous aviez rangé	vous étiez allé(e)s
ils / elles avaient rangé	ils / elles étaient allé(e)s

LE PARTICIPE PASSÉ

Le participe passé est la forme adjectivale du verbe. Ses terminaisons sont variées.

Verbes en **-er → -é** étudi**é**, aim**é**, cuisin**é**...

Verbes en **-ir : → -i** fin**i**, ment**i**, sort**i**, dorm**i**...

Verbes en -ire, -ure,
-aire, -dre, -tre,
-vre, -oir, -oire :

-u : e**u**, cr**u**, d**û**, p**u**, v**u**...

-is : pr**is**, m**is**...

-it : f**ait**, d**it**, écr**it**...

-ert : off**ert**, souff**ert**…

-int : p**eint**, cr**aint**...

 Cas particuliers

- Tout verbe de forme pronominale accorde son participe avec son sujet sauf si le verbe peut être employé avec l'auxiliaire **avoir** et que le pronom **se** soit complément d'objet indirect. On applique alors la règle des verbes conjugués avec **avoir**.

● Elle s'est coupé le doigt. / Elle s'est coupée.

- Les participes passés des verbes **laisser** et **faire** restent toujours invariables lorsqu'ils sont suivis d'un infinitif.

● Ses cheveux, elle les a fait couper.

- Les participes passés **dû**, **cru**, **pu**, **su**, **voulu**… sont invariables quand ils ont pour complément d'objet direct un infinitif sous-entendu.

● J'ai fait tous les efforts que j'ai pu (faire).

- Les participes des verbes impersonnels employés avec l'auxiliaire **avoir** restent invariables.

● Quelle chaleur il a fait hier !

LE PASSÉ SIMPLE

Le passé simple est un temps du passé très utilisé en littérature. Il a les mêmes valeurs que le passé composé. À l'oral, il n'est plus beaucoup utilisé et il est remplacé par le passé composé.

	1er groupe	2e groupe		3e groupe		
	manger rester	finir ouvrir	voir prendre	boire savoir	tenir venir	aller
Je/J''	-ai	-is	-is	-us	-ins	-ai
Tu	-as	-is	-is	-us	-ins	-as
Il/Elle	-a	-it	-it	-ut	-int	-a
Nous	-âmes	-îmes	-îmes	-ûmes	-înmes	-âmes
Vous	-âtes	-îtes	-îtes	-ûtes	-întes	-âtes
Ils/Elles	-èrent	-irent	-irent	-urent	-inrent	-èrent

L'EXPRESSION DU FUTUR

Pour exprimer un fait ou une idée futurs, on peut utiliser :

◢ le futur proche : **aller** + INFINITIF

◢ la construction : **être sur le point de** + INFINITIF

◢ le futur simple :

Il exprime des prévisions, un ordre, une consigne, une directive

◢ le futur antérieur :

Il marque l'antériorité d'un événement futur sur un autre événement futur ou encore une action accomplie dans le futur

Dans 20 ans, on aura trouvé des solutions aux conflits de génération.

LE FUTUR

Le futur indique qu'une action se déroulera après le moment où on parle, sans lien avec celui-ci. On utilise ce temps, par exemple, pour faire des prévisions. Les terminaisons du futur sont : **ai, as, a, ons, ez, ont.**

je tu il / elle / on nous vous ils / elles	passer sortir prendr	**-ai** **-as** **-a** **-ons** **-ez** **-ont**

- Dans 20 ans, il **neigera** moins dans le Jura.

Les radicaux de ce temps sont presque toujours réguliers : c'est en effet l'infinitif des verbes en **-er** et **-ir** ; et l'infinitif sans le **e** final des verbes en **-re**. Il y a quelques verbes à radical irrégulier.

être avoir aller vouloir	**ser-** **aur-** **ir-** **voudr-**	pouvoir falloir voir savoir	**pourr-** **faudr-** **verr-** **saur-**	venir tenir faire envoyer	**viendr-** **tiendr-** **fer-** **enverr-**

- Dans 20 ans, nous **verr**ons des changements climatiques très importants.

Pour exprimer des intentions, on peut utiliser la structure : **aller** + INFINITIF
Le futur simple peut exprimer un fait précis et daté, un fait se déroulant dans une certaine durée, d'une action qui se répète, un ordre.
Le futur proche exprime une intention et une conséquence.

- Je **vais acheter** un vélo, c'est plus écologique.

LE CONDITIONNEL PRÉSENT

Le conditionnel se forme, comme le futur, à partir du radical de l'infinitif, auquel on ajoute les terminaisons de l'imparfait.

REGARDER
je regarderais
tu regarderais
il / elle / on regarderait
nous regarderions
vous regarderiez
ils / elles regarderaient

Les verbes irréguliers au conditionnel sont les mêmes que ceux qui le sont au futur :
être, avoir, venir, voir, faire, aller, savoir, etc.

Le conditionnel marque la politesse dans des demandes, conseils, invitations, sollicitations... notamment avec des verbes modaux :
pouvoir, vouloir, devoir, falloir.

- Vous **devriez** visiter le Louvre.
- **Seriez**-vous libre samedi soir ? J'**aimerais** vous inviter au cinéma.
- **Pourriez**-vous m'aider un moment ?
- **Auriez**-vous la gentillesse de m'aider ?
- Je **voudrais** créer une association.
- **Pourrais**-je passer te voir demain ?

Le conditionnel présent s'utilise dans la proposition principale de l'irréel du présent.

- Si tu pouvais prendre le train de 9 h, on **pourrait** déjeuner ensemble à Paris.

On utilise le conditionnel pour :

- souhaiter : J'**aimerais** que toutes les maladies sur terre disparaissent.

- formuler une demande poliment : Pourriez-vous éviter de me postillonner au visage, s'il vous plaît ?

- faire une hypothèse : Si je pouvais, **j'inventerais** un vaccin contre le cancer.

- relater une information qui n'est pas confirmée : Ce nouveau produit bio **pourrait** révolutionner notre alimentation.

- proposer : Ça te **dirait** d'aller à la ferme chercher des produits sains ?

Pour faire des hypothèses sur le futur, on utilise le conditionnel présent :

- Pour faire une hypothèse sur l'avenir possible
- Pour faire des projets hypothétiques
- Pour exprimer le futur dans le passé

LE CONDITIONNEL PASSÉ

Le conditionnel passé se forme avec l'auxiliaire **avoir** ou **être** au conditionnel présent suivi du participe passé du verbe.

ALLER

je serais allé(e)

tu serais allé(e)

il / elle / on serait allé(e)(s)

nous serions allé(e)s

vous seriez allé(e)s

ils / elles seraient allé(e)s

CHANGER

j'aurais changé

tu aurais changé

il / elle / on aurait changé

nous aurions changé

vous auriez changé

ils / elles auraient changé

Il exprime :

- un conseil : Tu n'**aurais** pas **dû** aller au travail avec une telle fièvre !
- un regret : Nous **aurions aimé** rester de jeunes adolescents insouciants.
- un doute : Je t'**aurais donné** à manger des conserves périmées ? Tu es certaine ?
- un reproche : Nous **aurions dû** nous informer davantage.
- un fait imaginaire : Elle **serait restée** là, et moi j'**aurais attendu** toute la nuit à me morfondre.
- une hypothèse : Si on avait mesuré l'ampleur des conséquences, nous n'**aurions** pas **cultivé** d'OGM.

L'IMPÉRATIF

L'impératif sert à donner des instructions de façon personnelle. Ce mode a les mêmes formes que le présent de l'indicatif, mais s'utilise sans pronom sujet. Il possède seulement trois personnes (tu, nous, vous).

	affirmation	négation	affirmation	négation
(tu)	Parle !	Ne parle pas !	Sors !	Ne sors pas !
(nous)	Parlons !	Ne parlons pas !	Sortons !	Ne sortons pas !
(vous)	Parlez !	Ne parlez pas !	Sortez !	Ne sortez pas !

 Les verbes en -**er** ne prennent pas de -**s** final à la deuxième personne du singulier.

Avoir : **aie, ayons, ayez**

Être : **sois, soyons, soyez**

 Devant **en** et **y**, on garde le **s** pour des raisons de prononciation :

Parle**s**-en à ton collègue !

À l'impératif affirmatif, les verbes pronominaux s'utilisent avec les pronoms personnels toniques placés après la forme verbale. À l'impératif négatif, les pronoms personnels atones sont placés avant la forme verbale.

	AFFIRMATION	NÉGATION
(tu)	Lève-**toi** !	Ne **te** lève pas !
(nous)	Levons-**nous** !	Ne **nous** levons pas !
(vous)	Levez-**vous** !	Ne **vous** levez pas !

Quand un verbe à l'impératif est accompagné d'un COD et d'un COI, ceux-ci se placent dans cet ordre après lui.

- **Prête-la-nous**, s'il te plaît.
- **Rappelle-le-moi**, s'il te plaît.

LE SUBJONCTIF PRÉSENT

Le subjonctif présent se forme sur le radical de la 3e personne du pluriel de l'indicatif présent, auquel on ajoute les terminaisons **e, es, e, ions, iez, ent**.

JOUER	FINIR
PRÉSENT DE L'INDICATIF ils jouent	PRÉSENT DE L'INDICATIF ils finissent
que je jou**e**	que je finiss**e**
que tu jou**es**	que tu finiss**es**
qu'il / elle / on jou**e**	qu'il / elle / on finiss**e**
que nous jou**ions**	que nous finiss**ions**
que vous jou**iez**	que vous finiss**iez**
qu'ils / elles jou**ent**	qu'ils / elles finiss**ent**

 avoir : que j'aie, que tu aies, qu'il ait*, que nous ayons, que vous ayez, qu'ils aient

être : que je sois*, que tu sois, qu'il soit*, que nous soyons, que vous soyez, qu'ils soient

aller : que j'aille, que tu ailles, qu'il aille, que nous allions, que vous alliez, qu'ils aillent

faire : que je fasse, que tu fasses, qu'il fasse, que nous fassions, que vous fassiez, qu'ils fassent

* Seuls cas où la 1e et 3e pers. du sing. ne se terminent pas par -**e**.

On utilise le subjonctif pour :

◢ exprimer un doute

Il semble que… + subjonctif

Je doute que… + subjonctif

◢ Exprimer une opinion négative

Je ne pense pas que / Je ne crois pas que… + subjonctif

Il n'est pas sûr que / Il n'est pas certain que + subjonctif

On utilise l'indicatif s'il n'y a aucun doute sur le fait exprimé.

● Je ne crois pas qu'il **vienne** au musée. (mon opinion est qu'il ne viendra pas)

● Je ne crois pas qu'il **viendra** au musée. (il est certain qu'il ne viendra pas)

◢ exprimer un sentiment

Je suis triste / heureux(se) / content(e) / satisfait(e) / jaloux(jalouse) / déçu(e) / désolé(e) / je regrette, etc. + **que** + subjonctif (si les sujets sont différents dans les deux propositions)

● **Je** suis désolé que **tu** aies eu une mauvaise critique.

Ces constructions + **de** + **infinitif** sont employées si le sujet est le même dans les deux propositions.

● **Je** suis désolé d'avoir eu une mauvaise critique.

 Le verbe **espérer** exige toujours le futur de l'indicatif.

● **J'espère que** tu viendras demain.

Aujourd'hui, seuls le présent et le passé du subjonctif sont utilisés. Le passé sert à marquer l'antériorité par rapport au verbe principal tandis que le présent renvoie à toutes les autres actions quel que soit le temps auquel il est conjugué.

● Je veux que tu viennes avec moi. / Je voulais que tu viennes avec moi. / J'aurais voulu que tu viennes avec moi.

● Je regrette que tu ne sois pas venu. / J'ai regretté que tu ne sois pas venu. / J'aurais regretté que tu ne sois pas venu.

LE PARTICIPE PRÉSENT

Le participe présent se forme à partir du radical de la 1re personne du pluriel de l'indicatif présent, auquel on ajoute -**ant**.

chantant, écrivant, écoutant…

 ayant, étant, sachant

Le participe présent peut être le verbe d'une proposition participiale (voir la phrase complexe p. 138).

LE GÉRONDIF

Le gérondif est constitué de la préposition **en** et d'un participe présent.

gérondif = **en** + PARTICIPE PRÉSENT

Le gérondif précise la manière dont se déroule l'action exprimée par le verbe de la proposition principale.

LA MODALISATION

La modalisation permet au locuteur de faire sentir sa présence. En effet, l'émetteur peut manifester sa subjectivité : il indique par des indices ses sentiments ou son avis et son degré de certitude par rapport à ce qu'il dit. On appelle modalisation l'ensemble de ces indices. Les outils de la modalisation :

◢ l'expression de l'opinion

Le locuteur peut donner son avis sur la nécessité ou la possibilité des faits. Pour cela, il peut avoir recours à :

- des adjectifs : **sûr, certain, inévitable, clair, évident, douteux, incertain, vraisemblable, probable, possible…**
- des adverbes : **assurément, forcément, réellement, vraisemblablement, peut-être, probablement…**
- des verbes d'opinion : **assurer, affirmer, certifier, penser, croire, douter, supposer, souhaiter, espérer…**
- un mode verbal : le conditionnel.
- un temps verbal : le futur antérieur.

◢ l'expression de sentiments

L'énonciateur peut prendre position en exprimant un sentiment personnel favorable ou défavorable.

- un vocabulaire péjoratif ou mélioratif (noms, verbes, adjectifs et adverbes).
- la ponctuation et le type de phrase (déclarative, exclamative…). La question rhétorique (ou « fausse question ») est particulièrement utilisée. C'est une question pour laquelle on n'attend pas de réponse.

LA PHRASE COMPLEXE

Une phrase est appelée « complexe » quand elle relie plusieurs propositions avec leurs verbes correspondants.

Ces propositions peuvent être reliées entre elles :

⊿ par une simple ponctuation (virgule, deux points ou point-virgule)
- Elle n'est pas venue**,** elle avait trop de travail.

⊿ par une conjonction de subordination
- Elle n'est pas venue **parce qu'**elle avait trop de travail.

⊿ par un pronom relatif
- Elle est restée finir un travail **qu'**elle doit remettre demain matin.

⊿ par une conjonction de coordination
- Elle n'est pas venue **car** elle avait trop de travail.

Les relations logiques entre deux propositions peuvent être de différents types et être exprimées par différentes conjonctions.

▸ Le temps : **après, avant**, (et) **en même temps, pendant que, tandis que, après que** (+ indicatif), **avant que** (+ subjonctif).

▸ La cause : **car** ; **parce que, puisque, comme. Puisque** et **comme** introduisent une cause connue de l'interlocuteur.
- **Puisque** tu as trop de travail, on ira au cinéma une autre fois.

Comme se place toujours avant la principale.
- **Comme** il faisait magnifique, on est allés se promener sur la plage.

▸ La conséquence : **alors, donc, aussi** ; **si bien que, de sorte que, de manière que** (+ verbe généralement à l'indicatif).
- Elle avait trop de travail **alors** elle n'est pas venue.
- Elle avait trop de travail, **si bien qu'**elle n'est pas venue.

▸ Le but : **pour que, afin que** (+ subjonctif).
- Elle n'est pas venue **pour que** son travail ne prenne pas de retard.

Si le sujet de la proposition subordonnée est le même que celui de la principale, on doit utiliser **pour / afin de** + infinitif.
- Elle n'est pas venue **pour** ne pas prendre de retard dans son travail.

▸ La condition.
Lorsqu'elle est considérée comme réalisée dans le présent ou certaine dans le futur. Le verbe de la principale est à l'indicatif présent ou futur, ou à l'impératif, et le verbe de la subordonnée à l'indicatif présent.
- Si on ne travaille pas, on finit par s'ennuyer.
- Tu peux venir / Tu viendras / Viens, si cela t'intéresse.

Lorsqu'elle est considérée comme réalisable dans le futur. Le verbe de la principale est au conditionnel présent et celui de la subordonnée à l'imparfait. On exprime souvent ainsi la suggestion, la proposition ou la demande atténuée.
- Je serais content, si tu venais.

Lorsqu'elle ne s'est pas réalisée. Le verbe de la principale est au conditionnel passé, et celui de la subordonnée au plus-que-parfait. Selon le contexte, on peut ainsi exprimer le regret ou le reproche.
- J'aurais été content si tu étais venu. (= mais tu n'es pas venu).

▸ L'opposition et la concession : **mais, pourtant, cependant, alors que** ; **même si** (+ indicatif) ; **bien que, quoique** (+ subjonctif).
- Elle aurait bien voulu venir, **mais** elle avait trop de travail.
- Elle veut finir son travail ce soir **même si** elle doit se coucher très tard.
- Elle a voulu finir son travail **bien qu'**elle soit déjà très fatiguée.

LES STRUCTURES AVEC « SI »

Si + VERBE, VERBE
- **Si** tu **avais** un ordinateur, tu m'**enverrais** des mails.

VERBE, **si** + VERBE
- Tu m'**enverrais** des mails **si** tu **avais** un ordinateur.

Les structures avec **si** peuvent exprimer :

⊿ une probabilité ou une quasi-certitude

Si + présent de l'indicatif, présent de l'indicatif
- **Si** tu **veux**, tu **peux** utiliser mon ordinateur.

Si + présent de l'indicatif, futur simple
- **Si** tu **viens** chez moi, nous **regarderons** un film.

Si + présent de l'indicatif, présent de l'impératif
- **Si** tu v**eux** avoir savoir ce que font tes amis, **inscris**-toi sur Facebook.

⊿ une hypothèse

Si + imparfait, conditionnel présent

- **Si** je **gagnais** au loto, j'**achèterais** un ordinateur à tous les membres de ma famille !

⊿ une condition non réalisée dans le passé (irréel du passé)

▸ avec une conséquence dans le présent

Si + plus-que-parfait, conditionnel présent

- **Si** j'**avais fait** des études en informatique, je **travaillerais** chez Microsoft.

▸ avec une conséquence dans le passé

Si + plus-que-parfait, conditionnel passé

- **Si** j'**avais eu** Internet hier, j'**aurais pu** t'envoyer un mail.

⊿ Une condition non réalisée dans le présent (irréel du présent)

Si + imparfait, conditionnel présent

- **Si** Franck **achetait** un ordinateur, je lui **demanderais** de me le prêter.

LES SUBORDONNÉES INTRODUITES PAR « QUE »

Leur verbe se conjugue :

▸ à l'**indicatif** si le verbe de la principale est un verbe de perception, de déclaration ou d'opinion à la fois.

- Je vois que tu as compris.
- Je te dis que c'est très facile.
- Je pense que cela ne pose pas de problèmes.

▸ au **subjonctif** si ces verbes sont à la forme négative ou interrogative.

- Je ne prétends pas que ce soit facile.
- Crois-tu que ce soit facile ?
- Je ne pense pas qu'il y ait un problème.
- Penses-tu qu'il y ait un problème?

▸ au **subjonctif** si le verbe de la principale est un verbe de volonté (souhait, ordre…), un verbe de doute ou un verbe de sentiment.

- Je souhaite que vous passiez d'excellentes vacances.
- Je doute que vous passiez d'excellentes vacances.
- Je crains que vous ne passiez pas d'excellentes vacances.

LES SUBORDONNÉES INFINITIVES

Le verbe peut être à l'infinitif présent ou passé.

- Je te félicite d'avoir si bien travaillé.

LES SUBORDONNÉES PARTICIPIALES

Elles remplacent une subordonnée relative ou de cause.

- Voulant faire rire à tout prix, les acteurs sont peu crédibles. (Parce qu'ils veulent faire rire à tout prix...)
- Traitant d'un sujet sensible, ce film bouleversera beaucoup de spectateurs. (Ce film, qui traite...)

DONNER UN CONSEIL À QUELQU'UN

L'impératif

Il faut/faudrait + infinitif

N'avoir qu'à + infinitif

Il vaudrait mieux + infinitif / **Il vaudrait mieux que** + subjonctif

À ta / votre place, je + conditionnel présent

Si j'étais toi / vous + conditionnel présent

Je serais toi / vous, je… + conditionnel présent

Rien ne t' / vous empêche de + infinitif

Ainsi que les verbes conjugués au présent ou au conditionnel comme : **recommander / suggérer / conseiller de** + infinitif.

L'OPPOSITION ET LA CONCESSION

Quoique + subjonctif

- **Quoiqu'il fasse** mauvais temps, la randonnée est maintenue.

Quoique + **adjectif**

- **Quoique facile**, la randonnée a été épuisante

Bien que + subjonctif

- **Bien que** ce **soit** un jour férié aujourd'hui, les magasins sont ouverts.

Encore que + subjonctif

- Nous ne désespérons pas d'aller visiter Paris, **encore qu'**il y **ait** peu de chance que nous ayons le temps de voir la tour Eiffel.

Alors que + indicatif

- **Alors qu'**il **pleut** à Boulogne-sur-mer, il fait un grand soleil à Marseille.

Même si + indicatif

- **Même si** je **vais** à Carcassonne pour visiter les remparts de la ville, je n'aurai pas le temps d'aller à Castelnaudary pour manger un cassoulet.

Quand bien même + conditionnel
- **Quand bien même** il **aurait** pensé à prendre son appareil photo, il aurait fallu qu'il prenne aussi les piles !

Tout + adjectif + **que**
- **Tout passionnés qu**'ils sont de peinture, ils n'iront pas visiter le Louvre.

Si + ADJECTIF OU ADVERBE + **que** + subjonctif
- **Si grand que soit** le monde, il la retrouvera toujours.

Quelque + adjectif
- **Quelque courageux qu'il soit**, il ne parviendra pas à rattraper son retard sur son adversaire.

Quelque + nom
- **Quelques efforts** qu'il fasse, il ne parviendra pas à rattraper son retard sur son adversaire.

Malgré + nom
- **Malgré la pluie**, ils iront visiter la ville.

La locution **malgré que** est admise dans certaines grammaires mais elle reste employée dans un langage familier et propre à l'oral.

LA COMPARAISON

On rapproche deux choses, deux idées, en attachant son attention à ce qui est ressemblant (présence d'un ou plusieurs points communs) ou dissemblable (au milieu de nombreux points communs, présence de différences) en elles.

On a besoin :
- du comparé : ce qu'on compare ;
- du comparant : ce avec quoi on compare ;
- de l'élément commun (affirmé ou nié) : le point commun qui permet de rapprocher le comparé du comparant ;
- du mot-outil : le mot ou l'expression qui exprime l'idée de comparaison.
- Son visage est fripé telle une tomate sèche.

comparé : **son visage**

comparant : **tomate sèche**

élément commun (affirmé ou nié) : **fripé**

mot-outil : **telle**

Moyens grammaticaux
- **Plus / aussi / moins** + ADJECTIF OU ADVERBE + **que**
- La France est quatorze fois **plus petite que** l'Australie.
- Une personne âgée est **aussi productive que** moi.
- **Plus de / autant de / moins de** + NOM + **que**
- Elle a **plus de compétences que** sa jeune collègue.
- Il n'y a pas **autant d'actifs que** de retraités en France.

- VERBE + **plus / autant / moins** + **que**
- Il **a plus** d'expérience **que** moi.
- Nous nous **sommes autant** investis **que** toi.
- Nous **travaillons moins qu**'il y a 10 ans.

 Plus de peut être remplacé par **davantage de**.

 Il existe des comparatifs irréguliers.
Bon a pour comparatif de supériorité : **meilleur**.
Bien a pour comparatif de supériorité : **mieux**.
Mauvais a deux comparatifs de supériorité : **plus mauvais** et **pire**.
Petit a deux comparatifs de supériorité : **plus petit**. (s'utilise pour la taille) et **moindre** (s'utilise pour la valeur).

Moyens lexicaux
Groupe nominal :
- **similitude (entre…)**
- Il y a une **similitude entre** l'opinion de ce journaliste et celle de cet homme politique.
- **parallèle (entre)**
- Un **parallèle** peut être fait **entre** ces deux unes.

Adjectif qualificatif :
- **identique, différent, semblable (à), pareil (à), tel, le / la / les même(s) que**, etc.
- Il est représenté **tel** un adolescent.

Adverbe :
- **autant… autant, de la même manière, ainsi que**, etc.
- **Autant**, il déteste cette analyse, **autant** elle l'approuve complètement.

Expressions verbales :
- **ressembler à, se ressembler, avoir des airs de, faire penser à**, etc.
- Il me **fait penser à** moi quand j'étais plus jeune.

LES FIGURES DE STYLE

L'hyperbole

L'hyperbole est une figure d'amplification qui désigne l'ensemble des procédés d'exagération qui touchent la syntaxe et le lexique.

Dire **un géant** pour désigner un homme de très grande taille.

Dire **c'est à mourir de rire** pour dire que quelque chose est vraiment très drôle.

L'euphémisme

Un euphémisme est une figure de pensée qui consiste à employer une expression adoucie (ou un mot) pour évoquer une idée désagréable, triste ou brutale. C'est le contraire de l'hyperbole.

Elle nous a quittés au lieu de dire **elle est morte**.

On l'a remercié hier pour dire **on l'a renvoyé hier**.

L'oxymore

Un oxymore est une figure d'opposition qui consiste à réunir deux termes de sens contraires à l'intérieur d'une même phrase.

Cette **obscure clarté** qui tombe des étoiles
Enfin avec le flux nous fait voir trente voiles ;
L'onde s'enfle dessous, et d'un commun effort
Les Maures et la mer montent jusques au port.

Corneille, Le Cid, 1682

L'antiphrase

L'antiphrase consiste à dire exactement l'inverse de ce qu'on veut laisser comprendre à son interlocuteur.

Quelle belle journée ! alors qu'il pleut sans arrêt depuis le matin.

Je suis mort de rire ! pour réagir face à une plaisanterie qui précisément ne nous a pas fait rire du tout.

Ces figures de style permettent d'exprimer l'ironie. L'ironie consiste à créer un décalage entre ce que l'on dit et la réalité, dans le but de se moquer.

Le champ lexical

On appelle « champ lexical » l'ensemble des mots qui se rapportent à une même réalité. Les mots qui forment un champ lexical peuvent avoir comme point commun d'être synonymes (**agacé, énervé, nerveux**) ou d'appartenir à la même famille (**imaginer, imagination, imaginaire,** **inimaginable**), au même domaine (**la mer, le port, le bateau, la croisière**), à la même notion (**le voyage, le tourisme, le nomadisme, l'errance**).

La comparaison

Une comparaison rapproche deux idées ou deux objets. Elle comprend toujours au moins deux termes : (un comparé et un comparant, reliés par un terme comparant (**comme, tel, semblable à, pareil à, ainsi que, de même que…**)

● Ce petit village est accroché à la falaise **comme** un nid à sa branche.

La métaphore

Une métaphore est une comparaison dont on aurait supprimé le terme comparant.

● Le flot des voyageurs grossissait.

La métaphore filée

La métaphore filée est une figure de style constituée d'une suite de métaphores sur le même thème. La première métaphore en engendre une série d'autres utilisant des comparants qui appartiennent tous à un même champ lexical.

● Le flot des voyageurs grossissait. Il inondait la gare et ce raz-de-marée m'angoissait.

LE PASSIF

À la voix passive, le sujet réel n'est pas exprimé.
Le passif se construit de plusieurs manières :

être + PARTICIPE PASSÉ

● La loi contre les discriminations sera appliquée quand le décret **aura été** promulgué.

La forme pronominale

Certains verbes peuvent être employés à la forme pronominale avec un sens passif. Dans une proposition à la forme pronominale de sens passif, figure un verbe non pronominal et le sujet subit l'action exprimée par le verbe sans la faire.

● La lutte contre les discriminations **s'organise** peu à peu.

se faire + INFINITIF PRÉSENT ;
se voir + INFINITIF PRÉSENT OU ADJECTIF QUALIFICATIF

● Ma collègue **s'est fait licencier** peu après qu'elle ait annoncé sa grossesse.

• Son entreprise **s'est vue contrainte** de le réintégrer à son poste sur décision de justice.

▲ **se laisser** + INFINITIF PRÉSENT

Cette construction insiste sur la passivité du sujet à la forme affirmative et la résistance du sujet à la forme négative.

• Elle **se laisse piéger** par son employeur. (passivité du sujet)

• Mon voisin est handicapé moteur. Il ne **s'est pas laissé berner** par les promesses du propriétaire concernant la construction d'un ascenseur. (résistance du sujet)

LE DISCOURS RAPPORTÉ

On parle de discours rapporté quand on raconte ce qu'a dit quelqu'un.

On parle de **discours (rapporté) direct** lorsque les paroles sont rapportées exactement comme elles ont été prononcées : elles sont alors introduites par deux points (:) après un verbe introducteur et encadrées de guillemets (« … »).

Les principaux verbes introducteurs : **dire, affirmer, répondre, demander, admettre, affirmer, ajouter, annoncer, apprendre, assurer, avertir, avouer, certifier, commenter, confier, confirmer, constater, déclarer, demander si, dévoiler, dire, expliquer, faire remarquer, indiquer, informer, insinuer, mentionner, noter, préciser, prétendre, promettre, questionner, raconter, rappeler, reconnaître, répéter, répliquer, répondre, révéler, souligner…**

• Hier, le ministre **a déclaré** : « Nous appliquerons le plan d'austérité. »

On parle de **discours indirect** lorsque les paroles sont rapportées dans une proposition subordonnée.

• Hier, le ministre **a déclaré** qu'ils appliqueraient le plan d'austérité.

▲ Constructions des subordonnées du discours indirect
Selon le type de discours rapporté, ces subordonnées sont construites différemment.

Type de discours rapporté	Discours direct	Discours indirect
Affirmation	Le patron a annoncé aux ouvriers : « L'entreprise va devoir fermer. »	**que + indicatif** Le patron a annoncé aux ouvriers que l'entreprise allait devoir fermer.
Interrogation globale	Mon patron m'a demandé : « Êtes-vous prêt à accepter un nouveau poste ? »	**si + indicatif** Mon patron m'a demandé si j'étais prêt à accepter un nouveau poste.
Injonction	Le président a ordonné aux ministres : « Restez discrets, je vous prie ! »	**de + infinitif** Le président a ordonné aux ministres de rester discrets.

▲ Constructions des subordonnées du discours indirect
Selon le type de discours rapporté, ces subordonnées sont construites différemment.

Si l'interrogation n'est pas totale (réponse attendue par **oui** ou **non**), mais partielle (réponse attendue par une indication précise de temps, lieu, etc.), le discours indirect est introduit par le mot interrogatif du discours direct correspondant (**qui, quoi, quand, où, comment, pourquoi, quel(s) / quelle(s), lequel / lesquels, laquelle / lesquelles**).

• Dis-moi où et quand aura lieu l'interview. -> Il me demande où et quand aura lieu l'interview.

• Tu arriveras à quelle heure ? -> Il m'a demandé à quelle heure j'arriverais.

✋ Les pronoms **que**, **qui** deviennent **ce que**, **ce qui.**

• Nous lui avons demandé : « **Qu'est-ce que** vous allez faire à la retraite ? -> Nous lui avons demandé ce qu'il allait faire à la retraite.

• Tu m'as demande : « **Qu'est-ce que** tu as fait hier ? »
-> Tu m'as demandé ce que j'avais fait hier

◢ Concordance des temps dans les subordonnées au discours indirect

Le temps du verbe de la subordonnée va être différent selon le temps du verbe introducteur de la principale et la relation (d'antériorité, de simultanéité ou de postériorité) entre les verbes des deux propositions.

▸ Discours rapporté *dire*

Verbe de la proposition principale	Verbe de la proposition subordonnée		
	antériorité	simultanéité	postériorité
au présent Elle dit qu'	**passé composé** elle a attrapé un rhume.	**indicatif présent** elle est malade.	**futur** elle ne pourra pas faire sa présentation.
au passé Elle a dit qu'	**plus-que-parfait** elle avait attrapé un rhume.	**imparfait** elle était malade.	**conditionnel présent** elle ne pourrait pas faire sa présentation.

◢ Autres modifications grammaticales dans les subordonnées du discours indirect

Le passage au discours indirect entraîne logiquement certaines modifications :

▸ de personnes (pronoms personnels, pronoms et adjectifs possessifs).

Il m'a dit : « Tu vis encore chez tes parents ? Moi, je ne veux plus vivre chez les miens. » -> Il m'a demandé si je vivais encore chez mes parents et il m'a dit que lui, il ne voulait plus vivre chez les siens.

▸ d'adverbes de temps et de lieu

Quand le verbe du discours indirect est au passé, il faut modifier les indicateurs de temps :

Hier → la veille / le jour précédent / le jour d'avant

Avant-hier → l'avant-veille

La semaine, l'année dernière à la semaine précédente / la semaine d'avant, l'année précédente

Aujourd'hui → ce jour-là

En ce moment → ce moment-là

Maintenant → alors

Cette semaine, ce mois-ci → cette semaine-là, ce mois-là

Demain → le lendemain/le jour suivant/le jour d'après

Après-demain → le surlendemain

La semaine, l'année prochaine → la semaine suivante / la semaine d'après, l'année suivante

Si le verbe introducteur est au passé, il faut faire attention à la concordance des temps.

Présent → imparfait

Futur simple → conditionnel présent

Remarque : aux temps composés, c'est l'auxiliaire qui se transforme selon les indications précédentes.

Je vais faire ce reportage. → Il a dit qu'il allait faire ce reportage.

Il a prévenu. → Il a dit qu'il avait prévenu.

LES CONNECTEURS LOGIQUES

Les connecteurs logiques sont des mots qui marquent un rapport de sens entre des propositions ou entre les phrases d'un texte.

Ils jouent un rôle clef dans l'organisation du texte : ils en soulignent les articulations.

Ils marquent les relations établies entre les idées par celui qui parle.

◢ Pour indiquer l'ordre des arguments dans le discours, on peut utiliser :

premièrement, deuxièmement, d'abord, puis, ensuite, enfin... en premier lieu, en second lieu, d'une part, d'autre part, en conclusion, en fin de compte, en définitive...

◢ Pour introduire une idée ou une information nouvelle, on peut utiliser :

et, de même que, sans compter que, ainsi que... ensuite, voire, d'ailleurs, encore, de plus, quant à, non seulement... mais encore, de surcroît, en outre...

◢ Pour réfuter, exprimer l'opposition, on peut utiliser : **mais, or, bien que, quoique, tandis que, alors que, même si... cependant, pourtant, toutefois, néanmoins, en revanche, au contraire, malgré tout, certes... malgré...**

◢ Pour apporter des preuves, justifier, exprimer la cause, on peut utiliser :

car, parce que, puisque, étant donné que, comme, vu que, + INDICATIF, sous prétexte que..., effectivement..., en effet, grâce à, en raison de, à cause de + NOM..., malgré + NOM

Pour donner les résultats d'un fait, exprimer la conséquence on peut utiliser :

donc, et, de sorte que, si bien que, + SUBJONCTIF de façon que, au point que, tellement… que, si… que, aussi, finalement, ainsi, voilà pourquoi, c'est pourquoi, par conséquent, tout compte fait…

Pour préciser ou illustrer une idée par un exemple, on peut utiliser :

par exemple, ainsi, en effet, notamment, en d'autres termes, c'est-à-dire, autrement dit, d'ailleurs…

Pour indiquer un but, on peut utiliser :

pour que, de peur que + SUBJONCTIF, de crainte que, afin que…, pour, dans le but de + INFINITIF, afin de, en vue de…

Pour indiquer une condition, on peut utiliser :

si, au cas où + INDICATIF, en admettant que, pourvu que, à condition + SUBJONCTIF, en cas de… + NOM

Pour résumer, conclure, on peut utiliser :

donc, ainsi, en somme, bref, pour conclure, en résumé, finalement, en un mot, en définitive, en conclusion…

LES CONNECTEURS TEMPORELS

Ils établissent la chronologie et organisent le discours narratif.

Je veux exprimer…	J'utilise les mots-outils suivants :
une action antérieure	avant, auparavant, plus tôt, avant-hier, hier, auparavant, précédemment, jusque-là, jusqu'alors, déjà, depuis longtemps, la semaine ou l'année dernière, le mois dernier, la veille, l'avant-veille, la semaine précédente…, à partir de ce moment, avant que, jusqu'à ce que, dès que, une fois que + subjonctif
des actions simultanées, qui se produisent au même temps	en même temps, au même moment, pendant ce temps…, quand, lorsque, chaque fois que, à présent que, au fur et à mesure que + indicatif
une action postérieure	après, deux jours après, demain, après-demain, dorénavant, depuis lors, peu après, longtemps après, plus tard, la semaine prochaine, l'année prochaine, le mois prochain, le lendemain, le surlendemain…, après que, en attendant que, aussitôt que + indicatif, en attendant de + infinitif
La fréquence des actions	souvent, jamais, toujours, de temps en temps, de temps à autre, parfois, quelquefois, encore, tantôt… tantôt…
la soudaineté d'une action	soudain, tout à coup, alors, bientôt, aussitôt…
des actions successives	d'abord, ensuite, puis, enfin- avant, après, alors, hier, aujourd'hui, demain, la veille, le lendemain, aussitôt…
une date	le 28 septembre 2011…
une durée	pendant, longtemps, pendant longtemps, au bout de, dans, au cours de, entre…

FAIRE UNE INTRODUCTION

L'introduction se compose essentiellement :

◢ d'une « entrée en matière » (ou « accroche » ou « amorce ») : il s'agit d'une phrase générale ayant un lien avec le sujet. Évoquez, par exemple, le contexte littéraire et / ou historique, bref, il s'agit d'intéresser le lecteur.

◢ du sujet .

◢ de la problématique sous la forme d'une (ou plusieurs) question(s) : en quoi le sujet pose-t-il problème ?

◢ de l'annonce de votre plan. Le plan que vous avez choisi répond forcément à la problématique que vous avez proposée.

FAIRE UNE CONCLUSION

La conclusion est le bilan du développement. Elle a donc pour but d'apporter des éléments de réponse au problème posé dans l'introduction, mais sans aller au-delà de ce que le développement a permis de découvrir.

Conclure = rassembler + élargir
La conclusion doit présenter une synthèse de votre développement. L'essentiel de ce dernier doit être ramassé en quelques phrases ou lignes et doit répondre à la problématique posée en introduction. Votre réflexion, organisée dans le développement par le plan, doit logiquement aboutir à cette synthèse.
Il est possible, alors, d'élargir le débat ou de présenter une opinion plus personnelle. On pourra finir, par exemple, sur une citation adéquate.

FAIRE UN RÉSUMÉ

Résumer, c'est recomposer un texte où l'on exprime avec un minimum de mots les idées, les arguments principaux. Vous devez donc aller à l'essentiel.

◢ Lisez globalement le texte afin d'en saisir les idées principales.

◢ Dégagez le ou les thèmes soulevés par l'auteur, son point de vue.

◢ Posez-vous les questions suivantes :

• De quoi s'agit-il ?

• Quel est le problème posé ?

• Quelles sont les idées principales de l'auteur ?

• Quelles sont ses idées secondaires ?

• Quelle est la conclusion de l'auteur ?

Pensez à conserver le squelette du texte. Pour cela, repérez les articulateurs logiques

S'ORGANISER POUR UN EXPOSÉ

Dès que vous connaissez le sujet de votre exposé et que vous en avez apprécié les limites spatiales et chronologiques, autrement dit que vous avez délimité le sujet, vous devez :

◢ Commencer vos recherches.
Vous devez formuler des pistes de recherche en fonction de votre sujet. Pour cela, répondez aux questions essentielles (Qui ? Quoi ? Quand ? Où ? Pourquoi ? Comment ?). Il faut ensuite traduire ces pistes de recherches en langage documentaire, c'est-à-dire en mots-clés. Vos recherches vous permettront de collecter et de recueillir un maximum d'informations pertinentes (faits, chiffres, dates…). Cherchez d'abord des informations générales à la bibliothèque (manuels, magazines, journaux…) et sur Internet. Partez des documents les plus simples pour finir par les plus spécialisés (dictionnaires, encyclopédies, manuels scolaires, livres documentaires, revues spécialisées, dossiers documentaires…). Dans les manuels, ne choisissez que les thèmes qui vous intéressent. Pour cela, reportez-vous toujours à la table des matières et à l'index. Les pages où vous serez renvoyé vous permettront de récolter un maximum d'informations et de pointer les thèmes qu'il faudra approfondir. Notez toujours les références des documents (titre, auteur, date, maison d'édition, pages / adresse complète du site Internet / titre du périodique, numéro, date, titre et auteur de l'article) pour pouvoir les retrouver facilement si besoin et pour pouvoir ainsi justifier ce qui est dit dans votre exposé.

◢ Trier les documents et prendre les notes utiles.
Dès que vous aurez établi le plan détaillé de votre exposé, il faudra trier les documents pour chaque partie. Vous devez séparer les documents utiles lors de la présentation : ceux que vous distribuerez sous forme de photocopies ou que vous projetterez sur un diaporama

de ceux que vous présenterez à l'oral. Trier l'information signifie ne garder que le plus important et simplifier les textes. Il faut absolument que vous compreniez ce que vous avez écrit. Ne recopiez pas des phrases que vous ne pouvez pas expliquer. Sur Internet, la tentation est grande de faire du « copier/coller ». Mais ce procédé est très aisément repéré par les enseignants. Vous devez absolument reformuler les idées. Vous pouvez vous reporter au point méthodologique sur le résumé. En effet, si un des textes ou articles que vous avez lu vous semble pertinent, il faut le synthétiser. C'est cette synthèse qui vous servira de base pour votre exposé.

◢ Organiser vos notes
Lors de la présentation orale de votre exposé, vous pouvez vous appuyer sur vos notes. Ces notes peuvent être recopiées sur de petites fiches. Elles doivent être aérées et favoriser la visualisation des informations pertinentes. Pour cela, utilisez des tirets, des couleurs, soulignez les titres, surlignez les mots-clés.
Utilisez également un style télégraphique et des abréviations. En revanche, notez bien les noms propres, les dates, les lieux et les références.

FAIRE UN EXPOSÉ (ÉCRIT OU ORAL)

Les exposés peuvent se construire à partir de plans multiples.
Exemples de plans :
◢ L'exposé inventaire (ou thématique), le plus souvent utilisés pour les exposés scolaires. Présentation de plusieurs aspects du sujet pour mieux le connaître.
▸ Introduction (pourquoi ce thème ?, que va-t-on découvrir ?)
▸ Développement
• Point 1
• Point 2
• Point 3
▸ Conclusion

◢ L'exposé dialectique, « confrontation d'idées ». On soulève une question autour d'un thème dont le sujet est discutable et pour lequel plusieurs opinions/options peuvent se justifier.

▸ Introduction
▸ Développement
• Avantage (ou thèse)
• Inconvénients (ou anti-thèse)
• Synthèse (mise en relations des deux points précédents)
▸ Conclusion

◢ L'exposé progressif (ou analytique). Il s'agit d'analyser un problème qui mérite une réflexion approfondie. On décrit une situation, on analyse les causes de cette situation et on envisage les conséquences et les solutions.
▸ Introduction : Présentation d'une situation
▸ Développement :
• Problèmes
• Causes
• Conséquences
• Solutions
▸ Conclusion

N'oubliez pas les phrases de transition entre chaque partie du plan qui permettent de passer logiquement à la partie qui va suivre ou de l'annoncer.

ÉLABORER UNE ENQUÊTE

Démarche
◢ Formuler les objectifs
À quelles questions l'enquête doit-elle apporter des réponses (formuler les objectifs sous forme de questions).
◢ Préparer l'« enquête »
▸ Les questions :
• Comment formuler les questions qui seront posées aux personnes interrogées ?
• Celles-ci doivent être correctement comprises, être formulées de la même manière pour tous, permettre des réponses claires, mais aussi n'influencer en rien les réponses.
• Les questions qui appellent des réponses semi-fermées ou fermées (choix de réponses limitées de type « *tout à fait d'accord / plutôt d'accord / ne sait pas* », sont plus faciles à analyser que des réponses dites « ouvertes ».
• Comment classer les réponses, en sachant que ne pas répondre c'est aussi une manière de répondre ?
• Quel système de notation utiliser pour pouvoir dénombrer facilement les réponses ? (Faut-il envisager une saisie à l'ordinateur, préparer un ou des tableau(x), etc. ?)

▶La population interrogée

• Par quelle méthode allons-nous sélectionner les personnes à interroger ? Il faut déterminer des critères pertinents pour délimiter l'échantillon sur lequel portera l'enquête :

- faut-il distinguer des sous-groupes dans la population interrogée ?

- Comment les définir et les délimiter précisément (selon l'âge, le sexe, la profession, le domicile, la composition de la famille…) ?

◢ Réaliser l'enquête

▶Tester, contrôler

Vos questions sont-elles correctement comprises ? Les réponses sont-elles utilisables ? Faut-il encore changer quelque chose ?

▶S'organiser

Se répartir les rôles et veiller à fixer des règles claires, sans quoi votre travail sera inutilisable (Qui fait quoi ? Où ? Quand ?, Fixer des délais, etc.).

◢ Analyser les résultats et en tirer des conclusions

Le travail de dépouillement des données est important car il permettra de réaliser des calculs, de recueillir des données chiffrées selon les objectifs qui étaient définis en amont.

Il faut distinguer clairement résultats objectifs d'une part, et interprétations, explications, estimations, suppositions, d'autre part. Qu'est-ce que les résultats permettent ou non d'affirmer ?

PRÉPARER UN QUESTIONNAIRE

Quelques étapes essentielles :

• Définir l'objet de l'enquête.

• Faire l'inventaire des moyens matériels disponibles.

• Choisir les personnes à interroger.

Afin de rédiger le projet de questionnaire, choisissez si vous allez utiliser des :

• Questions fermées.

• Questions ouvertes.

• Questions semi-ouvertes.

Puis mettre le questionnaire en forme.

• Rédiger le questionnaire définitif.

• Réaliser l'enquête.

• Valider l'échantillon et analysez les résultats.

• Rédiger le rapport d'enquête.

LIRE/COMMENTER DES CHIFFRES ET DES TABLEAUX

L'objectif consiste à savoir dégager le message d'un document non textuel et/ou de données chiffrées.

◢ Commenter des chiffres

▶Repérer la nature des éléments chiffrés.

Quelles sont les unités de mesure ? Peut on croiser ces données avec d'autres chiffres, les mettre en relation ?

▶Passer à une interprétation plus systématique.

Que m'apprennent ces chiffres : sont-ils indispensables pour comprendre le ou les documents(s), à quoi peuvent-ils (me) servir (étayer un argument, contredire une affirmation, etc.), y a-t-il, enfin, des chiffres marginaux, révélateurs ou disproportionnés (et dans quel but) ?

▶Passer à une interprétation globale.

Quel phénomène ces chiffres permettent-ils de comprendre ou d'illustrer ? Quelle information essentielle peut-on en tirer ?

◢ Lire et comprendre un tableau

▶Regarder un tableau. Y a-t-il des colonnes, des cases, des lignes, des croisements de données possibles ?

▶Passer à une interprétation plus systématique.

Que m'apprend ce tableau et à quoi peut-il servir ? Comment interpréter les données qu'il comporte (y a-t-il des résultats en dents de scie, en continuum, etc.) ?

▶Passer à une interprétation plus globale.

Quel phénomène ce tableau permet-il d'appréhender et quelles informations essentielles peut-on en tirer ? Attention, des chiffres isolés, comme un tableau, déforment toujours la réalité ou le phénomène décrit par leur schématisation. Ils ne sont jamais neutres et s'inscrivent dans un contexte historique et économique. On leur fait dire des choses à un moment donné.

ORGANISER SON DISCOURS

Il est indispensable d'organiser son discours à l'aide de conjonctions et connecteurs.

Pour préciser : **En fait, en réalité…**

Pour introduire un argument : **En effet…**

Pour annoncer un autre point de vue : **D'ailleurs, et encore, finalement…**

Pour annoncer une opposition : **Par contre, en revanche…**

Pour signifier l'un ou l'autre : **Soit… soit**

Pour terminer : **Finalement, en tout cas…**

ARGUMENTER SON DISCOURS

Le discours argumentatif sert à défendre des idées, un point de vue et à persuader un locuteur qui pourrait être en désaccord en développant des arguments.

Pour être plus persuasif, l'énonciateur utilise souvent la 1re personne du singulier, il s'implique ainsi complètement dans l'énoncé. Il peut également interpeller son locuteur en employant la 2e personne du singulier ou du pluriel.

Il est généralement structuré de la manière suivante :

1. Une introduction

2. Le développement des idées et de l'argumentation

Appuyé par des exemples, l'énonciateur utilise fréquemment des procédés de rhétorique (figures de style par exemple).

3. Une conclusion

EFFECTUER UNE SYNTHÈSE DE DOCUMENTS

La synthèse de documents fait appel à différentes aptitudes :

▸ Savoir dégager l'essentiel de chaque document ➜ qualités d'analyse.

▸ Confronter des informations variées, des opinions contradictoires ou complémentaires ➜ esprit de synthèse.

▸ En proposer un compte rendu clair et objectif

Une méthode rigoureuse s'impose, divisée en trois temps :

▸ L'analyse des documents

▸ La confrontation

▸ La rédaction

◢ **Première étape : analyse des documents**

• D'abord, on fait une lecture du dossier. On prend connaissance des documents en faisant une lecture rapide du paratexte (auteur, titre, dates…), le type de documents…

• Ensuite, il s'agit de prendre des notes sur chaque document : nature des documents, caractéristiques des auteurs (scientifique, romancier, journaliste…), date de publication…, type de texte : argumentatif, descriptif, informatif, polémique…

Faire un tableau comme ci-dessous peut être d'une grande aide.

	Auteur	Titre	Source	Date	Type de texte / nature des docs
Doc. n°1					
Doc. n°2					
Doc. n°3					

• Enfin, on dégage le plan de chaque document, les thèmes essentiels et les articulations logiques.

◢ **Deuxième étape : la confrontation des documents**

Il s'agit de comparer les données. On peut utiliser un tableau : une colonne est créée pour chaque document ; on note dans chaque colonne les idées du document. On détermine ainsi les idées communes ou contradictoires et on analyse de façon claire si le document apporte une confirmation, une affirmation, une infirmation ou un complément par rapport à la problématique définie.

À partir de là, on peut bâtir un plan.

	Idée 1 (thèse)	Idée 2 (idée secondaire)	Idée 3
Doc. n°1			
Doc. n°2			
Doc. n°3			

◢ Troisième étape : la rédaction de l'Introduction – présentation

Les premières lignes de l'introduction doivent présenter le sujet qui sera traité. Ces quelques lignes doivent éveiller l'intérêt du lecteur.

L'introduction est composée de plusieurs phases :

1. Phrase générale : amorce
2. Présentation du dossier documentaire en opérant un regroupement par nature (textes, cartes, images, statistiques) qui montre les différents modes d'approche du sujet.
3. Présentation de la problématique
4. Annonce du plan.

Conseils de rédaction :

▶ Pour amener une affirmation
selon X, d'après X…
X pense, X croit…
X constate…
X évoque…

▶ Pour amener une contestation
X refuse, X conteste…
X s'indigne contre, X s'insurge contre…
X craint…
X doute que…

▶ Pour amener une réflexion
X explique…
X analyse…
X montre…

▶ Pour amener une confirmation
X insiste sur…
X souligne que…
X rappelle que…
X confirme que…

▶ Pour amener un complément
X ajoute…
X précise…

▶ Pour amener une question
X se demande si…
X s'interroge sur…

▶ Pour amener un souhait, un conseil
X souhaite…
X préconise…
X propose…
X conseille…

Les participes passés figurent entre parenthèses à côté de l'infinitif.
L'astérisque * à côté de l'infinitif indique que ce verbe se conjugue avec l'auxiliaire ÊTRE.

VERBES AUXILIAIRES

AVOIR (eu)

• Avoir indique la possession. C'est aussi le principal verbe auxiliaire aux temps composés : j'ai parlé, j'ai été, j'ai fait...

INDICATIF						SUBJONCTIF	CONDITIONNEL	
présent	passé composé	imparfait	passé simple	plus-que-parfait	futur simple	présent	présent	passé
j'ai	j'ai eu	j'avais	j'eus	j'avais eu	j'aurai	que j'aie	j'aurais	j'aurais eu
tu as	tu as eu	tu avais	tu eus	tu avais eu	tu auras	que tu aies	tu aurais	tu aurais eu
il/elle/on a	il/elle/on a eu	il/elle/on avait	il/elle/on eut	il/elle/on avait eu	il/elle/on aura	qu'il/elle/on ait	il/elle/on aurait	il/elle/on aurait eu
nous avons	nous avons eu	nous avions	nous eûmes	nous avions eu	nous aurons	que nous ayons	nous aurions	nous aurions eu
vous avez	vous avez eu	vous aviez	vous eûtes	vous aviez eu	vous aurez	que vous ayez	vous auriez	vous auriez eu
ils/elles ont	ils/elles ont eu	ils/elles avaient	ils/elles eurent	ils/elles avaient eu	ils/elles auront	qu'ils/elles aient	ils/elles auraient	ils/elles auraient eu

IMPÉRATIF aie / ayons / ayez

ÊTRE (été)

• Être est le verbe auxiliaire aux temps composés de tous les verbes pronominaux : se lever, se taire, etc. et de certains autres verbes : venir, arriver, partir, etc.

INDICATIF						SUBJONCTIF	CONDITIONNEL	
présent	passé composé	imparfait	passé simple	plus-que-parfait	futur simple	présent	présent	passé
je suis	j'ai été	j'étais	je fus	j'avais été	je serai	que je sois	je serais	j'aurais été
tu es	tu as été	tu étais	tu fus	tu avais été	tu seras	que tu sois	tu serais	tu aurais été
il/elle/on est	il/elle/on a été	il/elle/on était	il/elle/on fut	il/elle/on avait été	il/elle/on sera	qu'il/elle/on soit	il/elle/on serait	il/elle/on aurait été
nous sommes	nous avons été	nous étions	nous fûmes	nous avions été	nous serons	que nous soyons	nous serions	nous aurions été
vous êtes	vous avez été	vous étiez	vous fûtes	vous aviez été	vous serez	que vous soyez	vous seriez	vous auriez été
ils/elles sont	ils/elles ont été	ils/elles étaient	ils/elles furent	ils/elles avaient été	ils/elles seront	qu'ils/elles soient	ils/elles seraient	ils/elles auraient été

IMPÉRATIF sois / soyons / soyez

VERBES SEMI-AUXILIAIRES

ALLER* (allé)

• Dans sa fonction de semi-auxiliaire, aller + infinitif permet d'exprimer un futur proche.

INDICATIF						SUBJONCTIF	CONDITIONNEL	
présent	passé composé	imparfait	passé simple	plus-que-parfait	futur simple	présent	présent	passé
je vais	je suis allé(e)	j'allais	j'allai	j'étais allé(e)	j'irai	que j'aille	j'irais	je serais allé(e)
tu vas	tu es allé(e)	tu allais	tu allas	tu étais allé(e)	tu iras	que tu ailles	tu irais	tu serais allé(e)
il/elle/on va	il/elle/on est allé(e)(s)	il/elle/on allait	il/elle/on alla	il/elle/on était allé(e)(s)	il/elle/on ira	qu'il/elle/on aille	il/elle/on irait	il/elle/on serait allé(e)(s)
nous allons	nous sommes allé(e)s	nous allions	nous allâmes	nous étions allé(e)s	nous irons	que nous allions	nous irions	nous serions allé(e)s
vous allez	vous êtes allé(e)(s)	vous alliez	vous allâtes	vous étiez allé(e)s	vous irez	que vous alliez	vous iriez	vous seriez allé(e)(s)
ils/elles vont	ils/elles sont allé(e)s	ils/elles allaient	ils/elles allèrent	ils/elles étaient allé(e)s	ils/elles iront	qu'ils/elles aillent	ils/elles iraient	ils/elles seraient allé(e)s

IMPÉRATIF va / allons / allez

VENIR* (venu)

*• Dans sa fonction de semi-auxiliaire, **venir de** + infinitif permet d'exprimer un passé récent.*

INDICATIF						SUBJONCTIF	CONDITIONNEL	
présent	**passé composé**	**imparfait**	**passé simple**	**plus-que-parfait**	**futur simple**	**présent**	**présent**	**passé**
je viens	je suis venu(e)	je venais	je vins	j'étais venu(e)	je viendrai	que je vienne	je viendrais	je serais venu(e)
tu viens	tu es venu(e)	tu venais	tu vins	tu étais venu(e)	tu viendras	que tu viennes	tu viendrais	tu serais venu(e)
il/elle/on vient	il/elle/on est venu(e)(s)	il/elle/on venait	il/elle/on vint	il/elle/on était venu(e)(s)	il/elle/on viendra	qu'il/elle/on vienne	il/elle/on viendrait	il/elle/on serait venu(e)(s)
nous venons	nous sommes venu(e)s	nous venions	nous vînmes	nous étions venu(e)s	nous viendrons	que nous venions	nous viendrions	nous serions venu(e)s
vous venez	vous êtes venu(e)(s)	vous veniez	vous vîntes	vous étiez venu(e)s	vous viendrez	que vous veniez	vous viendriez	vous seriez venu(e)(s)
ils/elles viennent	ils/elles sont venu(e)s	ils/elles venaient	ils/elles vinrent	ils/elles étaient venu(e)s	ils/elles viendront	qu'ils/elles viennent	ils/elles viendraient	ils/elles seraient venu(e)s

IMPÉRATIF viens / venons / venez

VERBES PRONOMINAUX (OU RÉFLEXIFS)

S'APPELER* (appelé)

*• La plupart des verbes en **-eler** doublent leur l aux mêmes personnes et aux mêmes temps que le verbe **s'appeler**.*

INDICATIF						SUBJONCTIF	CONDITIONNEL	
présent	**passé composé**	**imparfait**	**passé simple**	**plus-que-parfait**	**futur simple**	**présent**	**présent**	**passé**
je m'appelle	je me suis appelé(e)	je m'appelais	je m'appelai	je m'étais appelé(e)	je m'appellerai	que je m'appelle	je m'appellerais	je me serais appelé(e)
tu t'appelles	tu t'es appelé(e)	tu t'appelais	tu t'appelas	tu t'étais appelé(e)	tu t'appelleras	que tu t'appelles	tu t'appellerais	tu te serais appelé(e)
il/elle/on s'appelle	il/elle/on s'est appelé(e)(s)	il/elle/on s'appelait	il/elle/on s'appela	il/elle/on s'était appelé(e)(s)	il/elle/on s'appellera	qu'il/elle/on s'appelle	il/elle/on s'appellerait	il/elle/on se serait appelé(e)(s)
nous nous appelons	nous nous sommes appelé(e)s	nous nous appelions	nous nous appelâmes	nous nous étions appelé(e)s	nous nous appellerons	que nous nous appelions	nous nous appellerions	nous nous serions appelé(e)s
vous vous appelez	vous vous êtes appelé(e)(s)	vous vous appeliez	vous vous appelâtes	vous vous étiez appelé(e)s	vous vous appellerez	que vous vous appeliez	vous vous appelleriez	vous vous seriez appelé(e)s
ils/elles s'appellent	ils/elles se sont appelé(e)s	ils/elles s'appelaient	ils/elles s'appelèrent	ils/elles s'étaient appelé(e)s	ils/elles s'appelleront	qu'ils/elles s'appellent	ils/elles s'appelleraient	ils/elles se seraient appelé(e)s

IMPÉRATIF - - -

SE LEVER* (levé)

INDICATIF						SUBJONCTIF	CONDITIONNEL	
présent	**passé composé**	**imparfait**	**passé simple**	**plus-que-parfait**	**futur simple**	**présent**	**présent**	**passé**
je me lève	je me suis levé(e)	je me levais	je me levai	je m'étais levé(e)	je me lèverai	que je me lève	je me lèverais	je me serais levé(e)
tu te lèves	tu t'es levé(e)	tu te levais	tu te levas	tu t'étais levé(e)	tu te lèveras	que tu te lèves	tu te lèverais	tu te serais levé(e)
il/elle/on se lève	il/elle/on s'est levé(e)(s)	il/elle/on se levait	il/elle/on se leva	il/elle/on s'était levé(e)(s)	il/elle/on se lèvera	qu'il/elle/on se lève	il/elle/on se lèverait	il/elle/on se serait levé(e)(s)
nous nous levons	nous nous sommes levé(e)s	nous nous levions	nous nous levâmes	nous nous étions levé(e)s	nous nous lèverons	que nous nous levions	nous nous lèverions	nous nous serions levé(e)s
vous vous levez	vous vous êtes levé(e)(s)	vous vous leviez	vous vous levâtes	vous vous étiez levé(e)s	vous vous lèverez	que vous vous leviez	vous vous lèveriez	vous vous seriez levé(e)s
ils/elles se lèvent	ils/elles se sont levé(e)s	ils/elles se levaient	ils/elles se levèrent	ils/elles s'étaient levé(e)s	ils/elles se lèveront	qu'ils/elles se lèvent	ils/elles se lèveraient	ils/elles se seraient levé(e)s

IMPÉRATIF lève-toi / levons-nous / levez-vous

VERBES IMPERSONNELS

Ces verbes ne se conjuguent qu'à la troisième personne du singulier avec le pronom sujet *il*.

FALLOIR (fallu)

INDICATIF						SUBJONCTIF	CONDITIONNEL		IMPÉRATIF
présent	**passé composé**	**imparfait**	**passé simple**	**plus-que-parfait**	**futur simple**	**présent**	**présent**	**passé**	
il faut	il a fallu	il fallait	il fallut	il avait fallu	il faudra	qu'il faille	il faudrait	il aurait fallu	-

PLEUVOIR (plu)

• La plupart des verbes qui se réfèrent aux phénomènes météorologiques sont impersonnels : il neige, il pleut…

INDICATIF						SUBJONCTIF	CONDITIONNEL		IMPÉRATIF
présent	passé composé	imparfait	passé simple	plus-que-parfait	futur simple	présent	présent	passé	
il pleut	il a plu	il pleuvait	il plut	il avait plu	il pleuvra	qu'il pleuve	il pleuvrait	il aurait plu	–

VERBES EN -ER (PREMIER GROUPE)

PARLER (parlé)

• Les trois personnes du singulier et la 3ᵉ personne du pluriel se prononcent [parl] au présent de l'indicatif. .

INDICATIF						SUBJONCTIF	CONDITIONNEL	
présent	passé composé	imparfait	passé simple	plus-que-parfait	futur simple	présent	présent	passé
je parle	j'ai parlé	je parlais	je parlai	j'avais parlé	je parlerai	que je parle	je parlerais	j'aurais parlé
tu parles	tu as parlé	tu parlais	tu parlas	tu avais parlé	tu parleras	que tu parles	tu parlerais	tu aurais parlé
il/elle/on parle	il/elle/on a parlé	il/elle/on parlait	il/elle/on parla	il/elle/on avait parlé	il/elle/on parlera	qu'il/elle/on parle	il/elle/on parlerait	il/elle/on aurait parlé
nous parlons	nous avons parlé	nous parlions	nous parlâmes	nous avions parlé	nous parlerons	que nous parlions	nous parlerions	nous aurions parlé
vous parlez	vous avez parlé	vous parliez	vous parlâtes	vous aviez parlé	vous parlerez	que vous parliez	vous parleriez	vous auriez parlé
ils/elles parlent	ils/elles ont parlé	ils/elles parlaient	ils/elles parlèrent	ils/elles avaient parlé	ils/elles parleront	qu'ils/elles parlent	ils/elles parleraient	ils/elles auraient parlé

IMPÉRATIF parle / parlons / parlez

FORMES PARTICULIÈRES DE CERTAINS VERBES EN -ER

ACHETER (acheté)

*• Les trois personnes du singulier et la 3ᵉ personne du pluriel portent un accent grave sur le **e** et se prononcent [ɛ] au présent de l'indicatif. La 1ʳᵉ et la 2ᵉ du pluriel sont sans accent et se prononcent [ə].*

INDICATIF						SUBJONCTIF	CONDITIONNEL	
présent	passé composé	imparfait	passé simple	plus-que-parfait	futur simple	présent	présent	passé
j'achète	j'ai acheté	j'achetais	j'achetai	j'avais acheté	j'achèterai	que j'achète	j'achèterais	j'aurais acheté
tu achètes	tu as acheté	tu achetais	tu achetas	tu avais acheté	tu achèteras	que tu achètes	tu achèterais	tu aurais acheté
il/elle/on achète	il/elle/on a acheté	il/elle/on achetait	il/elle/on acheta	il/elle/on avait acheté	il/elle/on achètera	qu'il/elle/on achète	il/elle/on achèterait	ill/elle/on aurait acheté
nous achetons	nous avons acheté	nous achetions	nous achetâmes	nous avions acheté	nous achèterons	que nous achetions	nous achèterions	nous aurions acheté
vous achetez	vous avez acheté	vous achetiez	vous achetâtes	vous aviez acheté	vous achèterez	que vous achetiez	vous achèteriez	vous auriez acheté
ils/elles achètent	ils/elles ont acheté	ils/elles achetaient	ils/elles achetèrent	ils/elles avaient acheté	ils/elles achèteront	qu'ils/elles achètent	ils/elles achèteraient	ils/elles auraient acheté

IMPÉRATIF achète / achetons / achetez

COMMENCER (commencé)

*• Le **c** de tous les verbes en -**cer** devient **ç** devant **a** et **o** pour maintenir la prononciation [**s**].*

INDICATIF						SUBJONCTIF	CONDITIONNEL	
présent	passé composé	imparfait	passé simple	plus-que-parfait	futur simple	présent	présent	passé
je commence	j'ai commencé	je commençais	je commençai	j'avais commencé	je commencerai	que je commence	je commencerais	j'aurais commencé
tu commences	tu as commencé	tu commençais	tu commenças	tu avais commencé	tu commenceras	que tu commences	tu commencerais	tu aurais commencé
il/elle/on commence	il/elle/on a commencé	il/elle/on commençait	il/elle/on commença	il/elle/on avait commencé	il/elle/on commencera	qu'il/elle/on commence	il/elle/on commencerait	il/elle/on aurait commencé
nous commençons	nous avons commencé	nous commencions	nous commençâmes	nous avions commencé	nous commencerons	que nous commencions	nous commencerions	nous aurions commencé
vous commencez	vous avez commencé	vous commenciez	vous commençâtes	vous aviez commencé	vous commencerez	que vous commenciez	vous commenceriez	vous auriez commencé
ils/elles commencent	ils/elles ont commencé	ils/elles commençaient	ils/elles commencèrent	ils/elles avaient commencé	ils/elles commenceront	qu'ils/elles commencent	ils/elles commenceraient	ils/elles auraient commencé

IMPÉRATIF commence / commençons / commencez

MANGER (mangé)

*• Devant **a** et **o**, on place un **e** pour maintenir la prononciation [ʒ] dans tous les verbes en **-ger**.*

INDICATIF						SUBJONCTIF	CONDITIONNEL	
présent	passé composé	imparfait	passé simple	plus-que-parfait	futur simple	présent	présent	passé
je mange	j'ai mangé	je mangeais	Je mangeai	j'avais mangé	je mangerai	que je mange	je mangerais	j'aurais mangé
tu manges	tu as mangé	tu mangeais	tu mangeas	tu avais mangé	tu mangeras	que tu manges	tu mangerais	tu aurais mangé
il/elle/on mange	il/elle/on a mangé	il/elle/on mangeait	il/elle/on mangea	il/elle/on avait mangé	il/elle/on mangera	qu'il/elle/on mange	il/elle/on mangerait	il/elle/on aurait mangé
nous mangeons	nous avons mangé	nous mangions	nous mangeâmes	nous avions mangé	nous mangerons	que nous mangions	nous mangerions	nous aurions mangé
vous mangez	vous avez mangé	vous mangiez	vous mangeâtes	vous aviez mangé	vous mangerez	que vous mangiez	vous mangeriez	vous auriez mangé
ils/elles mangent	ils/elles ont mangé	ils/elles mangeaient	ils/elles mangèrent	ils/elles avaient mangé	ils/elles mangeront	qu'ils/elles mangent	ils/elles mangeraient	ils/elles auraient mangé

IMPÉRATIF mange / mangeons / mangez

PAYER (payé)

INDICATIF						SUBJONCTIF	CONDITIONNEL	
présent	passé composé	imparfait	passé simple	plus-que-parfait	futur simple	présent	présent	passé
je paie / paye	j'ai payé	je payais	je payai	j'avais payé	je paierai / payerai	que je paie / paye	je paierais / payerais	j'aurais payé
tu paies / payes	tu as payé	tu payais	tu payas	tu avais payé	tu paieras / payeras	que tu paies / payes	tu paierais / payerais	tu aurais payé
il/elle/on paie / paye	il/elle/on a payé	il/elle/on payait	il/elle/on paya	il/elle/on avait payé	il/elle/on paiera / payera	qu'il/elle/on paie / paye	il/elle/on paierait / payerait	il/elle/on aurait payé
nous payons	nous avons payé	nous payions	nous payâmes	nous avions payé	nous paierons / payerons	que nous payions	nous paierions / payerions	nous aurions payé
vous payez	vous avez payé	vous payiez	vous payâtes	vous aviez payé	vous paierez / payerez	que vous payiez	vous paieriez / payeriez	vous auriez payé
ils/elles paient / payent	ils/elles ont payé	ils/elles payaient	ils/elles payèrent	ils/elles avaient payé	ils/elles paieront / payeront	qu'ils/elles paient / payent	ils/elles paieraient / payeraient	ils/elles auraient payé

IMPÉRATIF paie / paye / payons / payez

PRÉFÉRER (préféré)

*• Pour les trois personnes du singulier et la 3ᵉ personne du pluriel, les **e** se prononcent [–e–ɛ–] ; pour la 1ʳᵉ et la 2ᵉ du pluriel, [–e–e–] au présent de l'indicatif.*

INDICATIF						SUBJONCTIF	CONDITIONNEL	
présent	passé composé	imparfait	passé simple	plus-que-parfait	futur simple	présent	présent	passé
je préfère	j'ai préféré	je préférais	je préférai	j'avais préféré	je préférerai	que je préfère	je préférerais	j'aurais préféré
tu préfères	tu as préféré	tu préférais	tu préféras	tu avais préféré	tu préféreras	que tu préfères	tu préférerais	tu aurais préféré
il/elle/on préfère	il/elle/on a préféré	il/elle/on préférait	il/elle/on préféra	il/elle/on avait préféré	il/elle/on préférera	qu'il/elle/on préfère	il/elle/on préférerait	il/elle/on aurait préféré
nous préférons	nous avons préféré	nous préférions	nous préférâmes	nous avions préféré	nous préférerons	que nous préférions	nous préférerions	nous aurions préféré
vous préférez	vous avez préféré	vous préfériez	vous préférâtes	vous aviez préféré	vous préférerez	que vous préfériez	vous préféreriez	vous auriez préféré
ils/elles préfèrent	ils/elles ont préféré	ils/elles préféraient	ils/elles préférèrent	ils/elles avaient préféré	ils/elles préféreront	qu'ils/elles préfèrent	ils/elles préféreraient	ils/elles auraient préféré

IMPÉRATIF préfère / préférons / préférez

AUTRES VERBES

Ces verbes sont rassemblés par familles de conjugaison en fonction des bases
phonétiques et non en fonction de leurs groupes (deuxième et troisième).

1 base

COURIR (couru)

*Le futur simple et le conditionnel présent s'écrivent avec deux **r**, celui du radical et celui de la désinence : je courrai.*

INDICATIF						SUBJONCTIF	CONDITIONNEL	
présent	passé composé	imparfait	passé simple	plus-que-parfait	futur simple	présent	présent	passé
je cours	j'ai couru	je courais	je courus	j'avais couru	je courrai	que je coure	je courrais	j'aurais couru
tu cours	tu as couru	tu courais	tu courus	tu avais couru	tu courras	que tu coures	tu courrais	tu aurais couru
il/elle/on court	il/elle/on a couru	il/elle/on courait	il/elle/on courut	il/elle/on avait couru	il/elle/on courra	qu'il/elle/on coure	il/elle/on courrait	il/elle/on aurait couru
nous courons	nous avons couru	nous courions	nous courûmes	nous avions couru	nous courrons	que nous courions	nous courrions	nous aurions couru
vous courez	vous avez couru	vous couriez	vous courûtes	vous aviez couru	vous courrez	que vous couriez	vous courriez	vous auriez couru
ils/elles courent	ils/elles ont couru	ils/elles couraient	ils/elles coururent	ils/elles avaient couru	ils/elles courront	qu'ils/elles courent	ils/elles courraient	ils/elles auraient couru

IMPÉRATIF cours / courons / courez

OFFRIR (offert)

*Les verbes **couvrir**, **découvrir**, **ouvrir**... se conjuguent sur ce modèle.*

INDICATIF						SUBJONCTIF	CONDITIONNEL	
présent	**passé composé**	**imparfait**	**passé simple**	**plus-que-parfait**	**futur simple**	**présent**	**présent**	**passé**
j'offre	j'ai offert	j'offrais	j'offris	j'avais offert	j'offrirai	que j'offre	j'offrirais	j'aurais offert
tu offres	tu as offert	tu offrais	tu offris	tu avais offert	tu offriras	que tu offres	tu offrirais	tu aurais offert
il/elle/on offre	il/elle/on a offert	il/elle/on offrait	il/elle/on offrit	il/elle/on avait offert	il/elle/on offrira	qu'il/elle/on offre	il/elle/on offrirait	il/elle/on aurait offert
nous offrons	nous avons offert	nous offrions	nous offrîmes	nous avions offert	nous offrirons	que nous offrions	nous offririons	nous aurions offert
vous offrez	vous avez offert	vous offriez	vous offrîtes	vous aviez offert	vous offrirez	que vous offriez	vous offririez	vous auriez offert
ils/elles offrent	ils/elles ont offert	ils/elles offraient	ils/elles offrirent	ils/elles avaient offert	ils/elles offriront	qu'ils/elles offrent	ils/elles offriraient	ils/elles auraient offert

IMPÉRATIF offre / offrons / offrez

OUVRIR (ouvert)

INDICATIF						SUBJONCTIF	CONDITIONNEL	
présent	**passé composé**	**imparfait**	**passé simple**	**plus-que-parfait**	**futur simple**	**présent**	**présent**	**passé**
j'ouvre	j'ai ouvert	j'ouvrais	j'ouvris	j'avais ouvert	j'ouvrirai	que j'ouvre	j'ouvrirais	j'aurais ouvert
tu ouvres	tu as ouvert	tu ouvrais	tu ouvris	tu avais ouvert	tu ouvriras	que tu ouvres	tu ouvrirais	tu aurais ouvert
il/elle/on ouvre	il/elle/on a ouvert	il/elle/on ouvrait	il/elle/on ouvrit	il/elle/on avait ouvert	il/elle/on ouvrira	qu'il/elle/on ouvre	il/elle/on ouvrirait	il/elle/on aurait ouvert
nous ouvrons	nous avons ouvert	nous ouvrions	nous ouvrîmes	nous avions ouvert	nous ouvrirons	que nous ouvrions	nous ouvririons	nous aurions ouvert
vous ouvrez	vous avez ouvert	vous ouvriez	vous ouvrîtes	vous aviez ouvert	vous ouvrirez	que vous ouvriez	vous ouvririez	vous auriez ouvert
ils/elles ouvrent	ils/elles ont ouvert	ils/elles ouvraient	ils/elles ouvrirent	ils/elles avaient ouvert	ils/elles ouvriront	qu'ils/elles ouvrent	ils/elles ouvriraient	ils/elles auraient ouvert

IMPÉRATIF ouvre / ouvrons / ouvrez

2 bases

ATTENDRE (attendu)

Entendre, descendre, perdre, répondre, rendre et vendre se conjuguent sur ce modèle.

INDICATIF						SUBJONCTIF	CONDITIONNEL	
présent	**passé composé**	**imparfait**	**passé simple**	**plus-que-parfait**	**futur simple**	**présent**	**présent**	**passé**
j'attends	j'ai attendu	j'attendais	j'attendis	j'avais attendu	j'attendrai	que j'attende	j'attendrais	j'aurais attendu
tu attends	tu as attendu	tu attendais	tu attendis	tu avais attendu	tu attendras	que tu attendes	tu attendrais	tu aurais attendu
il/elle/on attend	il/elle/on a attendu	il/elle/on attendait	il/elle/on attendit	il/elle/on avait attendu	il/elle/on attendra	qu'il/elle/on attende	il/elle/on attendrait	il/elle/on aurait attendu
nous attendons	nous avons attendu	nous attendions	nous attendîmes	nous avions attendu	nous attendrons	que nous attendions	nous attendrions	nous aurions attendu
vous attendez	vous avez attendu	vous attendiez	vous attendîtes	vous aviez attendu	vous attendrez	que vous attendiez	vous attendriez	vous auriez attendu
ils/elles attendent	ils/elles ont attendu	ils/elles attendaient	ils/elles attendirent	ils/elles avaient attendu	ils/elles attendront	qu'ils/elles attendent	ils/elles attendraient	ils/elles auraient attendu

IMPÉRATIF attends / attendons / attendez

CHOISIR (choisi)

*• Les verbes **finir**, **grandir**, **maigrir**... se conjuguent sur ce modèle. Dans l'approche classique, ils sont appelés verbes du 2ᵉ groupe.*

INDICATIF						SUBJONCTIF	CONDITIONNEL	
présent	**passé composé**	**imparfait**	**passé simple**	**plus-que-parfait**	**futur simple**	**présent**	**présent**	**passé**
je choisis	j'ai choisi	je choisissais	je choisis	j'avais choisi	je choisirai	que je choisisse	je choisirais	j'aurais choisi
tu choisis	tu as choisi	tu choisissais	tu choisis	tu avais choisi	tu choisiras	que tu choisisses	tu choisirais	tu aurais choisi
il/elle/on choisit	il/elle/on a choisi	il/elle/on choisissait	il/elle/on choisit	il/elle/on avait choisi	il/elle/on choisira	qu'il/elle/on choisisse	il/elle/on choisirait	il/elle/on aurait choisi
nous choisissons	nous avons choisi	nous choisissions	nous choisîmes	nous avions choisi	nous choisirons	que nous choisissions	nous choisirions	nous aurions choisi
vous choisissez	vous avez choisi	vous choisissiez	vous choisîtes	vous aviez choisi	vous choisirez	que vous choisissiez	vous choisiriez	vous auriez choisi
ils/elles choisissent	ils/elles ont choisi	ils/elles choisissaient	ils/elles choisirent	ils/elles avaient choisi	ils/elles choisiront	qu'ils/elles choisissent	ils/elles choisiraient	ils/elles auraient choisi

IMPÉRATIF choisis / choisissons / choisissez

CONNAÎTRE (connu)

• *Tous les verbes en -aître se conjuguent sur ce modèle.*

INDICATIF						SUBJONCTIF	CONDITIONNEL	
présent	passé composé	imparfait	passé simple	plus-que-parfait	futur simple	présent	présent	passé
je connais	j'ai connu	je connaissais	je connus	j'avais connu	je connaîtrai	que je connaisse	je connaîtrais	j'aurais connu
tu connais	tu as connu	tu connaissais	tu connus	tu avais connu	tu connaîtras	que tu connaisses	tu connaîtrais	tu aurais connu
il/elle/on connaît	il/elle/on a connu	il/elle/on connaissait	il/elle/on connut	il/elle/on avait connu	il/elle/on connaîtra	qu'il/elle/on connaisse	il/elle/on connaîtrait	il/elle/on aurait connu
nous connaissons	nous avons connu	nous connaissions	nous connûmes	nous avions connu	nous connaîtrons	que nous connaissions	nous connaîtrions	nous aurions connu
vous connaissez	vous avez connu	vous connaissiez	vous connûtes	vous aviez connu	vous connaîtrez	que vous connaissiez	vous connaîtriez	vous auriez connu
ils/elles connaissent	ils/elles ont connu	ils/elles connaissaient	ils/elles connurent	ils/elles avaient connu	ils/elles connaîtront	qu'ils/elles connaissent	ils/elles connaîtraient	ils/elles auraient connu

IMPÉRATIF connais / connaissons / connaissez

CROIRE (cru)

INDICATIF						SUBJONCTIF	CONDITIONNEL	
présent	passé composé	imparfait	passé simple	plus-que-parfait	futur simple	présent	présent	passé
je crois	j'ai cru	je croyais	je crus	j'avais cru	je croirai	que je croie	je croirais	j'aurais cru
tu crois	tu as cru	tu croyais	tu crus	tu avais cru	tu croiras	que tu croies	tu croirais	tu aurais cru
il/elle/on croit	il/elle/on a cru	il/elle/on croyait	il/elle/on crut	il/elle/on avait cru	il/elle/on croira	qu'il/elle/on croie	il/elle/on croirait	il/elle/on aurait cru
nous croyons	nous avons cru	nous croyions	nous crûmes	nous avions cru	nous croirons	que nous croyions	nous croirions	nous aurions cru
vous croyez	vous avez cru	vous croyiez	vous crûtes	vous aviez cru	vous croirez	que vous croyiez	vous croiriez	vous auriez cru
ils/elles croient	ils/elles ont cru	ils/elles croyaient	ils/elles crurent	ils/elles avaient cru	ils/elles croiront	qu'ils/elles croient	ils/elles croiraient	ils/elles auraient cru

IMPÉRATIF crois / croyons / croyez

DIRE (dit)

INDICATIF						SUBJONCTIF	CONDITIONNEL	
présent	passé composé	imparfait	passé simple	plus-que-parfait	futur simple	présent	présent	passé
je dis	j'ai dit	je disais	je dis	j'avais dit	je dirai	que je dise	je dirais	j'aurais dit
tu dis	tu as dit	tu disais	tu dis	tu avais dit	tu diras	que tu dises	tu dirais	tu aurais dit
il/elle/on dit	il/elle/on a dit	il/elle/on disait	il/elle/on dit	il/elle/on avait dit	il/elle/on dira	qu'il/elle/on dise	il/elle/on dirait	il/elle/on aurait dit
nous disons	nous avons dit	nous disions	nous dîmes	nous avions dit	nous dirons	que nous disions	nous dirions	nous aurions dit
vous dites	vous avez dit	vous disiez	vous dîtes	vous aviez dit	vous direz	que vous disiez	vous diriez	vous auriez dit
ils/elles disent	ils/elles ont dit	ils/elles disaient	ils/elles dirent	ils/elles avaient dit	ils/elles diront	qu'ils/elles disent	ils/elles diraient	ils/elles auraient dit

IMPÉRATIF dis / disons / dites

ÉCRIRE (écrit)

INDICATIF						SUBJONCTIF	CONDITIONNEL	
présent	passé composé	imparfait	passé simple	plus-que-parfait	futur simple	présent	présent	passé
j'écris	j'ai écrit	j'écrivais	j'écrivis	j'avais écrit	j'écrirai	que j'écrive	j'écrirais	j'aurais écrit
tu écris	tu as écrit	tu écrivais	tu écrivis	tu avais écrit	tu écriras	que tu écrives	tu écrirais	tu aurais écrit
il/elle/on écrit	il/elle/on a écrit	il/elle/on écrivait	il/elle/on écrivit	il/elle/on avait écrit	il/elle/on écrira	qu'il/elle/on écrive	il/elle/on écrirait	il/elle/on aurait écrit
nous écrivons	nous avons écrit	nous écrivions	nous écrivîmes	nous avions écrit	nous écrirons	que nous écrivions	nous écririons	nous aurions écrit
vous écrivez	vous avez écrit	vous écriviez	vous écrivîtes	vous aviez écrit	vous écrirez	que vous écriviez	vous écririez	vous auriez écrit
ils/elles écrivent	ils/elles ont écrit	ils/elles écrivaient	ils/elles écrivirent	ils/elles avaient écrit	ils/elles écriront	qu'ils/elles écrivent	ils/elles écriraient	ils/elles auraient écrit

IMPÉRATIF écris / écrivons / écrivez

FAIRE (fait)

• La forme -ai dans nous faisons se prononce [ɛ].

INDICATIF						SUBJONCTIF	CONDITIONNEL	
présent	passé composé	imparfait	passé simple	plus-que-parfait	futur simple	présent	présent	passé
je fais	j'ai fait	je faisais	je fis	j'avais fait	je ferai	que je fasse	je ferais	j'aurais fait
tu fais	tu as fait	tu faisais	tu fis	tu avais fait	tu feras	que tu fasses	tu ferais	tu aurais fait
il/elle/on fait	il/elle/on a fait	il/elle/on faisait	il/elle/on fit	il/elle/on avait fait	il/elle/on fera	qu'il/elle/on fasse	il/elle/on ferait	il/elle/on aurait fait
nous faisons	nous avons fait	nous faisions	nous fîmes	nous avions fait	nous ferons	que nous fassions	nous ferions	nous aurions fait
vous faites	vous avez fait	vous faisiez	vous fîtes	vous aviez fait	vous ferez	que vous fassiez	vous feriez	vous auriez fait
ils/elles font	ils/elles ont fait	ils/elles faisaient	ils/elles firent	ils/elles avaient fait	ils/elles feront	qu'ils/elles fassent	ils/elles feraient	ils/elles auraient fait

IMPÉRATIF fais / faisons / faites

LIRE (lu)

INDICATIF						SUBJONCTIF	CONDITIONNEL	
présent	passé composé	imparfait	passé simple	plus-que-parfait	futur simple	présent	présent	passé
je lis	j'ai lu	je lisais	je lus	j'avais lu	je lirai	que je lise	je lirais	j'aurais lu
tu lis	tu as lu	tu lisais	tu lus	tu avais lu	tu liras	que tu lises	tu lirais	tu aurais lu
il/elle/on lit	il/elle/on a lu	il/elle/on lisait	il/elle/on lut	il/elle/on avait lu	il/elle/on lira	qu'il/elle/on lise	il/elle/on lirait	il/elle/on aurait lu
nous lisons	nous avons lu	nous lisions	nous lûmes	nous avions lu	nous lirons	que nous lisions	nous lirions	nous aurions lu
vous lisez	vous avez lu	vous lisiez	vous lûtes	vous aviez lu	vous lirez	que vous lisiez	vous liriez	vous auriez lu
ils/elles lisent	ils/elles ont lu	ils/elles lisaient	ils/elles lurent	ils/elles avaient lu	ils/elles liront	qu'ils/elles lisent	ils/elles liraient	ils/elles auraient lu

IMPÉRATIF lis / lisons / lisez

METTRE (mis)

INDICATIF						SUBJONCTIF	CONDITIONNEL	
présent	passé composé	imparfait	passé simple	plus-que-parfait	futur simple	présent	présent	passé
je mets	j'ai mis	je mettais	je mis	j'avais mis	je mettrai	que je mette	je mettrais	j'aurais mis
tu mets	tu as mis	tu mettais	tu mis	tu avais mis	tu mettras	que tu mettes	tu mettrais	tu aurais mis
il/elle/on met	il/elle/on a mis	il/elle/on mettait	il/elle/on mit	il/elle/on avait mis	il/elle/on mettra	qu'il/elle/on mette	il/elle/on mettrait	il/elle/on aurait mis
nous mettons	nous avons mis	nous mettions	nous mîmes	nous avions mis	nous mettrons	que nous mettions	nous mettrions	nous aurions mis
vous mettez	vous avez mis	vous mettiez	vous mîtes	vous aviez mis	vous mettrez	que vous mettiez	vous mettriez	vous auriez mis
ils/elles mettent	ils/elles ont mis	ils/elles mettaient	ils/elles mirent	ils/elles avaient mis	ils/elles mettront	qu'ils/elles mettent	ils/elles mettraient	ils/elles auraient mis

IMPÉRATIF mets / mettons / mettez

PARTIR* (parti)

• Le verbe sortir se conjugue sur ce modèle. Attention, il peut aussi s'employer avec l'auxiliaire avoir : J'ai sorti mon livre de mon sac à dos.

INDICATIF						SUBJONCTIF	CONDITIONNEL	
présent	passé composé	imparfait	passé simple	plus-que-parfait	futur simple	présent	présent	passé
je pars	je suis parti(e)	je partais	je partis	j'étais parti(e)	je partirai	que je parte	je partirais	je serais parti(e)
tu pars	tu es parti(e)	tu partais	tu partis	tu étais parti(e)	tu partiras	que tu partes	tu partirais	tu serais parti(e)
il/elle/on part	il/elle/on est parti(e)(s)	il/elle/on partait	il/elle/on partit	il/elle/on était parti(e)(s)	il/elle/on partira	qu'il/elle/on parte	il/elle/on partirait	il/elle/on serait parti(e)(s)
nous partons	nous sommes parti(e)s	nous partions	nous partîmes	nous étions parti(e)s	nous partirons	que nous partions	nous partirions	nous serions parti(e)s
vous partez	vous êtes parti(e)(s)	vous partiez	vous partîtes	vous étiez parti(e)s	vous partirez	que vous partiez	vous partiriez	vous seriez parti(e)(s)
ils/elles partent	ils/elles sont parti(e)s	ils/elles partaient	ils/elles partirent	ils/elles étaient parti(e)s	ils/elles partiront	qu'ils/elles partent	ils/elles partiraient	ils/elles seraient parti(e)s

IMPÉRATIF pars / partons / partez

PERDRE (perdu)

*Les verbes **attendre, entendre, répondre**... se conjuguent sur ce modèle.*
Attention : ne pas confondre j'ai perdu mon sac (perdre au passé composé ; perdu = participe passé) et je suis perdu(e) (perdu = adjectif).

INDICATIF						SUBJONCTIF	CONDITIONNEL	
présent	passé composé	imparfait	passé simple	plus-que-parfait	futur simple	présent	présent	passé
je perds	j'ai perdu	je perdais	je perdis	j'avais perdu	je perdrai	que je perde	je perdrais	j'aurais perdu
tu perds	tu as perdu	tu perdais	tu perdis	tu avais perdu	tu perdras	que tu perdes	tu perdrais	tu aurais perdu
il/elle/on perd	il/elle/on a perdu	il/elle/on perdait	il/elle/on perdit	il/elle/on avait perdu	il/elle/on perdra	qu'il/elle/on perde	il/elle/on perdrait	il/elle/on aurait perdu
nous perdons	nous avons perdu	nous perdions	nous perdîmes	nous avions perdu	nous perdrons	que nous perdions	nous perdrions	nous aurions perdu
vous perdez	vous avez perdu	vous perdiez	vous perdîtes	vous aviez perdu	vous perdrez	que vous perdiez	vous perdriez	vous auriez perdu
ils/elles perdent	ils/elles ont perdu	ils/elles perdaient	ils/elles perdirent	ils/elles avaient perdu	ils/elles perdront	qu'ils/elles perdent	ils/elles perdraient	ils/elles auraient perdu

IMPÉRATIF perds / perdons / perdez

SAVOIR (su)

INDICATIF						SUBJONCTIF	CONDITIONNEL	
présent	passé composé	imparfait	passé simple	plus-que-parfait	futur simple	présent	présent	passé
je sais	j'ai su	je savais	je sus	j'avais su	je saurai	que je sache	je saurais	j'aurais su
tu sais	tu as su	tu savais	tu sus	tu avais su	tu sauras	que tu saches	tu saurais	tu aurais su
il/elle/on sait	il/elle/on a su	il/elle/on savait	il/elle/on sut	il/elle/on avait su	il/elle/on saura	qu'il/elle/on sache	il/elle/on saurait	il/elle/on aurait su
nous savons	nous avons su	nous savions	nous sûmes	nous avions su	nous saurons	que nous sachions	nous saurions	nous aurions su
vous savez	vous avez su	vous saviez	vous sûtes	vous aviez su	vous saurez	que vous sachiez	vous sauriez	vous auriez su
ils/elles savent	ils/elles ont su	ils/elles savaient	ils/elles surent	ils/elles avaient su	ils/elles sauront	qu'ils/elles sachent	ils/elles sauraient	ils/elles auraient su

IMPÉRATIF sache / sachons / sachez

SUIVRE (suivi)

*La première personne des verbes **suivre** et **être** est identique au présent de l'indicatif : je suis*

INDICATIF						SUBJONCTIF	CONDITIONNEL	
présent	passé composé	imparfait	passé simple	plus-que-parfait	futur simple	présent	présent	passé
je suis	j'ai suivi	je suivais	je suivis	j'avais suivi	je suivrai	que je suive	je suivrais	j'aurais suivi
tu suis	tu as suivi	tu suivais	tu suivis	tu avais suivi	tu suivras	que tu suives	tu suivrais	tu aurais suivi
il/elle/on suit	il/elle/on a suivi	il/elle/on suivait	il/elle/on suivit	il/elle/on avait suivi	il/elle/on suivra	qu'il/elle/on suive	il/elle/on suivrait	il/elle/on aurait suivi
nous suivons	nous avons suivi	nous suivions	nous suivîmes	nous avions suivi	nous suivrons	que nous suivions	nous suivrions	nous aurions suivi
vous suivez	vous avez suivi	vous suiviez	vous suivîtes	vous aviez suivi	vous suivrez	que vous suiviez	vous suivriez	vous auriez suivi
ils/elles suivent	ils/elles ont suivi	ils/elles suivaient	ils/elles suivirent	ils/elles avaient suivi	ils/elles suivront	qu'ils/elles suivent	ils/elles suivraient	ils/elles auraient suivi

IMPÉRATIF suis / suivons / suivez

VIVRE (vécu)

INDICATIF						SUBJONCTIF	CONDITIONNEL	
présent	passé composé	imparfait	passé simple	plus-que-parfait	futur simple	présent	présent	passé
je vis	j'ai vécu	je vivais	je vécus	j'avais vécu	je vivrai	que je vives	je vivrais	j'aurais vécu
tu vis	tu as vécu	tu vivais	tu vécus	tu avais vécu	tu vivras	que tu vives	tu vivrais	tu aurais vécu
il/elle/on vit	il/elle/on a vécu	il/elle/on vivait	il/elle/on vécut	il/elle/on avait vécu	il/elle/on vivra	qu'il/elle/on vive	il/elle/on vivrait	il/elle/on aurait vécu
nous vivons	nous avons vécu	nous vivions	nous vécûmes	nous avions vécu	nous vivrons	que nous vivions	nous vivrions	nous aurions vécu
vous vivez	vous avez vécu	vous viviez	vous vécûtes	vous aviez vécu	vous vivrez	que vous viviez	vous vivriez	vous auriez vécu
ils/elles vivent	ils/elles ont vécu	ils/elles vivaient	ils/elles vécurent	ils/elles avaient vécu	ils/elles vivront	qu'ils/elles vivent	ils/elles vivraient	ils/elles auraient vécu

IMPÉRATIF vis / vivons / vivez

VOIR (vu)

*• À l'imparfait, à la première et à la deuxième personnes du pluriel : nous vo**y**ions, vous vo**y**iez. Voir prend deux r au futur et au conditionnel.*

INDICATIF						SUBJONCTIF	CONDITIONNEL	
présent	passé composé	imparfait	passé simple	plus-que-parfait	futur simple	présent	présent	passé
je vois	j'ai vu	je voyais	je vis	j'avais vu	je verrai	que je voie	je verrais	j'aurais vu
tu vois	tu as vu	tu voyais	tu vis	tu avais vu	tu verras	que tu voies	tu verrais	tu aurais vu
il/elle/on voit	il/elle/on a vu	il/elle/on voyait	il/elle/on vit	il/elle/on avait vu	il/elle/on verra	qu'il/elle/on voie	il/elle/on verrait	il/elle/on aurait vu
nous voyons	nous avons vu	nous voyions	nous vîmes	nous avions vu	nous verrons	que nous voyions	nous verrions	nous aurions vu
vous voyez	vous avez vu	vous voyiez	vous vîtes	vous aviez vu	vous verrez	que vous voyiez	vous verriez	vous auriez vu
ils/elles voient	ils/elles ont vu	ils/elles voyaient	ils/elles virent	ils/elles avaient vu	ils/elles verront	qu'ils/elles voient	ils/elles verraient	ils/elles auraient vu

IMPÉRATIF vois / voyons / voyez

3 bases

BOIRE (bu)

INDICATIF						SUBJONCTIF	CONDITIONNEL	
présent	passé composé	imparfait	passé simple	plus-que-parfait	futur simple	présent	présent	passé
je bois	j'ai bu	je buvais	je bus	j'avais bu	je boirai	que je boive	je boirais	j'aurais bu
tu bois	tu as bu	tu buvais	tu bus	tu avais bu	tu boiras	que tu boives	tu boirais	tu aurais bu
il/elle/on boit	il/elle/on a bu	il/elle/on buvait	il/elle/on but	il/elle/on avait bu	il/elle/on boira	qu'il/elle/on boive	il/elle/on boirait	il/elle/on aurait bu
nous buvons	nous avons bu	nous buvions	nous bûmes	nous avions bu	nous boirons	que nous buvions	nous boirions	nous aurions bu
vous buvez	vous avez bu	vous buviez	vous bûtes	vous aviez bu	vous boirez	que vous buviez	vous boiriez	vous auriez bu
ils/elles boivent	ils/elles ont bu	ils/elles buvaient	ils/elles burent	ils/elles avaient bu	ils/elles boiront	qu'ils/elles boivent	ils/elles boiraient	ils/elles auraient bu

IMPÉRATIF bois / buvons / buvez

DEVOIR (dû)

INDICATIF						SUBJONCTIF	CONDITIONNEL	
présent	passé composé	imparfait	passé simple	plus-que-parfait	futur simple	présent	présent	passé
je dois	j'ai dû	je devais	je dus	j'avais dû	je devrai	que je doive	je devrais	j'aurais dû
tu dois	tu as dû	tu devais	tu dus	tu avais dû	tu devras	que tu doives	tu devrais	tu aurais dû
il/elle/on doit	il/elle/on a dû	il/elle/on devait	il/elle/on dut	il/elle/on avait dû	il/elle/on devra	qu'il/elle/on doive	il/elle/on devrait	il/elle/on aurait dû
nous devons	nous avons dû	nous devions	nous dûmes	nous avions dû	nous devrons	que nous devions	nous devrions	nous aurions dû
vous devez	vous avez dû	vous deviez	vous dûtes	vous aviez dû	vous devrez	que vous deviez	vous devriez	vous auriez dû
ils/elles doivent	ils/elles ont dû	ils/elles devaient	ils/elles durent	ils/elles avaient dû	ils/elles devront	qu'ils/elles doivent	ils/elles devraient	ils/elles auraient dû

IMPÉRATIF -

POUVOIR (pu)

• Dans les questions avec inversion verbe-sujet, on utilise la forme ancienne de la 1re personne du singulier : **Puis**-je vous renseigner ?

INDICATIF						SUBJONCTIF	CONDITIONNEL	
présent	passé composé	imparfait	passé simple	plus-que-parfait	futur simple	présent	présent	passé
je peux	j'ai pu	je pouvais	je pus	j'avais pu	je pourrai	que je puisse	je pourrais	j'aurais pu
tu peux	tu as pu	tu pouvais	tu pus	tu avais pu	tu pourras	que tu puisses	tu pourrais	tu aurais pu
il/elle/on peut	il/elle/on a pu	il/elle/on pouvait	il/elle/on put	il/elle/on avait pu	il/elle/on pourra	qu'il/elle/on puisse	il/elle/on pourrait	il/elle/on aurait pu
nous pouvons	nous avons pu	nous pouvions	nous pûmes	nous avions pu	nous pourrons	que nous puissions	nous pourrions	nous aurions pu
vous pouvez	vous avez pu	vous pouviez	vous pûtes	vous aviez pu	vous pourrez	que vous puissiez	vous pourriez	vous auriez pu
ils/elles peuvent	ils/elles ont pu	ils/elles pouvaient	ils/elles purent	ils/elles avaient pu	ils/elles pourront	qu'ils/elles puissent	ils/elles pourraient	ils/elles auraient pu

IMPÉRATIF -

PRENDRE (pris)

INDICATIF						SUBJONCTIF	CONDITIONNEL	
présent	passé composé	imparfait	passé simple	plus-que-parfait	futur simple	présent	présent	passé
je prends	j'ai pris	je prenais	je pris	j'avais pris	je prendrai	que je prenne	je prendrais	j'aurais pris
tu prends	tu as pris	tu prenais	tu pris	tu avais pris	tu prendras	que tu prennes	tu prendrais	tu aurais pris
il/elle/on prend	il/elle/on a pris	il/elle/on prenait	il/elle/on prit	il/elle/on avait pris	il/elle/on prendra	qu'il/elle/on prenne	il/elle/on prendrait	il/elle/on aurait pris
nous prenons	nous avons pris	nous prenions	nous prîmes	nous avions pris	nous prendrons	que nous prenions	nous prendrions	nous aurions pris
vous prenez	vous avez pris	vous preniez	vous prîtes	vous aviez pris	vous prendrez	que vous preniez	vous prendriez	vous auriez pris
ils/elles prennent	ils/elles ont pris	ils/elles prenaient	ils/elles prirent	ils/elles avaient pris	ils/elles prendront	qu'ils/elles prennent	ils/elles prendraient	ils/elles auraient pris

IMPÉRATIF prends / prenons / prenez

VOULOIR (voulu)

INDICATIF						SUBJONCTIF	CONDITIONNEL	
présent	passé composé	imparfait	passé simple	plus-que-parfait	futur simple	présent	présent	passé
je veux	j'ai voulu	je voulais	je voulus	j'avais voulu	je voudrai	que je veuille	je voudrais	j'aurais voulu
tu veux	tu as voulu	tu voulais	tu voulus	tu avais voulu	tu voudras	que tu veuilles	tu voudrais	tu aurais voulu
il/elle/on veut	il/elle/on a voulu	il/elle/on voulait	il/elle/on voulut	il/elle/on avait voulu	il/elle/on voudra	qu'il/elle/on veuille	il/elle/on voudrait	il/elle/on aurait voulu
nous voulons	nous avons voulu	nous voulions	nous voulûmes	nous avions voulu	nous voudrons	que nous voulions	nous voudrions	nous aurions voulu
vous voulez	vous avez voulu	vous vouliez	vous voulûtes	vous aviez voulu	vous voudrez	que vous vouliez	vous voudriez	vous auriez voulu
ils/elles veulent	ils/elles ont voulu	ils/elles voulaient	ils/elles voulurent	ils/elles avaient voulu	ils/elles voudront	qu'ils/elles veuillent	ils/elles voudraient	ils/elles auraient voulu

IMPÉRATIF veuille - veux / veuillons - voulons / veuillez - voulez

UNITÉ 1

PISTE 1 – 3A

• Chômeurs, avec une licence en poche. Ils étaient plus de 500 à postuler à l'Éducation nationale. Présélectionnée par Pôle Emploi, une centaine d'entre eux vont être reçus pour un poste d'enseignants vacataires. Nous avons interrogé une candidate au poste d'enseignante vacataire en mathématiques. Comment s'est passé ce recrutement express ce matin ?

○ Ben, c'était un peu le bazar ce matin. Mais mon dossier était complet et j'ai pu être reçue par un conseiller Pôle Emploi.

• Ça s'est bien passé ?

○ Je ne sais pas, on verra. Mais je suis assez optimiste !

• Que pensez-vous de ce genre d'initiative ?

○ 16 000 postes d'enseignants ont été supprimés chaque année depuis 5 ans. C'est beaucoup trop ! Une réforme en profondeur est nécessaire. Le nombre d'élèves par classe est en hausse. L'Éducation nationale a besoin de profs. C'est vrai qu'il faut être attentif lors du recrutement si l'on veut maintenir un niveau satisfaisant dans le système éducatif français. Un peu de privatisation, si je puis dire, va rendre le système plus flexible et surtout va donner du travail aux étudiants qui ont une licence mais pas le concours !

PISTE 2 – 5A

Bon réveil sur radio 7, votre radio locale préférée ! À la une de la presse ce matin, primaire socialiste d'abord : les deux candidats à la primaire socialiste font la une de nombreux quotidiens français ce samedi et de nombreux magazines cette semaine. Martine Aubry et François Hollande ont tous les deux tenu leur dernier meeting hier soir. *Le Monde* est assez dubitatif et se demande si le duel Aubry-Hollande a été « salutaire ou dangereux ». « Cherchez la différence », soupire *L'Humanité* dans sa une. Le quotidien parle d'un « match nul ». Si Martine Aubry et François Hollande sont restés très courtois lors du débat télévisé mercredi soir, le jeu des petites piques a repris dès jeudi, en témoigne la caricature de Plantu à la une du *Monde*. *France Soir* parle d'un « durcissement de ton » de la part de Martine Aubry. En témoigne également l'interview qu'elle a accordée au journal *20 Minutes*. Elle a qualifié son adversaire de « candidat du système ». François Hollande a immédiatement répondu qu'il « n'était fabriqué par personne d'autres que les électeurs ». Martine Aubry lui a reproché d'incarner une « gauche molle ». Dans les pages de *Métro*, François Hollande dit n'avoir de leçon de gauche à recevoir de personne. Le verdict approche. « À vous de jouer », titre *Libération* qui appelle les sympathisants de gauche à se prononcer pour ce second tour. Le match est donc lancé entre les deux concurrents, le dernier, *Slate.fr* s'enthousiasme et a créé un bingo pour « mieux vivre le suspense insoutenable du second tour de la primaire socialiste ». *Le JDD* revient sur les « tractations » entre les candidats PS. On termine par *l'Express* qui jette un pavé dans la mare avec un titre évocateur : « L'argent sale des présidentielles ». Autre titre dans la presse ce matin : la mort d'une jeune policière. Ce sont les quotidiens régionaux qui reviennent sur ce drame. *Le Journal du Centre* titre : « Bourges : une policière tuée par un forcené ». « Il tue une policière avec un sabre », titre le journal local *La Montagne*. *20 Minutes* s'indigne et parle d'un « coup de folie ».

PISTE 3 – C'est un rapporteur C

• Les Européens sont-ils de bons-citoyens ? Nous sommes allés chez nos voisins britanniques pour voir comment se passait le recyclage là-bas. Nous savons que les Britanniques usent volontiers de caméras de surveillance pour lutter contre la criminalité. Ils n'étaient pas allés jusqu'aux poubelles mais c'est désormais chose faite ! Nous avons interviewé à ce propos un étudiant français installé en Angleterre qui a eu la frayeur de sa vie.

○ Je suis allé sur ma page Facebook la semaine dernière. Et sur mon mur, il y avait une photo assez dégoûtante de déchets et mon nom y était associé ! La honte ! Il y avait déjà 12 commentaires. Je n'ai pas compris ce qui se passait, je n'ai pas eu le temps de regarder, je devais partir en cours. Le lendemain, je suis retourné sur ma page et j'ai trouvé une autre photo et j'ai tout de suite compris que c'était mes déchets, parce qu'il y avait là une bouteille de bière que j'avais achetée au Danemark : peu courante, comme bière ! J'ai cliqué sur le lien. En fait, c'était une application proposée sur la page du site de la fac. L'objectif est de sensibiliser les étudiants du campus à l'environnement. J'avais accepté cette appli sans trop réfléchir. En y regardant de près, je suis allé sur la page Web et là, incroyable ! En fait, des scientifiques conduisent une étude sur les pratiques écologiques des étudiants du campus. Ils ont mis des caméras dans nos poubelles et ils filment nos déchets pour voir si on recycle ou pas. Sur le coup, j'ai été surpris, mais finalement ça m'a bien fait rire ! J'ai encore des efforts à faire pour le recyclage !

UNITÉ 2

PISTE 4 – 3 B

• Revenons sur l'affaire de Laetitia B. qui a été licenciée suite à la publication d'une photo compromettante publiée sur Facebook où on la voit bien alcoolisée pendant une soirée où elle est censée être en déplacement professionnel pour son entreprise. Jean-Pierre Arnaud est descendu dans la rue demander votre avis sur la question, des avis bien partagés comme le montrent ces quelques témoignages :

○ Ben c'est un scandale. Facebook est une page privée et l'entreprise de Laetitia n'avait absolument pas le droit d'utiliser ces données pour la licencier.

■ Oui, ben, heureusement que Facebook existe. et permet de dénoncer ce type de comportement absolument néfaste à la société. Elle fait ce qu'elle veut mais enfin voilà elle en assume les conséquences. J'ai envie de dire merci Facebook.

□ Moi aussi, ça m'est arrivé et j'ai compris mon erreur et c'est d'ailleurs l'employeur qui avait certainement ses raisons.

• Si vous aussi vous souhaitez réagir à cette question, retrouvez-nous sur notre site Internet, rubrique « réaction s».

PISTE 5 – 9A

• Bonjour je m'appelle Yi Hu je suis chinoise j'habite à Boulogne depuis 4 ans j'ai fait ma licence comme langues étrangères appliquées mais maintenant je fais le master fle parce que je voudrais être enseignante dans l'avenir et après avoir obtenu le diplôme de master je voudrais rentrer en Chine pour enseigner le français. Euh… je me souviens ce que m'a beaucoup frappé c'est l'attitude des enseignants en faisant le cours ici. Le cours est absolument libre parfois les professeurs s'assoient sur la table et mettent les pieds sur les chaises. C'est vraiment étonnant et les étudiants peuvent sortir sans aucune explication.

○ Bonjour je m'appelle Lahcen Moutawakil, je suis un étudiant marocain j'ai 22 ans je suis venu en France pour poursuivre mes études supérieures afin de devenir un enseignant de la langue française à l'université. Pour le rapport avec l'enseignant, au Maroc, je suis un étudiant d'un professeur qui sait bien garder sa fonction en classe c'est-à-dire qu'il ne manifeste pas toujours des situations d'humour en classe qui donc il garde toujours sa fonction mais concernant notre rapport avec notre professeur c'est toujours nous, comme une façon de le respecter de lui distribuer les copies, de lui… de distribuer à sa place les polycopiés, de c'est nous qui install le matériel du travail donc on le laisse pas jouer le rôle d'un… comment dirai-je, d'un…, donc on le laisse pas sortir de sa fonction comme enseignant. Mais par contre de… euh…, ailleurs c'est-à-dire, dehors, à l'extérieur de l'université, on peut même se fixer un rendez-vous pour prendre un café et pour avoir quelques conseils pratiques concernant notre vie privée ou notre vie professionnelle.

■ Bonjour, je m'appelle Arlette, je suis camerounaise et actuellement je suis une formation en master fle Français Langue étrangère à l'université du Littoral Côte d'Opale précisément à Boulogne. En fait dès mon arrivée j'ai été marquée par quelque chose euh… … qui m'a choqué peut être pas négativement, pas positivement aussi je ne sais vraiment pas où situer mon choc mais ce que je sais c'est que j'ai constaté qu'entre les apprenants et les enseignants y avait une certaine complicité entre guillemets une certaine relation de… peut être pas d'amitié mais c'est un rapprochement et que j'ai trouvé bien au départ mais je pense qui doit être bien orienté parce qu'on dit souvent que trop de familiarité engendre le mépris. Parce que quand je vois un apprenant qui parle à l'enseignant en faisant des grimaces en riant, pour moi ça me choque un peu, j'suis un peu sidérée c'est vrai que c'est par rapport à l'éducation que j'ai reçue.

□ Bonjour je m'appelle Carolina, je suis argentine, mais j'habite en Angleterre depuis très longtemps, maintenant je suis à l'université en France parce que je veux devenir professeur de français et c'est ma première expérience dans une université française et c'est vraiment une expérience culturelle très enrichissante pour moi. Par contre j'ai eu besoin de temps pour m'habituer dont les profs font leurs cours , j'ai été un peu choquée quand je suis arrivée de voir la distance en fait entre les professeurs et les élèves. J'étais pas du tout habituée à entendre un professeur parler pendant deux heures sans pouvoir m'exprimer, de parler avec les autres sans avoir l'opportunité de parler, de discuter. En fait en Argentine c'est comme ici, c'est comme en France… euh… la vie professionnelle est complètement séparée de la vie personnelle, des fois si on a un problème personnel qui est lié d'une façon à un problème académique, on peut le discuter avec le professeur. Je trouve une différence énorme parce que c'est plus ouvert en Angleterre c'est plus informel, c'est très, très informel en fait euh… le seul fait de ne pas utiliser le vous, on peut utiliser le prénom du professeur donc on se sent un peu plus proches et on se sent à l'aise pour partager des opinions qui sont des fois très personnelles très profond.

TÂCHE PROFESSIONNELLE 1-2

PISTE 6 – 1

Virtuel, en ligne, e-réputation, recrutement, contact, actif, professionnel, communauté, autopromotion, image, référence, identité numérique, profil, projet, participer, motivation, recommander, opportunités, maîtriser, visible, identité, expérience, échange, qualification, formation, CVBlog, compétences, réseau, publier, site.

UNITÉ 3

PISTE 7 – 4A

• C'est l'heure de mode de vie, on parle cet après-midi, des Français de leurs médecins et les médicaments. Même si le scandale du médiator a un peu ébranlé leur confiance eh bien les français restent parmi les plus gros consommateurs de médicaments et les antibiotiques ne sont pas à la traîne. Un dossier à retrouver ce mois-ci dans Que-choisir ? Santé . Bonjour jean Paul Geai.
○ Bonjour.
• Vous êtes le rédacteur en chef de Que-choisir ? Alors, comment avez-vous procédé pour cette enquête ?
○ Nous avons envoyé le même enquêteur chez 50 médecins généralistes dans différentes régions avec, comme seul symptôme annoncé, un mal de gorge. Alors, il va sans dire que cet enquêteur avait avant de commencer son enquête, passé une visite médicale très rigoureuse qui prouvait en effet qu'il n'était atteint de rien du tout. Aucune atteinte, aucune rougeur ne pouvait faire penser qu'il avait une angine. Il consultait ben, comme vous et moi, juste parce qu'il était un peu fatigué, et puis inquiet d'un léger mal de gorge.
• Et alors, résultat ?
○ Eh bien, au final, 26 médecins sur les 50 qui ont été consultés ont prescrit un antibiotique, avec en moyenne 2 à 3 médicaments supplémentaires par ordonnance. Ce qui est quand même beaucoup, beaucoup.
• Préoccupant, pourquoi ?
○ Ben, c'est préoccupant par ce que je dirai à double titre. Au niveau individuel, la prise d'antibiotiques à tort et à travers peut entraîner des effets indésirables, comme, ça peut être des diarrhées, des troubles gastriques, des mycoses, voire des réactions allergiques graves. Et surtout, parce que prescrire des antibiotiques un peu trop n'importe comment, ça peut favoriser le développement de résistances qui rendent les traitements qui sont réellement utiles à base d'antibiotiques moins efficaces, voire carrément inopérants. D'où justement la seconde campagne qui avait été lancée par l'assurance maladie qui disait : « Les antibiotiques, si on les prend à tort, ils deviendront moins forts. »
• Alors à travers cette enquête, le principal syndicat des médecins généralistes vous a accusé d'avoir voulu piéger les médecins. Qu'est-ce que vous lui répondez ?
○ Ben, je dirais, notre but c'était pas de piéger les

médecins, mais plutôt de faire une photographie de la réalité. Il ne faut pas oublier que les Français consomment quatre à cinq fois plus d'antibiotiques que par exemple nos voisins les Pays-Bas ou le Danemark, et deux fois plus que ce qui est généralement prescrit dans les autres pays européens. L'attitude de notre enquêteur était de rester plutôt neutre : il se présentait, ce que je disais, juste comme un patient un peu fatigué et inquiet comme tout un chacun quand il consulte, mais il n'était pas insistant. Il était donc en principe légitime et tout à fait possible pour que le médecin qui avait été consulté ne prescrive pas d'antibiotique. D'ailleurs la moitié des médecins consultés ne l'ont pas fait.
• Comment expliquez-vous que l'autre moitié ait alors eu la main lourde ?
○ Ben, je dirais, pour un médecin, faire un diagnostic c'est vrai que c'est pas toujours facile. Dans l'incertitude, il est possible que le médecin ait eu peur de passer à côté d'une infection bactérienne. Et donc il a préféré prescrire et notamment des antibiotiques. Et puis, ce qu'il faut savoir c'est qu'il existe aussi en France une habitude « culturelle » à la prescription de médicaments en général. Et les antibiotiques ne font pas exception. D'ailleurs, la plupart des médecins qui ont délivré une ordonnance n'ont pas prescrit que des antibiotiques. Il y avait également d'autres médicaments, 2 à 3 en plus, ce qui fait une ordonnance assez lourde.
• Les patients ne sont-ils pas aussi un peu coupables ?
○ Si, on peut leur tirer les oreilles… et on l'a aussi vérifié à travers notre enquête. Il a suffi parfois que notre enquêteur évoque la prescription d'antibiotiques pour que le médecin obtempère. La pression du patient peut influer justement le comportement du médecin. Ce sont, par exemple, on peut les trouver, c'est par exemple de jeunes parents inquiets pour la santé de leur enfant, ce sont des personnes actives qui sont soucieuses de guérir rapidement pour retourner au travail… Mais dans notre enquête, seuls trois médecins ont cédé à la pression du patient. Donc c'est quand même pas énorme.[…]

Chronique Modes de vie : Les français, leurs médecins et les médicaments, François Lepage, Jean Paul Geai, France info

PISTE 8 – 8A

• C'est Noël et moi aussi j'ai envie de vous faire un cadeau inhabituel en essayant d'être gentil avec les médecines dites parallèles. Ceux qui suivent ces chroniques savent que je ne suis en général pas tendre. Non pas par principe mais par méconnaissance. Les études de médecine sont ainsi faites que l'on n'apprend pas les autres médecines et que je n'ai donc pas d'expérience pour favoriser une technique inconnue.
Par « médecines parallèles », on entend « médecines différentes ». C'est du moins comme cela que les appellent les américains. Car, si on sait que les parallèles ne se rencontrent jamais – donc qu'il y a peu de chances que les deux formes de médecines cohabitent intelligemment –, les récents congrès américains ont montré que ces « autres médecines » présentent probablement un intérêt. Un intérêt que les malades ont bien noté puisque ces autres moyens de se soigner progressent dans tous les pays. Des progrès inquiétants, pourrait dire la

médecine traditionnelle. C'est d'ailleurs souvent ce qu'elle dit. Heureusement, il y a les associations de patients, sans lesquelles il n'y a presque pas d'argent, donc presque pas de recherche. Elles ont en particulier pour but d'améliorer la vie des malades. Et de ce fait, sont tenus d'explorer tout ce qui pourrait les soulager. Parallèle ou pas. Une enquête publiée récemment a connu un certain retentissement. Ce sont, en effet, 2000 médecins américains qui ont accepté de répondre à un questionnaire sur ces autres médecines. 30 % ont eu l'honnêteté de refuser l'enquête, s'estimant totalement ignorants sur le sujet, donc incapables de donner une opinion. Parmi ceux qui ont répondu, si 50 % sont méfiants, plus de 80 % estiment qu'il faut donner plus de moyens à ces domaines et surtout informer le corps médical… Au hit-parade de ces « autres » médicaments qu'utilisent les médecins, arrive en tête une pommade contre la douleur à base de piment et vendue en supermarché. Pas étonnant, dans un pays où la douleur est encore, plus qu'ailleurs, pas très bien prise en charge. Puis, suivent quelques techniques de relaxation, de méditation. Parmi les méthodes détestées : la naturopathie, l'homéopathie et les mégas doses de vitamines. Pourtant dont on sait qu'on ne risque pas grand chose de méchant en les consommant. Le même questionnaire appliqué aux malades montre que le refuge le plus prisé des patients déçus est la prière, suivie par les techniques de relaxation et tout un tas de produits en vente dans des « pseudo-pharmacies » ne vendant que des produits sans ordonnance. Deux conclusions : la première est que l'explosion de ces médecines illustre bien le fossé dangereux qui est en train de se creuser faute de dialogue entre le médecin et le patient, le recours à ces médecines étant souvent la réponse à l'absence précisément de réponses du médecin traitant. La deuxième est que tout ce qui soulage celui qui le prend ne doit pas entraîner de la part du médecin autre chose que du respect. Et surtout, nous les médecins, au regard des scandales récents de la médecine, nous devons faire preuve d'un peu plus d'humilité… Joyeux noël !

Chronique Info Santé : Les français, Les médecines parallèles,Jean François Lemoine, France info

UNITÉ 4

PISTE 9 – 3B

• C'est la nouvelle génération des grands-parents : hyperactifs, débordés… Bien loin en tout cas de l'image traditionnelle de la grand-mère dévouée à ses petits et à ses confitures. Pour parler de ce nouveau visage des grands-parents, avec nous en studio Christilla Pelle-Douel, journaliste à Psychologies Magazine . Bonjour
○ Bonjour
• Alors, égoïstes, les grands-parents du baby-boom ?
○ Non, je ne suis pas sûre qu'on puisse dire les choses comme cela. En tout cas, ce qui est sûr, c'est que, tout comme la société a changé, et évidemment les grands-parents ont changé aussi. Les soixante ans d'aujourd'hui sont nés après-guerre, ils sont issus de la première génération à n'avoir pas connu la guerre, ils ont milité, beaucoup, un peu partout, pour une société plus libre, pour l'amour libre, pour la contraception, pour l'égalité entre les hommes et les femmes, ils ont travaillé,

beaucoup aussi, hommes et femmes,ce qui n'était pas le cas des générations précédentes. Et ils sont de la génération de, il ne faut pas l'oublier Mick Jagger et Paul Mac Cartney.

● C'est vrai.

○ Donc, ils écoutent du rock, ils font de la moto. Bref, vous avez compris, ils n'ont plus rien à voir avec la génération précédente, les papy- mamie confiture et jardinage.

● Ils sont plus actifs ?

○ Ben évidemment, ils sont beaucoup plus actifs. Une fois à la retraite, ils ont la plupart du temps quantité d'activités, qu'ils n'entendent du tout, du tout pas lâcher. N'oublions pas que la longévité a considérablement augmenté et que notre espérance de vie moyenne, d'après l'INSEE, a augmenté de 10 ans depuis 1964, ce qui est vraiment considérable. Alors à cette époque, on pouvait espérer vivre jusqu'à 71 ans et demi, aujourd'hui, jusqu'à 81 ans et demi. Je ne sais pas pourquoi et demi, mais en tout cas c'est comme ça. Mais en tout cas, en bonne santé ! C'est donc 10 ans d'activité et d'énergie en plus. Vous m'accorderez que cela change beaucoup les choses.

● Forcément. Du coup, ces grands-parents ont-ils des relations différentes avec leurs enfants et avec leurs petits-enfants ?

○ Ils ont forcément des relations différentes. Parce que les conditions de vie sont difficiles pour les jeunes parents aujourd'hui. Ils connaissent tous ou quasiment tous des périodes de chômage, ils ont plus d'insécurité professionnelle, plus de temps de transport, plus de divorces et beaucoup plus de familles monoparentales par voie de conséquence. Du coup, évidemment les grands-parents sont très sollicités pour mettre la main à la pâte, et peut-être, et même sans doute davantage qu'autrefois. Alors, leur prétendu « égoïsme » dont on entend beaucoup parler serait l'arbre qui cache la forêt. Ils doivent remplir en fait un rôle de soutien bien au-delà de ce qu'ont connu leurs propres parents, puisqu'on se mariait plus jeune. Ils aident financièrement les enfants, quand ils ne les hébergent pas carrément avec leurs petits-enfants et en tout cas ils soutiennent toujours psychologiquement. Donc, c'est pas toujours simple pour eux, qui voudraient bien profiter de leur temps libre et qui, par dessus le marché, sont souvent eux-mêmes divorcés, puisque le divorce des personnes âgées a augmenté et de nouveau un couple.

● Est-ce qu'ils culpabilisent, pour autant ?

○ Beaucoup, oui. Certains ont le sentiment de laisser tomber leurs enfants et leurs petits-enfants, en tout cas de ne pas remplir leur devoir s'ils refusent d'accompagner la petite ou le petit au cours de dessin ou au cours de judo. D'après Marie-Claire Chain, qui est psychologue et animatrice à l'École des Grands-Parents européens, et oui cela existe, beaucoup font part de leur culpabilité. Alors, ce qu'elle leur conseille Marie-Claire Chain, c'est d'apprendre à dire « non ». Ce qu'ils n'ont pas toujours su faire et à mettre des limites, bref, il faut qu'ils ne s'oublient pas. Il faut qu'ils ne poursuivent pas, à l'âge adulte, le type de relation qu'ils ont établie avec leurs enfants. Parce que, dans le fond, c'est de cela qu'il s'agit : dans la relation avec les petits-enfants, c'est la relation avec les enfants qui s'exprime.

● De quelle manière en fait ils peuvent agir du coup ?

○ Eh bien, écoutez par exemple, des grands-parents qui ont élevé leurs enfants dans une compréhension, permanente, une très grande liberté, une absence de limites, qui est caractéristique des parents ayant vécu leur jeunesse dans les années 70, et qui ont été nourris aux conseils de psys, je pense en particulier à Françoise Dolto, ont établi des relations dans lesquelles les enfants n'ont pas pleinement « coupé » le cordon. Ils n'ont pas pris toute leur indépendance psychique, évidemment c'est assez confortable de rester dans ce type de relation. Alors les enfants continueront de penser qu'une aide systématique de leurs parents leur est due quelle qu'elle soit, et ils vivront très mal toute tentative de vie personnelle des parents, ressentant chaque refus de s'occuper des petits-enfants comme un refus qui leur est adressé à eux les enfants. Des adultes bébés en quelque sorte. Bien sûr, évidemment ce n'est pas le cas de tout le monde, ce serait forcément simpliste, mais disons tout de même qu'il s'agit tout de même d'une tendance assez générale. [...]

● Rapidement, il y a donc un équilibre à trouver ?

○ Évidemment comme dans toute relation humaine il y a un équilibre à trouver il faut trouver une relation qui soit ni trop proche ni trop lointaine. Trouver le bon rythme, voilà. Je me souviens d'une amie à moi qui disait préférer emmener ses enfants en voyage plutôt que de leur faire des gâteaux et de les emmener au square. Après tout c'est une façon très sympathique d'envisager les nouvelles relations entre les grands-parents et les petits-enfants. [...]

Chronique Modes de vie : Le nouveau visage des grands-parents, Sophie Parmentier, Christilla Pelle Douel, France info

PISTE 10 – Les grands-parents du baby boom A

● Comment voyez-vous vos relations avec la nouvelle génération ? Et comment assumez-vous votre rôle de grand-père ou de grand-mère ?

□ C'est pas un jeune qui va me donner des leçons : moi je continue à bosser parce que ma retraite ne me permet pas de faire autrement. Je suis plus courageux que beaucoup et pas ramollo. J'ai jamais eu autant la pêche alors…

▲ Quand ma fille m'a annoncé sa grossesse, ce fut une joie mais aussi une grande appréhension : allais-je devoir me rendre ultradisponible pour eux et renoncer à mes activités ? Je ne suis pas prête à renoncer à mes activités pour m'occuper de mes petits-enfants. J'aime par contre leur faire partager mes passions : la voile, le vélo et aussi je n'entend pas renoncer à ma vie sociale… Je sors tous les week-ends avec mes amis moi aussi.

△ Moi je suis encore en activité. J'ai gardé mes responsabilités au sein de l'entreprise familiale,que j'avais créée il y a 40 ans. Et puis je suis aussi des cours à l'université du troisième âge : je me suis mis à l'anglais et à l'informatique pour être encore dans le coup. Ma belle-fille m'accuse de ne pas aimer mes petits-enfants parce que je refuse de les garder : mais je vis ma vie à 100 à l'heure et j'ai moins de temps à la retraite qu'avant.

♦ Vitalité, sagesse, dynamisme : pas facile de concilier le tout. Moi, je me reconnaît pas quand on m'appelle mamie ou mémé. Je préfère être appelée par mon prénom. J'ai vu tellement de grands-mères surinvestir dans leurs enfants et se retrouver vidées, sans activité, sans sens à leur vie quand ils grandissent, alors je prends des distances ; et puis je suis encore fringante, passionnée… désirable peut-être encore en peu.

◊ Moi, tous les mercredis, j'ai squash. Le vendredi on sort avec mes amies et c'est que du bonheur. Je suis là quand on a besoin de moi , je suis responsable, disponible souvent, mais les enfants savent que je ne suis pas prête à renoncer à mes loisirs et à ma vie sociale. Non… on peut pas dire que je sois hyper dynamique ou hyperactive, je ne travaille plus quand même, mais je fais d'autres choses au rythme que je veux et je refuse que l'on fasse de moi une retraitée trop vite parce que je suis encore occupée, active, sans tomber dans l'excès de la suractivité non plus.

TÂCHE PROFESSIONNELLE 3-4

PISTE 11 – 1

Interculturel, ensemble, travail, culture d'entreprise, motivations, compétences, collectif, convention, culturel, accord, rupture, tension, solidarité, individualiste, carrière, santé, concurrence, transfert, individualiste, différent, différences, lien.

PISTE 12 – 2A

● Les conflits de générations vous en avez tous entendu parler. Mais quelles en sont les causes d'après vous ? »

○ Pour moi, le conflit entre les générations est surtout dû aux problèmes de communication. Les parents d'un côté, les enfants de l'autre. En fait ils sont tellement éloignés, que quand les enfants demandent quelque chose de banal comme un Ipod, par exemple, ils ne les comprennent pas.

■ J'espère que nous n'allons pas vers une guerre des générations mais certains éléments comme les abus des stagiaires, l'exclusion des jeunes en politique, par exemple, me rendent pessimiste. Le vrai problème c'est qu'il y a aujourd'hui un vrai fossé entre les vieux et les jeunes qui ont baigné dans les médias, les technologies. On ne vit pas sur la même planète désormais, voilà tout…

□ Le problème, c'est que la génération de seniors qui nous gouverne et nous empêche de participer au pouvoir s'expose à un truc vieux comme le monde : un : qu'on finisse par prendre le pouvoir par la force deux : qu'on le renverse trois : qu'on le change. Et là, adieu veau, vache, cochon et anisettes de la retraite. Adieu arnaque habituelle de la mutuelle. Fin de l'acceptation et de la soumission face à la pollution. C'est dommage, parce qu'on est quand même foncièrement des pacifistes : « Faites l'amour numérique, pas la guerre générationnelle »…

▲ Moi, je pense que c'est à cause du chômage. S'il n'y avait pas de chômage, y'aurait pas de concurrence entre les vieux et ceux qui entrent dans le monde du travail. Tout ça, c'est une question de politique, d'économie.

△ Moi, je suis en train de préparer un mémo sur les rapports intergénérationnels alors je ne sais pas trop si je crois aux conflits entre les générations ou pas. D'après ce que je vois et ce que je vis, les conflits sont souvent dus au fait que les jeunes défient leurs parents mais les parents ne se laissent jamais impressionner même s'ils savent quelquefois qu'ils ont tort… Pour moi, c'est plus un problème général, un manque de rapports entre les gens qui sont devenus trop individualistes.

UNITÉ 5

PISTE 13 – 5A

Il faut vraiment que j'vous raconte tout ca
Tout, tout, tout depuis le début quoi
C'était pourtant une journée qui démarrait normalement
J'me suis réveillé super tard donc pour l'instant, pas de changements.
Soudainement, le ciel, un coup de tonnere, puis je vis une lumière
Les nuages se dégagèrent, le vent souffla, trembla la terre.
J'suis un chevalier de bronze à cause de ca, j'suis dans la mouise.
J'espère que c'est pas le seigneur j'mapelle Seiya moi pas Moïse
Eh bah si, c'était lui, et le seigneur, il m'a dit :
« Kamini, tu seras blanc pendant 9 semaines et demi ».
Oh oh oh, là, voyons, blanc comment ? Bien sûr Dieu s'amusa avant de répondre, il laissa un blanc.
Semblant de rien, j'tente de m'enfuir, j'me mets à courir,
Mais il était déjà trop tard, je vis mon épiderme blanchir.
Alors j'étais blanc de partout, il a fait gaffe même aux détails,
J'ai vérifié ma louloute, j'ai honte, j'vous dirais pas la taille
Et pourquoi tu m'as fait ça, franchement je méritais pas,
Michael Jackson tu l'connais pas, ça fait 30 ans qu'il attends que ça.
(refrain) Argent, logement, les flics, les gens,
Comme un changement, depuis qu'j'suis blanc
Argent, logement, les flics, les gens,
Comme un changement, depuis qu'j'suis blanc
Depuis qu'j'suis blanc, il faut voir tout c'qu'il m'arrive
Avant, les flics, ils me poursuivaient, là, j'ai l'impression qu'ils m'esquivent.
J'te jure, un truc de fou, les mecs ils viennent plus me contrôler,
À la fin ça me manquait tellement j'étais obligé d'les supplier !
Un jour j'leur ai dit : Eh j'ai du shit quand même les mecs hein.
Et tu sais ce qu'ils m'ont répondu ?
Eh vous êtes un marrant vous monsieur, on vous aurait presque cru. Allez les gars !
Un autre truc, en boîte, et bah j'sais plus danser,
Mais pourquoi j'me plaindrais, j'me fais plus refouler à l'entrée.
Fini la bouffe africaine, le pot du foufou foule moi
Maintenant c'est salade niçoise et son poulet cuit à l'auvergnat
En plus, ma voix elle est comme ça, ah non mais j'te jure, je déconne pas
L'autre jour j'avais mon père au téléphone, le mec, il me connaissait pas.
Eh, mais qui c'est le black là ?
Mais Kamini il était pas comme ça ! Imbécile, je travaille moi !
Maintenant quand j'suis sorti je fais plus "huh", maintenant je sors des phrases du style: «Ouh la la, sans déconner,
Eh, c'est vrai ?»
(Refrain)
J'te jure la vie n'est plus pareille, j'ai même chopé un coup de soleil !
Maintenant quand je vais au magasin, t'as plus l'vigile qui m'guette de loin.

Kamini, j'suis blanc

PISTE 14 – 8A

En 2005, j'ai commencé à être très fatigué lorsque je marchais. J'avais de plus en plus de mal à me tenir debout. Un mois plus tard, le diagnostique tombait : j'étais atteint de myopathie. Je le savais. Eh oui ! Je savais bien qu'il y avait quelque chose d'anormal. J'étais fleuriste et j'avais de plus en plus de mal à aider mes livreurs. Je ne tenais plus sur mes jambes. Une fois, j'ai failli tomber du haut de mon escabeau. Je refaisais la décoration de ma boutique pour Noël. Maintenant, j'ai une carte d'invalidité. Pour l'instant, je ne cherche pas de travail. Je suis actuellement une formation en informatique. J'ai demandé au médecin si je pouvais reprendre le travail, mais il m'a dit que je devais attendre encore un peu pour ne pas trop fatiguer mes muscles. Ce qui me tue, c'est la galère pour me déplacer. C'est pas le fauteuil roulant qui m'agace mais c'est cette injustice ! Le fait que nous ne puissions pas être autonomes dans nos déplacements ! Dans le quartier, la boulangerie, le cinéma, la poste et même la pharmacie sont inaccessibles…, même la pharmacie ! C'est toujours la même rengaine : je dois attendre dehors et signaler ma présence pour que l'on vienne me servir. Quand ils peuvent venir ! Sinon, je dois demander à un client de m'acheter ma baguette ou de poster mon courrier. Pour aller boire un verre, je me mets souvent en terrasse lorsque ce n'est pas possible de s'installer à l'intérieur avec le fauteuil. Je me souviens que lorsque j'étais valide, je ne me rendais pas compte des petits obstacles insignifiants mais à présent, je réalise qu'être en fauteuil égale perte d'autonomie. C'est dur, surtout quand vous étiez actif et indépendant. Je ne peux pas prendre le métro. Heureusement je peux prendre le bus qui est adapté. J'utilise également le service PAM (Paris Accompagnement Mobilité) ; il s'agit d'un service de transport à la demande ; c'est-à-dire que j'appelle un taxi qui vient me chercher à mon domicile et qui m'emmène où je veux en payant une très petite somme d'argent. Je suis souvent à l'APF (Association des Paralysés de France), qui est mon centre de formation à Rungis. Je vais souvent là bas pour utiliser Internet. Ils sont vraiment accueillants et attentifs à ce que tu leur dis. Il y a aussi l'AFM (Association Française Myopathie) qui organise le téléthon. Je suis allé plusieurs fois à Berck-sur-Mer, une petite ville côtière dans le nord de la France. Là-bas, il y a un centre de rééducation. Dans la ville, tout est aménagé pour se déplacer en fauteuil roulant. On peut même aller sur la plage. C'est un bel exemple, mais trop rare encore. Ma maladie est évolutive mais mon cas s'est stabilisé. J'habite avec ma femme et j'attends de pouvoir travailler à nouveau dans un domaine plus adapté, c'est pour cela que je suis cette formation. J'espère retrouver mon autonomie et ma dignité. Je veux que ma femme et mon entourage soient fiers de moi.

PISTE 15 – 9C

« Vous n'êtes pas des habitués ». Voilà ce qu'on nous a dit dans un bar à cocktail parisien la semaine dernière. Il était environ 1h30 du matin. Nous étions trois, tous français d'origine maghrébine : moi, mes potes Salim et Medhi, de sortie à Paris. On voulait rentrer dans un bar à cocktail. Le portier nous a dévisagés et nous a dit qu'il ne nous connaissait pas, que nous n'étions pas des habitués. On a essayé de négocier. Le ton est monté. On a voulu laisser tomber mais un groupe de « blancs » est arrivé. Désolé de le dire comme ça mais c'est comme ça qu'on l'a vécu. Le groupe de « blancs » est arrivé et le portier leur a indiqué le prix d'entrée. Ils ont payé et le portier s'est mis de côté pour les laisser passer. Alors là, on s'est vraiment fâchés. Le ton est monté. Finalement, on a préféré partir, mais franchement, c'est toujours la même rengaine. Y'en a marre !

PISTE 16 – 11A

● Un journaliste est allé interroger des élèves de collège, des parents d'élèves et des enseignants pour connaître leurs avis sur la mixité à l'école.
○ Alors dis-moi Houcine, que penses-tu des classes mixtes ?
■ J'ai un peu de mal à me concentrer en cours, mais pour rien au monde je voudrais que les filles désertent ma classe.
○ Et toi, ça te perturbe ?
□ Non. Bon, enfin, si un peu quand même. On a 14 ans, on n'est pas toujours à l'aise. C'est un peu difficile à notre âge de gérer notre relation avec les garçons. Parfois, ils essaient de nous déconcentrer. Mais c'est un jeu. Et puis, on fait la même chose entre filles…
○ Madame Alain, vous êtes déléguée de la FCPE, la principale fédération des parents d'élèves. Que pensez-vous de cette remise en question de la mixité à l'école ?
▲ Remettre en question la mixité à l'école est une grave erreur. Quand on me dit : « oui, mais les garçons travaillent moins que les filles alors il faut les séparer pour que les garçons réussissent mieux ». Mais on rêve ! Justement, s'il y a une émulation qui peut marcher, c'est bien celle-là. Quand les garçons voient que les filles ont de meilleures notes, bon, il peut y avoir émulation et il peut y avoir entraide. Ceux qui prônent la non-mixité à l'école se sont des « intégristes ». Le fait que les filles et les garçons soient réunis et bénéficient des mêmes enseignements est un progrès de l'égalité hommes-femmes !
○ Monsieur Morel, vous êtes enseignant de mathématiques dans un collège parisien de 650 élèves. Que pensez-vous de cette remise en question de la mixité à l'école ?
△ Tant que les enseignements non mixtes ne sont pas obligatoires, cela ne m'inquiète pas. Mais je vois dans ce texte un cadeau fait à l'enseignement privé. Pas l'ensemble des établissements privés bien sûr, les établissements les moins progressistes ! J'espère qu'aucun groupe intégriste religieux opposé à la mixité n'arrivera à utiliser cette nouvelle loi pour imposer la séparation des garçons et des filles dans les écoles publiques…
○ Ludivine Lesage, pour RadioFa

UNITÉ 6

PISTE 17 – 4C

● Je ne peux pas pardonner à une amie de me trahir ou de dire des choses méchantes et sur moi derrière mon dos ! Je trouve ça vraiment méchant et horrible ! Je trouve ça petit de ne pas oser dire des choses en face ! C'est vraiment une chose que je n'arrive pas à pardonner.

○ Non, moi je ne pardonne pas ! Jamais, euh… la trahison, le mensonge de quelqu'un que je connais, un être cher et tout, pas moyen, non. Et pis, pareil, hein, on fait du mal au mien, aux gens que j'aime, je ne pardonne jamais. Impossible ! Aucune exception !

■ Alors, moi je déteste l'hypocrisie et le mensonge. On peut faire des choses pas forcément très bien, mais si on en parle et qu'on s'explique, qu'on est honnête, c'est toujours possible de pardonner. Par contre, mentir et dissimuler pour cacher ce qu'on a fait, ça c'est pas pardonnable.

▲ Je ne pourrais pas pardonner le mensonge. J'ai conscience de la dureté de la vie, j'ai conscience que tout ne peut pas se passer comme on le souhaiterait, j'en ai tellement conscience que je veux voir les erreurs, les fautes, le mal en face. Quand quelqu'un juge qu'il doit me cacher quelque chose ou pire encore le travestir, ça me met en colère, car il sous-estime cette capacité que j'ai d'affronter la vérité.

PISTE 18 – 6B

● Bonjour Emmanuel Davidenkoff.
○ Bonjour Agnès.
● La discrimination positive peut-elle relancer la censure, l'ascenseur scolaire ? Réponse notamment avec un témoignage sur France Info Zineb Akharraz, adjointe au maire de Colombes en banlieue parisienne. Zineb fait partie des pionniers de l'un des dispositifs de discrimination positive les plus connus, les conventions d'éducation prioritaire de Sciences-Po et qui fêtent aujourd'hui leurs 10 ans, Emmanuel.
○ Oui, un rappel sur ce dispositif. Il y a donc des lycées partenaires situés en zones d'éducation prioritaire et dans ces lycées les enseignants identifient des élèves qui seraient à leurs yeux capables de réussir à entrer à Sciences-Po. Ils les préparent à un examen d'entrée adapté et puis une fois à Sciences-Po, ces élèves bénéficient, au moins au début, d'un encadrement renforcé. En 10 ans, il faut savoir que ces conventions d'éducation prioritaire ont permis à plus de 700 étudiants issus de milieux sociaux défavorisés d'intégrer Sciences-Po Paris. Et, parmi ces 700 étudiants et dans les premières promotions, dans les pionniers, Zineb Akharraz. Zineb, bonjour.
▲ Bonjour
○ Bonjour. La première question de grande simplicité, est-ce que vous seriez aujourd'hui diplômée de Sciences-Po sans ce dispositif ?
▲ Non, je ne pense pas, non, euh… d'ailleurs, je ne pense pas que j'aurais pu avoir la possibilité de savoir que Sciences-Po existait et que j'y avais accès…
○ C'est la première vertu du dispositif, faire en sorte qu'on vous en parle dans les lycées ?
▲ Voilà, c'est le fait qu'on en parle et surtout, enfin, on savait que ça existait mais que c'était pour les futurs chefs d'Etat, les premiers ministres, oui, c'est un monde qui n'est pas accessible, qui n'existe pas réellement.
○ La première fois qu'un professeur vous parle de ce dispositif, il y a donc maintenant plus de 8 ans quand vous êtes lycéenne à Colombes.
▲ Oui
○ Vous réagissez comment ?
▲ Beaucoup d'envie, euh… un espoir qui commence à naître et puis se dire que quelque chose devient

accessible et qu'il va falloir bosser pour y arriver.
○ Alors, bosser, vous le faites, vous entrez à Sciences-Po et vous passez donc de cette cité où vous avez grandi à Colombes au très chic VIIe arrondissent de Paris. Qu'est-ce qui est le plus dur à ce moment là ? C'est de s'adapter au niveau scolaire, au niveau universitaire de Sciences-Po ou c'est de s'adapter à l'environnement social qui est quand même très différent ?
▲ Alors, justement, oui, vous parlez de ces deux aspects, le niveau scolaire est quelque chose qu'on rattrape assez rapidement. Il faut travailler un peu plus et un peu plus rapidement que les autres mais c'est quelque chose qu'on rattrape c'est-à-dire sur l'Histoire, sur les institutions politiques, ce sont des matières qu'on rattrape en travaillant sérieusement. Après sur l'histoire des codes, voilà ça s'apprend avec de la bonne volonté. On vient d'un milieu où l'on n'a pas les mêmes codes que la grande majorité des étudiants, des enseignants de Sciences-Po, c'est quelque chose qui s'apprend et on noue des contacts finalement avec un peu de bonne volonté on y arrive, on y arrive avec un peu plus de temps que les scolaires mais on y arrive quand même.
● Est-ce que vous avez été bien accueillie par les autres étudiants de Science-Po ?
▲ Oui, très bien, très bien accueillie et il faut savoir que je suis entrée à Sciences-Po la 3e année où les conventions ont été mis en place et où, j'imagine que mes prédécesseurs ont essuyé plus de plâtre que moi, mais moi, à partir de la 3e année, on peut dire que l'accueil s'est très bien fait et puis, en plus, pour la plupart on venait de la région parisienne et c'était avant que les conventions s'étendent à l'ensemble de la France, au DOM COM. J'ai trouvé qu'on était moins perdus que les étudiants provinciaux qui pour le coup arrivaient seuls à Paris à Science-Po.
○ Même les étudiants provinciaux qui n'étaient pas passés par ces conventions ZEP, on vous a bien compris.
▲ Oui, bien sûr.
○ Vous avez choisi par la suite la politique, vous êtes même devenue à 24 ans la plus jeune élue d'un conseil municipal au moins dans une ville de la taille Colombes.
▲ Ouai
○ Merci, merci Sciences-Po quand même ?
▲ Bien sûr… […]

Le monde de l'éducation : La discrimination positive peut-elle relancer l'ascenseur scolaire ?, David Davidenkoff, Zineb Akharraz

TÂCHE PROFESSIONNELLE 5-6

PISTE 19 – 1

Contrat de travail, job, qualités professionnelles, postuler, salaire, parcours, ambition, chômage, domaine, CV, motivations, cursus, recruteur, emploi, entretien, travail, disponibilités, CDD, compétences.

PISTE 20 – 2A

Ça y est… j'ai rendez-vous pour un entretien d'embauche !
J'ai beaucoup hésité avant de m'habiller. Je me suis dit, si jamais je me mets en jupe, ça fait celle qui dit : « Regardez mes jolies jambes. » Mais si je me mets en pantalon, ça fait celle qui refuse sa féminité, alors j'ai mis une jupe-culotte.
Je me suis dit si je prends un sac à main, ça fait

femme au foyer qui vient en touriste. Si je prends un attaché-caisse, ça fait femme active qui veut pas qu'on voie qu'elle est au chômage alors j'ai pris un sac à dos.
Je me suis dis si j'arrive trop en avance, ça fait celle qui est très angoissée. Si j'arrive en retard ça fait celle qui en a rien à foutre. J'avais rendez-vous à midi , je suis arrivée à midi pile.
Bonjour Mademoiselle, j'ai rendez-vous pour un entretien à midi. La personne vient de partir déjeuner, asseyez-vous.
Pas de problème. J'ai souris parce que… au stage que j'ai fait à pôle emploi, ils ont dit que c'était très important de soigner les relations avec la personne qui vous accueille car bien souvent l'employeur lui demande son avis à votre sujet.
J'avais amené de lecture. Chez moi je lis *Voici* ou *Closer* mais pour les entretiens j'amène *Le Monde*, toujours le même.
Alors, plus j'attendais, plus j'avais l'angoisse qui montait. Heureusement j'ai fait un stage au pôle emploi, ils nous ont appris la technique de la respiration abdominale pour lutter contre le stress de l'entretien. Tu gonfles tes poumons d'air, tu passes l'air dans le ventre et tu expires tranquillement. Ça fait : uffffff.
J'avais mon journal, je faisais ma respiration. De temps en temps, je souriais à la fille, le problème c'est que plus je respirais, plus j'avais l'angoisse qui montait, alors au bout d'un moment j'ai décidé d'arrêter complètement de respirer, je me suis mise en service minimum, je faisais juste : pouloulouflou.
Heureusement au bout d'une heure l'employeur est arrivé, je me suis levée, j'ai marché d'un air très calme pour faire celle qui a confiance en elle.
J'ai serré la main pour faire celle qui a une relation d'égale à égale avec son employeur et j'ai dit : « Bonjour monsieur ! » Manque de bol, c'était une femme… en pantalon. Elle m'a fait entrer dans son bureau. Elle m'a dit : « Je vous en prie asseyez-vous. » Y avait deux sièges, un à droite, un à gauche. Je me suis dit, est-ce qu'elle veut tester mes opinions politiques ? J'ai dit non, non, merci, je préfère rester debout.
« Écoutez, je vous en prie, ne soyez pas ridicule. Asseyez-vous et puis détendez-vous. »
Non, non je suis détendue. Pouloulouflou…
« Écoutez, est-ce que je peux vous offrir quelque chose à boire ? »
J'avais pas soif mais ça fait celle qui ne sait pas saisir les opportunités. J'avais envie d'un demi mais ça fait celle qui est alcoolique. Alors j'ai dit : « ben je prendrai bien un verre d'eau. »
« Je peux vous offrir du Perrier. »
Et là du tac au tac, j'ai répondu : « Formidable, j'adore le Coca ». Pouloulouflou…
« Alors regardons un peu votre CV. Je vois que vous parlez anglais. » Oui, oui, absolutly, c'est ce que j'ai mis: « Anglais, lu, écrit parlé». Lu, écrit, du moment qu'on sait lire et puis parlé… Si le client anglais est patient et parle un peu français no any problem, I can tell you… […]

Portraits de femmes, *Celle qui passe un entretien d'embauche*, Anne Roumanoff

UNITÉ 7

PISTE 21 – 6A

● RadioVO, le répondeur de vos coup de gueule.
○ Ce matin, la bonne nouvelle est tombée avec une augmentation moyenne de 2,7% pour les abonnés

RATP. Le pouvoir d'achat de certains a peut-être progressé en rapport mais pour ma part et je ne suis pas le seul (loin de là !), mon salaire reste gelé depuis de nombreux mois. Cela ne change pas, c'est toujours « la France qui se lève tôt » qui trinque. Dans le même temps, cette chère entreprise propose pour certaines de ses lignes un service tout simplement indigne, ceux qui empruntent d'ailleurs la ligne 13 (qui porte bien son nom) me comprendront. Les conditions de voyage aux heures de pointe se passent de commentaire, on dirait tout bonnement du transport de bétail ! Il est évident qu'il vaut mieux préserver les « lignes à touristes », histoire de donner une bonne image quoique notre réputation ne soit malheureusement plus à faire surtout en matière de grèves. Parallèlement, nous assistons toujours aux mêmes phénomènes de « sauteurs de haies » qui continuent toujours à voyager en toute impunité. D'ailleurs, ce sont souvent les mêmes, ils portent des vêtements de marque de la tête au pied (que le travailleur ne pourra jamais s'offrir) qui ne dispose pas de 1,70 euros pour se mettre dans la légalité. Bref, il y aurait de quoi récupérer des millions d'euros du résultat des fraudes au lieu de « taper » toujours sur les mêmes mais bon, il faut bien en convenir, ce n'est pas très populaire de dire ces choses et puis il faut bien penser à sa petite réélection.

PISTE 22 – 7B
● Monique Sassier, médiateur de l'Éducation nationale et de l'Enseignement supérieur, elle sera en ligne chaque mois avec nous pour évoquer le cas précis d'un conflit dans une école, un collège, un lycée ou une université. L'occasion de répondre à une question de droit au sein de l'Éducation. Bonjour, Monique Sassier.
○ Bonjour.

PISTE 23 – 7C
● Alors, aujourd'hui, on va s'intéresser au cas d'une élève qui voulait faire du russe au lycée et qui a eu une place dans un établissement à 130 km de chez elle. L'élève a contesté cette affectation, en effectuant quelle démarche ?
○ Alors, en effet, c'est la situation d'une élève, tout d'abord, qui nous écrit elle-même, ce qui est tout à fait important, elle nous écrit elle-même, elle veut faire du russe, elle est motivée pour cette langue et elle demande trois établissements de l'académie où l'on fait du russe et ces trois établissements qui ont un internat puisqu'elle est loin et elle est affectée sur son troisième vœu, c'est-à-dire, en effet à 130 km. Elle accepte d'y aller et puis, lors de la première semaine, elle voit qu'elle n'a pas de cours de russe. Les parents ne s'inquiètent pas outre mesure, ni elle non plus, espérant que cela viendra la deuxième semaine et la deuxième semaine, pas non plus de cours de russe. En fait, il a été décidé, sans avertir ni cette jeune fille, ni les parents que pour quatre élèves, on ne ferait pas de russe et qu'il n'y aurait pas d'enseignement. Elle en parle à sa famille, sa famille saisit le chef d'établissement qui, lui-même en parle avec l'inspecteur d'académie et on apprend que l'option est supprimée. Elle tente une démarche à l'Inspection académique elle-même. Elle n'obtient pas plus de résultat et elle saisit le médiateur. Alors ce qui s'est passé dans le cas de cette jeune fille, le médiateur, d'abord, a pu vérifier qu'il s'agissait d'une réalité, qu'on avait bien supprimé l'option

sans avertir, ni la jeune fille, ni les parents et que, donc, là, notre système se trouvait défaillant. Le médiateur a fait le tour des établissements scolaires qui enseignent du russe, jusqu'à ce qu'il trouve un établissement qu'elle pouvait rejoindre. Mais là, les choses ne se sont pas arrêtées puisque l'inspecteur d'Académie a expliqué qu'elle n'était pas, que cette élève n'était pas prioritaire et même, s'est demandé si elle ne voudrait pas revenir dans un bon établissement au lieu de rester là où elle était, sans russe. Et donc, dans cette situation, le médiateur a saisi le recteur de l'académie et c'est lui qui a débloqué cette situation en inscrivant cette jeune fille dans l'établissement où il y avait, à la fois du russe et un internat.

PISTE 24 – 7D
▲ Cette décision, Monique Sassier, elle s'appuie sur le droit de l'éducation, c'est le droit de l'élève à poursuivre son parcours, c'est ça ?
○ Elle s'appuie sur le droit de l'élève à poursuivre son parcours. Elle s'appuie sur ce que connaît bien, finalement, l'Institution scolaire, c'est-à-dire la priorité qu'il faut donner ou qu'il faudrait donner, toujours, aux projets des élèves.
▲ Et qui n'avait pas été suivi. Alors, comme on est en période d'affectation, c'est-à-dire d'inscriptions, c'est un mot un peu barbare, les « affectations », ça fait très militaire, enfin bref, si on a un problème d'affectation, quelle est la première chose à faire ? Parce que, finalement, dans le cas que vous décrivez, la jeune fille et ses parents avaient tout fait de manière extrêmement correcte. Est-ce que ça arrive souvent, notamment, qu'une option soit supprimée ?
○ Ça arrive qu'une option soit supprimée, pour des raisons, je dirais, d'insuffisance d'élèves. On peut penser, en effet, que quatre élèves pour une option, pouvait être insuffisant d'un point de vue pédagogique.
● Ça se fait, quand même ?
○ Ça se fait, oui…[…]
Le rendez-vous du médiateur : La question des affectations ?, David Davidenkoff, Monique Sassier, , France info

UNITÉ 8
PISTE 25 – 2A
● Comme chaque année, la Fête des associations au sein des différentes communes du territoire attire de nombreux habitants à la recherche d'une activité sportive ou de loisirs. L'occasion est idéale pour prendre connaissance de la vie municipale mais aussi de découvrir les spectacles proposés au sein des équipements culturels de la communauté d'agglomération. C'est pendant cette semaine dédiée aux associations que nous sommes allés interviewer des bénévoles. Au micro de Sandrine Original.
○ Bonjour. Vous êtes bénévole dans quelle association ?
■ Aux Restos du cœur,
○ Alors, pourquoi un tel engagement ?
■ C'est avant tout pour soulager ma conscience. J'ai tout ce qu'il me faut dans la vie et… parfois… comment dire… je culpabilise d'avoir tout et de ne rien donner.
○ Et vous ?
■ Ah moi ! Je suis bénévole dans une toute petite association « Les Grands Seniors », rien à voir avec

les Restos du cœur ! J'aide les personnes âgées de mon quartier.
○ Et, pourquoi vous êtes-vous engagé ainsi ?
■ Parce que j'ai ma mère qui est très âgée, qui ne peut rien faire et ça me brise le cœur. Moi, je suis là pour l'aider mais il y en a beaucoup d'autres qui n'ont pas cette chance, alors voilà ! C'est pour moi une forme de solidarité.

PISTE 26 - 7A
● Bonjour, je suis Dario Pagel, professeur de français, de langue française et de phonétique française à l'université au Brésil et j'ai été pendant six ans professeur invité dans une université française, toujours dans le cadre de la didactique et de la formation des enseignants de FLE mais euh… j'ai un important travail, je dirais comme ça, dans le cadre associatif, c'est-à-dire, j'ai commencé avec l'association de ma petite ville, association de professeurs de français de ma petite ville ensuite la fédération brésilienne de professeurs de français et pendant 8 ans, j'ai eu l'honneur de présider la fédération internationale des professeurs de français.
○ Alors pouvez-vous nous expliquer un petit peu l'origine de votre engagement, pour la vie associative des professeurs de français et pour la langue et la culture française. Et donc pourquoi un tel engagement ?
● Pourquoi ce militantisme, pour quoi ce souhait pour le français ou la vie associative. C'est parce que je pense que ya quelques idées directrices quand même. C'est par exemple de faire des professeurs de français du monde entier des maillons essentiels de toute la politique de la langue tant au niveau des pays unilatéral ou multilatéral. Ensuite ya aussi la restructuration des associations afin qu'elles puissent jouer efficacement leur rôle parce que vous savez…euh… bon c'est une parenthèse, une association n'est pas une petite entreprise il ne faut pas bureaucratiser les associations parce que la vie associative des professeurs de français et d'autres associations de langues également ou d'autres disciplines ce sont des structures qui se réunissent les week-end en général. Donc on ne peut pas bureaucratiser, on ne peut pas mais on peut les développer politiquement pour qu'elles aient une visibilité très importante auprès de la structure politique, ministérielle ou autre, locale.
Cet engagement c'est parce que j'ai été dès le départ un enseignant de français amoureux de cette langue et soucieux de son développement dans le monde
○ D'accord
Je pense que c'est la base de tout engagement dans ce que j'ai pu développer et j'ai toujours eu une certaine obsession on peut le dire en termes de visibilité du travail de professeur de français. Et c'est un souci qui est beaucoup plus pratique qu'intellectuel je le reconnais mais il faut quand même donner une forme à l'action quotidienne de ce qui fait le professeur de français que j'appelle souvent les ouvriers ou les ambassadeurs du français et comme j'avais dit une fois ce sont quand même les bougies qui éclairent la francophonie.

TÂCHE PROFESSIONNELLE 7-8
PISTE 27 – 1
Injustice, décisions, prendre position, patron,

syndicat, prud'hommes, lutte, donner raison, réparation, employer, revendication, litige, contrat de travail, compromis, jugement, exploitation, témoignage, victime, juridiction, conciliation, harcèlement, déposer une plainte.

UNITÉ 9

PISTE 28 – 2A

Le « Repas gastronomique des Français » fait désormais partie du patrimoine mondial immatériel de l'Humanité par les experts de l'Unesco réunis à Nairobi au Kenya cette semaine. C'est la première fois qu'une cuisine dans le monde accède à ce statut. Ce classement du repas gastronomique français comme patrimoine immatériel de l'Humanité met ainsi en valeur la cuisine de qualité et permet de la préserver de la malbouffe liée à la mondialisation.
Apéritif, entrée, plat, fromage, dessert, digestif… Un art à la française aujourd'hui classé comme patrimoine de l'humanité. C'est au XVIIe.. que daterait cette tradition de se rassembler autour d'un repas, qu'il s'agisse du dîner quotidien, du déjeuner, du repas dominical ou de celui lié à des événements festifs (familiaux ou religieux). La gastronomie et le repas « à la française » font partie intégrante de l'identité culturelle française aussi bien pour ce qui est des arts de la table, de la cuisine mais aussi de cette notion de communauté liée à la gastronomie. Des communautés aux identités différentes, le repas français est aussi bien provençal que breton !
Le repas à la française est aussi fortement lié au culture issue de l'immigration : savez-vous que le couscous est devenu l'un des plats les plus populaires dans l'Hexagone ?

PISTE 29 – 4A

● Qu'est-ce qu'un artiste selon vous ? Voilà ce que nous avons demandé ce matin aux parisiens.
○ Alors, pour moi, le rôle de l'artiste est d'édifier l'esprit de l'humanité ; alors soit par adhésion au monde, comme un hymne à la vie ; soit en dénonçant l'aliénation de notre époque, comme un exorcisme !
■ Un artiste, c'est à la fois un explorateur et un chercheur. Je suis convaincu que les artistes sont les grands aventuriers du nouveau monde.
□ Les artistes donnent à voir un regard particulier, le leur, sur le monde qui nous entoure. Alors, quand on est spectateur, on peut être touché, ou pas, par son travail, et c'est à partir de là qu'on se questionne, qu'on commente, qu'on s'émeut, qu'on déteste, qu'on ne comprend rien ou qu'on s'ennuie… Bref, toutes ces émotions qui font de nous des êtres humains. C'est ça un artiste, c'est celui qui vous fait ressentir le monde mais autrement.
● Je sais pas trop, mais dans tous les cas, l'artiste c'est celui qui donne aux autres, en créant quelque chose qui leur permet d'éprouver des sentiments inconnus ou de sentir le monde d'un autre point de vue.
○ Moi, je suis intermittente du spectacle. Alors, aujourd'hui, les artistes qui subissent de plein fouet la crise, qu'ils soient peintres mais aussi musiciens, comédiens, etc. Donc ces artistes ont pour mission d'émouvoir en cherchant à montrer leurs propres émotions… Mais en ont-ils encore les moyens quand on sait qu'ils ne peuvent même pas finir les

fins de mois ? Mais je sais que le spectateur en a besoin, consciemment ou non je pense, pour rester au contact du « sensible » dans un monde actuel économique et social qui est plutôt agressif.

UNITÉ 10

PISTE 30 – 4C

« Je ne voudrais pas oublier de vous dire. » par Giorgio Molossi. On peut dire ça comme ça. C'est le grand-père. Alors ce que j'ai écrit c'est juste… Ça n'a aucun intérêt d'un point de vue littéraire, mais c'est simplement parce que je voulais écrire un peu ce que j'ai vécu pour mes petits-enfants.
Aurais-je le temps de vous transmettre votre histoire ? Au moins celle que je connais qui m'a été transmise par mes parents. En effet, pépé Jojo est né en Italie dans un village perdu au milieu de la montagne qui s'appelle Gravagna. Les gens se chauffaient au bois, allaient chercher l'eau à la fontaine et s'éclairaient à la bougie, au pétrole ou au carbure. Mon père, Dante, est parti en décembre 1949. Quitter sa terre, sa maison, a dû être un arrachement très très difficile en même temps qu'un acte d'amour extraordinaire… Cette volonté farouche de chercher à tout prix un moyen de nous donner une autre vie que celle qui fut la sienne. Vous savez ? Je ne sais pas qui disait ça. Les vieux c'est des bibliothèques vivantes. Quand elles meurent, la bibliothèque part avec. C'est… Voilà c'est tout. Mais c'est sans prétion encore une fois. Mon père et ma mère, ils ont cru à la vie et ils sont partis à l'aventure. Je crois qu'ils ont bien fait. Ils en ont bavé mais ils ont réussi à nous donner un métier à ma sœur et à moi. L'exemple de mes parents, toute cette énergie qu'ils ont mis pour en sortir,etc… pour moi, ça a toujours été… je l'ai vécu comme un appel. Ils m'ont jamais dit : « Engage-toi ». Mais leur mode de vie, leur façon de vivre, moi je l'ai reçu comme un appel à le faire. Je voudrais vous dire que je crois avoir à peu près réussi ma vie.

Atelier du Bruit, Giorgio Molossi

PISTE 31 – 6B

Vous me demandez ce que je fais pendant les vacances ? Je suis mal placé pour en parler parce que je ne prends jamais de vacances. Toute l'année, je circule, je vais, je viens pour mon travail. Pour moi, le voyage, c'est un état d'esprit. Parfois, quand on ferme la porte, on voyage et on a l'impression d'avoir découvert des choses, d'être parti de chez soi. Certaines personnes partent au bout du monde et ne sortent pas de chez elles, ne sortent pas de leur tête. Vous savez, l'évasion réside parfois dans une simple balade près de chez soi. Le voyage, c'est une rêverie, une philosophie, une curiosité. Or, le voyage est, de nos jours, un produit de consommation. On est fier d'annoncer qu'on a « fait » New-York, qu'on a « fait » la Guadeloupe. Mais qu'a-t-on « fait » en réalité ? Beaucoup de touristes courent de monuments en monuments, un guide touristique à la main et vérifient ce qui est écrit dans le guide. Ils prennent des photos en rafales. Ils reviennent chez eux, exposent leurs souvenirs et courent déjà vers une autre destination. Je considère que le tourisme est à l'opposé du voyage. Le sociologue Rodolphe Christin parle même d'« antivoyage ». Les agences nous vendent une prestation. Ils nous vendent du soleil, de la neige, de l'aventure ou de l'exotisme. Ce sont des

marchands de rêve. La prestation touristique a remplacé le voyage. Certaines destinations sont même devenues difficilement faisables en dehors des chemins balisés. L'industrie touristique a gommé l'exotisme avec ses transports organisés, ses clubs, ses hôtels aseptisés… Je pense qu'il faut voyager différemment et privilégier le cheminement à la destination. Partir moins souvent, plus longtemps, moins loin. Il faut laisser la place à l'imprévu et à la rencontre. Ce que j'aime dans les voyages, c'est la préparation, toutes les lectures qu'on fait pour connaître sa destination. J'écoute, par exemple, beaucoup de musiques du pays, je lis beaucoup de nouvelles, de poèmes. Je découvre des auteurs qui font la fierté du lieu où je vais. Il faut s'imprégner du lieu. C'est essentiel ! Voyager c'est obéir à une pulsion nomade. On part à l'aventure, à la découverte, vers la connaissance en fait. Le nomadisme est le contraire du tourisme, on part sans plan préétabli. On peut décider à tout moment de reprendre un avion ou de s'arrêter quelques jours. C'est une conception proche de l'errance. Le but importe peu, c'est le chemin qui importe.

PISTE 32 – Si tu me prends par les sentiments… A

1 Ah ! L'Irlande va vraiment me manquer !
2. J'ai vraiment hâte de les rejoindre !
3. Ils nous ont laissé 6 heures sans rien nous dire ! On était bloqués dans l'aéroport et personne n'est venu nous informer. C'est scandaleux !
4. Dommage que le musée soit fermé aujourd'hui. On n'aura pas l'occasion de revenir.
5. C'est magnifique ! Regardez là-bas, il y a même des chevaux en liberté !
6. Il faut toujours qu'elle coupe la parole au guide ! Elle n'a qu'à prendre sa place !
7. C'est incroyable ! : les gens font la queue depuis des heures sans protester. Ils sont vraiment très disciplinés !
8. Attends, écoute ça, c'est fascinant : il raconte comment ils sont allés à la rencontre d'une tribu Maassaï.

PISTE 33 – 9A

● Nous avons interrogé des étudiants de retour d'un séjour à l'étranger. Ils nous racontent leur expérience.
○ Je m'appelle Agathe Hoedt. Je suis étudiante. Je suis partie via le programme Erasmus en Italie, à Rome, au premier semestre. J'ai choisi cette destination parce que j'étudiais l'italien depuis deux ans et j'avais envie de progresser plus vite. Cette année, Erasmus m'a permis de prendre mon indépendance et d'être plus autonome. J'ai également développé ma capacité à vivre en communauté. J'ai vécu en collocation avec d'autres étudiants Erasmus dans une maison en centre-ville, pas très loin de la fac. Grâce à cette expérience, j'ai également pu comparer les systèmes d'enseignement italien et français. J'ai surtout gardé contact avec les étudiants français Erasmus pour des raisons affectives mais également géographiques. Je suis également restée en relation avec mes colocataires. Les étudiants qui sont intéressés par une expérience à l'étranger ne doivent pas hésiter ! Qu'ils aillent se renseigner auprès du bureau des relations internationales de leur université. Ils ne seront pas déçus. En plus, ils pourront valider des

crédits ECTS et revenir avec un semestre ou une année universitaire en poche.»

■ Je m'appelle Julie. J'ai 22 ans et j'étudie l'art afin de devenir commissaire-priseur. J'apprends le chinois depuis maintenant 3 ans. Je reviens justement tout droit de Pékin où j'ai passé 5 semaines. À mon arrivée là-bas, j'ai cru être arrivée sur une autre planète. C'est écrit en chinois partout, il y a plein d'enseignes de couleurs et les jeunes sont très extravertis avec les cheveux colorés, des looks un peu bizarres. J'étais dans un autre monde ! J'ai fait le choix d'habiter dans une famille chinoise en plein cœur de Pékin. Seule la mère parlait un peu le français, ce qui a été un plus pour se comprendre. La langue chinoise est en effet une langue à tons et souvent quand je parlais, je disais autre chose que ce que je voulais dire ! Donc, j'ai pris des cours sur place avec des jeunes Français habitant depuis peu en Chine, ça m'a permis de me sentir un peu moins seule. Sinon, le reste du temps, je découvrais la ville avec la fille de la famille. À mon avis, l'avenir est avec la Chine. Le chinois est la langue la plus parlée au monde et dans mon domaine, il est très présent. J'aimerais me spécialiser dans l'art asiatique, et donc je n'avais pas trop le choix que d'apprendre cette langue. Mais je ne l'ai pas fait par obligation, j'avais vraiment envie d'apprendre le mandarin.

□ Je m'appelle Marie-Lou. Je suis infirmière-puéricultrice. Je souhaitais améliorer mon espagnol car je projetais de partir m'installer en Espagne avec mon conjoint. Un séjour linguistique à l'école ne m'attirait pas. Je voulais me rendre utile. J'ai décidé de partir avec une association humanitaire Projects Abroad dans le cadre d'un programme de solidarité internationale. Je m'étais inscrite pour 3 semaines au Costa Rica et puis finalement, je suis restée 2 mois ! Le Costa Rica est un magnifique pays où j'ai été si bien accueillie. J'étais logée chez un des employés là-bas. Nous sommes toujours en contact d'ailleurs ! Ma mission consistait à seconder une éducatrice dans un centre de jour, pour enfants issus de familles défavorisées. Je me suis tout de suite intégrée à l'équipe qui m'a très bien accueillie. La communication n'était pas facile au début, ni avec les enfants, ni avec le personnel mais au bout de 2 ou 3 jours, je me suis sentie très à l'aise et surtout très très acceptée par les enfants, pas besoin de parler leur langue, le langage du cœur suffit. Au-delà de l'expérience linguistique, j'ai vécu une expérience humaine très forte et très prenante. Je suis revenue transformée et je souhaite à tout le monde de vivre ce que j'ai vécu.

TÂCHE PROFESSIONNELLE 9-10

PISTE 34 –1
Réputation, publicité, subvention, parrainage, prestation, entreprise, sponsor, engagement, partenaire, contrat, contact, critères, réseau, moyen, analyse, fond, financement, mécène

ENTRAÎNEMENT À L'EXAMEN DU DELF B2 – COMPRÉHENSION DE L'ORAL

PISTE 35 – Exercice 1
Deux fois par an, près de 50 millions d'oiseaux migrateurs franchissent la mer du Nord sur 500 kilomètres. Sur leur trajet, ils survolent des plateformes off-shore, qui exploitent le gaz et le pétrole, et qui sont éclairées comme des sapins

de Noël. La nuit, les oiseaux s'orientent grâce aux étoiles. Mais lorsque le ciel est couvert et qu'il pleut, l'intensité lumineuse des plateformes désoriente les oiseaux : ils viennent se cracher sur les installations. D'après le rapport présenté par les Pays-Bas, une seule plateforme peut tuer jusqu'à 60 000 oiseaux par an. Les victimes sont essentiellement des merles, des grives, des alouettes des rouges gorges. Sur une seule plate forme, on a ramassé 422 oiseaux morts de 31 espèces différentes en moins d'un an. Mais ces derniers sont le sommet de l'iceberg. Car pour un oiseau tombé sur une plateforme, combien sont morts d'épuisement en mer. Depuis 2008, les Pays Bas tentent d'imposer ce sujet dans les discussions de la commission Ospar sur la protection de l'Atlantique Nord-Est. Mais les Britanniques s'y sont opposés. Au motif qu'on ne peut pas évaluer sérieusement la mortalité des oiseaux migrateurs. Cette année, la convention a décidé de créer un groupe de travail réunissant des ornithologues, des associations et évidemment les professionnels de l'exploitation offshore. Cela semble dérisoire. Mais pour Miriam Potter qui assistait à la convention sur les bancs des observateurs pour l'association Robin des Bois « C'est une avancée cela signifie que la convention prend les choses au sérieux. » Les Pays-Bas ont proposé d'utiliser des radars militaires pour évaluer plus précisément les populations qui migrent et leur concentration autour des platesformes. L'Allemagne de son côté a tenté une expérience sur l'un de ses sites en réduisant de moitié l'intensité lumineuse. Avec un impact bénéfique sur les oiseaux. Elle envisageait de remplacer la lumière actuelle trop attirante, mais la sécurité l'interdit. La réglementation internationale impose un éclairage spécial pour l'approche et les atterrissages des hélicoptères.
Retrouvez cette chronique sur France-Info.com.

Chronique Planète Mer : Oiseaux migrateurs :
Nathalie Fontrel, France info

PISTE 36 – Exercice 2
● Près de deux millions de travailleurs illettrés en France. Un chiffre étonnant mais pris au sérieux puisque Nadine Morano, ministre chargée de l'apprentissage et de la formation professionnelle a annoncé il y a quelques jours qu'une enveloppe de près de 200 millions d'euros serait débloquée pour aider ces salariés. Marie-Claire Carrergé bonjour.
○ Bonjour.
● Vous êtes présidente du Conseil de l'Orientation pour l'Emploi. Alors, d'abord, on a envie de savoir. Qui sont ces gens qui ne savent quasiment ni lire ni écrire mais qui ont quand même un emploi.
○ On se dit en France… Oui, ce doit être des personnes immigrées qui connaissent pas bien la langue française. Or, c'est pas ça du tout. Une personne en situation d'illettrisme, c'est une personne qui est allée à l'école jusqu'à la fin de la scolarité obligatoire, qui est allée à l'école en France et qui, malgré tout, a des difficultés extrêmement sérieuses à lire un texte, à comprendre son sens et à écrire, à lire un texte, à comprendre son sens et à écrire.
● On a du mal à imaginer comment ces gens ont quand même un travail, font dans le monde du travail pour travailler tous les jours et passer à travers les mailles du filet.

● Il y a 10 ou 20 ans, le marché du travail était beaucoup moins sélectif qu'aujourd'hui. Et, pour des emplois dits non-qualifiés, des personnes en situation d'illettrisme pouvaient arriver à se faire recruter. Mais le marché du travail, il devient de plus en plus sélectif tout simplement parce que le travail fait de plus en plus une large place à l'écrit.
● Alors voilà. On fait des mails en permanence quelque soit finalement son poste.
○ Voilà. Il y a des mails, il y a des reportings à faire, y'a des bordereaux à remplir, des questionnaires de satisfaction du client. Et puis, y'a des machines avec des modes d'emploi. Ce qu'il faut dire c'est que ces personnes qui avaient réussi à décrocher un emploi alors qu'elles étaient illettrées développent des compétences supplémentaires si vous voulez.
● Des habiletés.
○ Bien sûr ! C'est-à-dire que quand on est en situation d'illettrisme, que ce soit au travail ou dans la vie, on essaie de faire avec. C'est-à-dire que, quand on a besoin de lire un papier important, on prétend qu'on a oublié ses lunettes et qu'on ne peut pas lire, on demande à un collègue… On développe soi-même des compétences de mémorisation beaucoup plus importantes que tous les gens qui savent lire et écrire. Aujourd'hui, ce qu'il faut vraiment avoir en tête, c'est que non seulement le nombre de personnes en situation d'illettrisme sur le marché du travail est extrêmement élevé mais qu'en plus ces personnes sont en situation de vulnérabilité immense. Si elles perdent leur boulot, elles ont un mal fou à en retrouver un.
● Qu'est-ce qu'on peut faire quand on a, on soupçonne qu'il y a autour de soi un collègue, une personne de son entreprise, voire quelqu'un que l'on dirige et dont on s'aperçoit qu'elle est illettrée.
○ Ce que nous on demande, c'est que tous les chefs d'entreprise soient sensibilisés à la question. Il faut que la détection elle débouche immédiatement sur une solution. Et ces solutions elles existent. Il existe un numéro Indigo en France que tout le monde peut appeler. C'est le 0 820 33 34 35 et particulièrement tous les DRH, les médecins du travail même pour qu'ils puissent avoir non seulement le réflexe de détecter une situation d'illettrisme mais immédiatement de proposer une solution parce que, oui, c'est possible de réapprendre à lire et à écrire quand on est adulte !

Chronique Modes de vie, C'est mon boulot :
travailleurs illettrés en France, Philippe Duport,
Marie-Claire Carrergé, France info

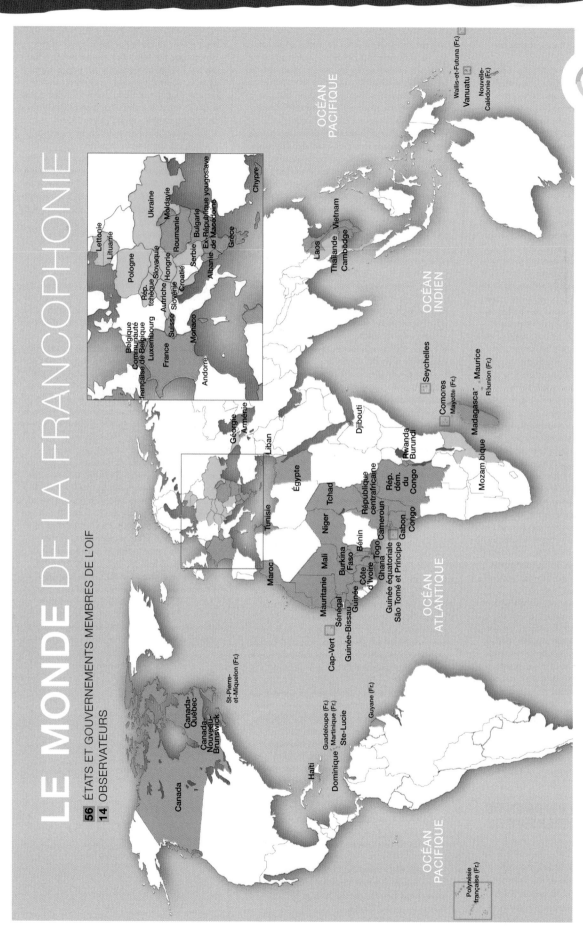

LE MONDE DE LA FRANCOPHONIE

56 ÉTATS ET GOUVERNEMENTS MEMBRES DE L'OIF
14 OBSERVATEURS

L'Organisation internationale de la Francophonie est une institution fondée sur le partage d'une langue, le français, et de valeurs communes.

Elle rassemble **56** États et gouvernements membres et **14** observateurs totalisant une population de **870 millions.** On recense **200 millions** de locuteurs de français dans le monde.

ORGANISATION
INTERNATIONALE DE
la francophonie

LA FRANCE MÉTROPOLITAINE

— Limite d'État
— Limite de région
Limite de département
■ Capitale
● Chef-lieu de région
• Chef-lieu de département

Échelle
0   50   100 km

ROYAUME-UNI

LONDRES

PAYS BAS

ALLEMAGNE

LA MANCHE

■ BRUXELLES

BELGIQUE

LUXEMBOURG

■ LUXEMBOURG

PAS-DE-CALAIS
Lille

NORD-PAS-DE-CALAIS

Arras

SOMME

NORD

Charleville-Mézières

SEINE-MARITIME

Amiens

OISE

PICARDIE

AISNE

ARDENNES

MANCHE

HAUTE-NORMANDIE

Rouen

Beauvais

Laon

Saint-Lô

CALVADOS

Caen

EURE

Seine

VAL D'OISE

Châlons-sur-Marne

MEUSE

Metz

MOSELLE

BAS-RHIN

BASSE-NORMANDIE

Évreux

YVELINES

PARIS

SEINE-ET-MARNE

MARNE

Bar-le-Duc

LORRAINE

Nancy

Strasbourg

FINISTÈRE

Saint-Brieuc

CÔTES-D'ARMOR

ORNE

Alençon

MAYENNE

ÎLE-DE-FRANCE

ESSONNE

CHAMPAGNE-ARDENNE

MEURTHE-ET-MOSELLE

ALSACE

BRETAGNE

ILLE-ET-VILAINE

Chartres

EURE-ET-LOIR

Troyes

AUBE

Chaumont

HAUTE-MARNE

VOSGES

Épinal

Colmar

HAUT-RHIN

Quimper

Rennes

SARTHE

Le Mans

LOIR-ET-CHER

Orléans

LOIRET

Auxerre

Sens

TERRITOIRE DE BELFORT

Rhin

MORBIHAN

Vannes

Laval

PAYS DE LA LOIRE

Blois

CENTRE

Loire

YONNE

BOURGOGNE

CÔTE-D'OR

Dijon

Vesoul

HAUTE-SAÔNE

Belfort

Besançon

FRANCHE-COMTÉ

DOUBS

Nantes

LOIRE-ATLANTIQUE

Angers

MAINE-ET-LOIRE

Tours

INDRE-ET-LOIRE

Bourges

Nevers

CHER

NIÈVRE

Loire

■ BERNE

SUISSE

La Roche-sur-Yon

VENDÉE

VIENNE

Poitiers

Châteauroux

INDRE

Moulins

ALLIER

SAÔNE-ET-LOIRE

Lons-le-Saunier

JURA

OCÉAN ATLANTIQUE

DEUX-SÈVRES

La Rochelle

Niort

POITOU-CHARENTES

CHARENTE-MARITIME

HAUTE-VIENNE

CREUSE

Guéret

Limoges

Mâcon

RHÔNE

Bourg-en-Bresse

AIN

HAUTE-SAVOIE

Annecy

CHARENTE

Angoulême

LIMOUSIN

AUVERGNE

PUY-DE-DÔME

Clermont-Ferrand

LOIRE

Lyon

Chambéry

SAVOIE

ITALIE

CORRÈZE

Saint-Étienne

RHÔNE-ALPES

Périgueux

Tulle

CANTAL

HAUTE-LOIRE

Grenoble

ISÈRE

Bordeaux

DORDOGNE

Aurillac

Le Puy

Loire

Valence

Privas

ARDÈCHE

HAUTES-ALPES

GIRONDE

Garonne

LOT-ET-GARONNE

LOT

Cahors

DRÔME

Gap

AQUITAINE

LANDES

Agen

TARN-ET-GARONNE

Rodez

AVEYRON

Mende

LOZÈRE

GARD

VAUCLUSE

Digne

ALPES-DE-HAUTE-PROVENCE

ALPES-MARITIMES

Mont-de-Marsan

Montauban

Albi

Avignon

PROVENCE-ALPES-CÔTE D'AZUR

GERS

Auch

MIDI-PYRÉNÉES

TARN

Nîmes

Montpellier

BOUCHES-DU-RHÔNE

Nice

■ MONACO

PYRÉNÉES-ATLANTIQUES

Pau

HAUTE-GARONNE

Toulouse

HÉRAULT

VAR

Côte d'Azur

Tarbes

Garonne

AUDE

Carcassonne

Marseille

Toulon

HAUTES-PYRÉNÉES

ARIÈGE

Foix

LANGUEDOC-ROUSSILLON

ANDORRE

Perpignan

PYRÉNÉES-ORIENTALES

ESPAGNE

ANDORRE LA VIEILLE

MER MÉDITERRANÉE

Bastia

HAUTE-CORSE

CORSE

Ajaccio

CORSE-DU-SUD

SARDAIGNE (ITALIE)

ÎLE-DE-FRANCE

VAL D'OISE

Pontoise

SEINE-SAINT-DENIS

YVELINES

Nanterre

Bobigny

Versailles

PARIS

HAUTS-DE-SEINE

Créteil

SEINE-ET-MARNE

VAL-DE-MARNE

Évry

ESSONNE

Melun

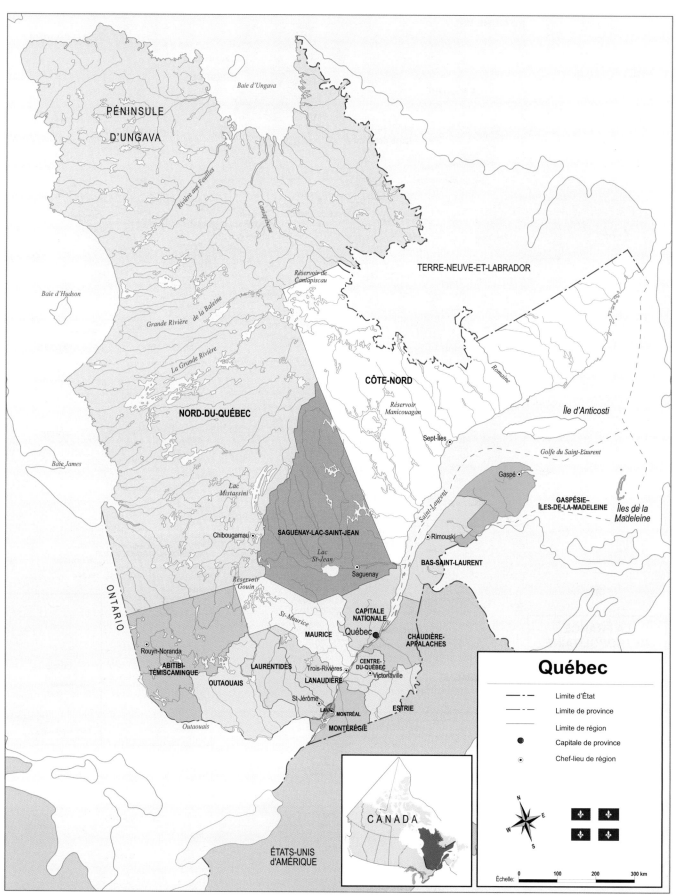

PÉNINSULE D'UNGAVA

Baie d'Ungava

Rivière aux Feuilles

Canapiscau

Réservoir de Caniapiscau

TERRE-NEUVE-ET-LABRADOR

Baie d'Hudson

Grande Rivière de la Baleine

La Grande Rivière

Romaine

CÔTE-NORD

Île d'Anticosti

NORD-DU-QUÉBEC

Réservoir Manicouagan

Baie James

Sept-Îles

Golfe du Saint-Laurent

Gaspé

GASPÉSIE–ÎLES-DE-LA-MADELEINE

Île de la Madeleine

Lac Mistassini

Chibougamau

SAGUENAY-LAC-SAINT-JEAN

Lac St-Jean

Rimouski

BAS-SAINT-LAURENT

Saint-Laurent

Saguenay

Réservoir Gouin

CAPITALE NATIONALE

ONTARIO

St-Maurice

MAURICE

Québec

CHAUDIÈRE-APPALACHES

Rouyn-Noranda

ABITIBI-TÉMISCAMINGUE

LAURENTIDES

Trois-Rivières

CENTRE-DU-QUÉBEC

Victoriaville

OUTAOUAIS

LANAUDIÈRE

St-Jérôme

ESTRIE

LAVAL

MONTRÉAL

Outaouais

MONTÉRÉGIE

CANADA

ÉTATS-UNIS d'AMÉRIQUE

Québec

–·–·–	Limite d'État
–··–	Limite de province
——	Limite de région
●	Capitale de province
◉	Chef-lieu de région

N E S W

Échelle: 0 100 200 300 km

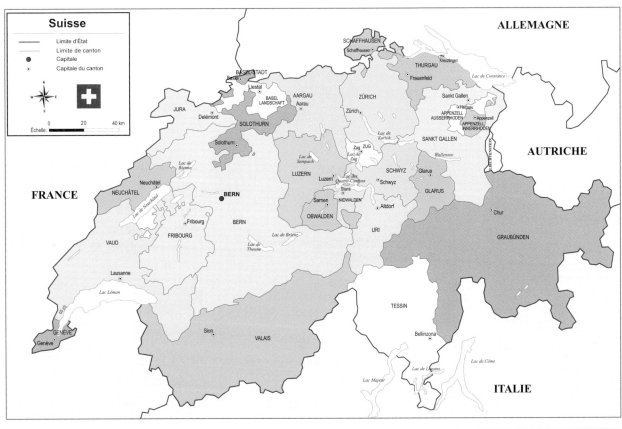

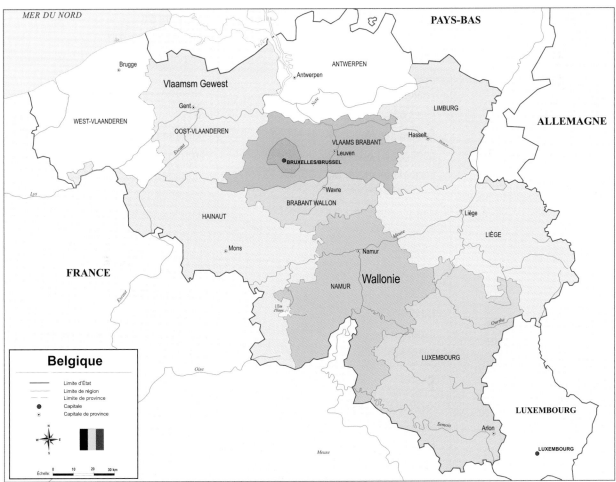

Index analytique

Version Originale · Méthode de Français
Livre de l'élève · Niveau 4

Auteurs
Fabrice Barthélémy, Christine Kleszewski, Émilie Perrichon et Sylvie Wuattier
Conseil pédagogique et révision
Christian Puren
Coordination éditoriale et rédaction
Lucile Lacan
Correction
Sarah Billecocq
Conception graphique, mise en page et couverture
Besada+Cukar
Documentation
Coryse Calendini et Lucile Lacan
Enregistrements
Coordination : Lucile Lacan
Remerciements
Nous tenons à remercier toutes les personnes qui ont contribué par leurs conseils et leurs révisions à la réalisation de ce manuel, notamment Katia Coppola et Philippe Liria.

ISBN édition internationale : 978-84-8443-569-3
Dépôt légal : B-9489-2012
Imprimé dans l'UE
Réimpression : septembre 2014

www.emdl.fr